L'œuvre inachevée

L'œuvre inachevée
Tome I

Roman

Éditions **V**éritas Québec

Catalogage avant publication de Bibliothèque et Archives nationales du Québec et Bibliothèque et Archives Canada

Brassard, Marie, 1951-

    L'œuvre inachevée

    ISBN 978-2-89571-041-7

    I. Titre.

PS8603.R367O38 2013	C843'.6	C2013-942076-2
PS9603.R367O38 2013		

Révision : Thérèse Trudel et Vicky Winkler

Infographie : Marie-Eve Guillot

Photographie de l'auteure : Sylvie Poirier

Éditeurs :   Les Éditions Véritas Québec

                2555, avenue Havre-des-Îles, suite 118

                Laval, (QC) H7W 4R4

                450-687-3826

                www.editionsveritasquebec.com

Dépôt légal : Bibliothèque et Archives nationales du Québec

               Bibliothèque et Archives Canada

ISBN :   978-2-89571-041-7 version imprimée

            978-2-89571-042-4 version numérique

Dédicace

À tous ceux qui croient qu'une âme sœur existe pour eux;

À ceux et celles qui ont eu le bonheur de la rencontrer.

Chapitre 1

Les dossiers s'accumulent sur le bureau de Claudie, en cette fin d'automne. L'infographiste ne réussit pas, malgré les heures supplémentaires, à livrer les maquettes que réclament les clients pour leur promotion des fêtes qui approchent : brochures, cartes de vœux, rapports de toute nature. La période de pointe des produits publicitaires prend déjà l'allure d'un embouteillage. L'imprimerie Clairval compte sur cette recrudescence des commandes pour atteindre un seuil de profitabilité maximum d'ici la fin de l'année 1999. Depuis sept ans, Claudie vit cette période de pression temporaire qui, malheureusement, est souvent suivie d'un ralentissement, parfois inquiétant, au premier trimestre de la nouvelle année. Et c'est sans parler de la menace planétaire qui pèse sur toutes les entreprises : le bogue du nouveau millénaire ! En ce premier jour de décembre, elle se sent incapable, en son âme et conscience, d'accepter les délais trop restreints que son employeur Gratien lui impose, sans manifester son débordement.

Je ne pourrai pas terminer le dossier Gingras et parallèlement, réaliser la commande de ce cahier de 24 pages des Leclerc... C'est impossible !

Le propriétaire de l'imprimerie lève la tête et esquisse un sourire en observant l'une de ses plus performantes employées, visiblement inquiète. Dès qu'il l'avait rencontrée en entrevue, il avait deviné que cette infographiste avait un potentiel qui lui permettrait peut-être d'augmenter son chiffre d'affaires. Non seulement Claudie est une créatrice talentueuse, mais elle a aussi un charme peu commun. Grande et mince, cette jeune femme de 30 ans ne passe pas inaperçue : ses traits agréables, ses yeux bleu turquoise remarquablement doux et brillants, sa longue chevelure de jais se répandant sur ses épaules fines, tout cela rehaussé d'un agréable sourire et d'une efficacité peu commune, représente un réel atout pour l'employeur qui cherche comment la rassurer. En quelques années, le talent incontestable de cette employée a contribué à la croissance du nombre de clients. « Sans elle, les activités de l'imprimerie auraient-elles produit autant de dividendes ? » se demande Gratien. Évidemment, il se repose de plus en plus sur son expérience : chaque création nécessitant une touche artistique passe entre ses mains.

– Je pense que je vais appeler une contractuelle. Peux-tu m'indiquer les dossiers les moins stratégiques ? Je pourrais les confier à Ginette.

– Certainement. Je vais faire le tri pendant que vous vérifiez la disponibilité de Ginette et je vous reviens. Espérons qu'elle n'est pas surchargée, elle aussi…

Claudie évalue les demandes en attente, et retire de son panier trois dossiers plutôt standards, les surligne en jaune avant de les remettre à son patron. Ce dernier les évalue sommairement et décroche son téléphone.

– Voilà qui va te redonner ton sourire… C'est comme ça qu'on t'aime ! Tu devras quand même superviser la contractuelle, car elle n'a pas ton expérience.

La matinée s'engage sur un fond de musique de Noël. Claudie ouvre son dossier, choisit les polices de caractère, sélectionne les icônes appropriées, retranscrit des segments de textes, organise la disposition graphique d'une annonce puis la sauvegarde et l'imprime. Une trentaine de minutes plus tard, la maquette est prête à être transmise au client pour approbation, ce qu'elle fait en deux clics de souris. Puis elle enchaîne un deuxième dossier sans perdre une seconde. Il est près de 11 h lorsqu'elle lève les yeux. Un client vient d'entrer et s'approche du comptoir. Elle laisse son ordinateur et l'accueille, demandant à l'inconnu ce qu'elle peut faire pour lui. L'homme est grand, vêtu avec soin. Claudie observe ce front large et ce teint hâlé.

– Je suis Antoine Tessier des Habitations *Tessier-America*; j'aimerais créer une brochure pour l'une de nos lignes de production. Un feuillet de huit pages avec quelques photos et des textes pour nos clients européens. Ils sont fous de nos chalets de bois rond…

L'homme s'exprime avec facilité, posant ses yeux bruns sur la jeune femme qui, bien que gardant une attitude accueillante, semble un peu embarrassée de recevoir cette demande. D'habitude, c'est la secrétaire de direction de l'entreprise qui renouvelle la papeterie et coordonne le suivi des projets de cet important client. Mais elle est en pause-repas.

– Je vois… J'aimerais bien vous aider, mais cela dépend de vos attentes. Vos délais je veux dire… Je m'appelle Claudie, je suis l'infographiste. Je vous avoue que nous avons déjà plusieurs dossiers en production… tous aussi urgents les uns que les autres.

– Enchanté de vous rencontrer, Claudie, et… désolé d'ajouter de la pression, mais j'aimerais bien obtenir ce document avant le congé des fêtes, disons vers le 20 décembre.

– Est-ce que vous souhaitez que nous fassions une estimation préliminaire ? Il faudrait choisir le papier, en premier lieu. Je vais demander à mon patron de venir vous rencontrer à ce sujet. Je le préviens tout de suite. Si vous voulez bien patienter un moment.

– Les coûts ne me posent guère de problème, mais la qualité du produit et les délais en revanche… sont non négociables, ajoute le client avec un regard déterminé.

Le ton est respectueux, mais ferme. L'attitude de l'homme intrigue un peu Claudie : Antoine Tessier affiche une sorte de fierté en regardant sa maquette, maintenant étalée sur le comptoir. Claudie note cette assurance mais hésite à répondre par l'affirmative avant que Gratien ne se prononce sur la possibilité de réalisation dans le cadre de ces quelques semaines.

– Je vois que votre maquette est assez précise. Vous avez eu recours à un graphiste ? Les textes ont-ils déjà été révisés ? Vous savez, tous ces petits détails nous permettent de sauver beaucoup de temps, précise l'employée en examinant les documents.

– C'est moi qui ai fait la mise en page que vous voyez et j'ai également écrit les textes. J'adore pouvoir créer alors que, habituellement, on me confie seulement des travaux administratifs, trop ennuyeux. C'est pourquoi je voudrais tellement que cette brochure soit livrée avant Noël, pour épater un peu les collègues, vous comprenez ? insiste poliment le client.

– Vous savez, ce n'est pas moi qui prends les décisions, mais le patron et, croyez-moi, s'il y a une possibilité... Je pourrais le faire en heures supplémentaires. Heureusement que la maquette graphique est déjà conçue, sans quoi...

Gratien Côté apparaît enfin au comptoir. Claudie lui résume la demande en tentant de dissimuler les contraintes nécessaires à la réalisation d'un tel contrat dans des délais aussi serrés. Évidemment, son employeur démontre une attitude réceptive. Il regarde le nombre de pages, l'utilisation du polychrome, puis prend une enveloppe, appose un numéro d'ordre et affiche un sourire amusé :

– Pour *Tessier-America*, nous ferons le nécessaire. Cette commande sera livrée à votre satisfaction... et Claudie vous épatera tellement elle est efficace. Vous avez bien quelques minutes, je vais chercher des échantillons de papier : glacé ou lustré... mat satiné, peut-être ?...

Peu après, Gratien rejoint Claudie à son bureau en affichant un air triomphant.

– Ils veulent une brochure couleur de huit pages de haute qualité pour le 20 décembre. On est déjà débordé... Mais le bon point, c'est que la maquette est complète et superbe... Voulez-vous préparer les estimations ? Il me faudra environ 10 heures pour faire le montage... de nuit !

– Pas question de refuser ça, ma belle ! On s'arrange comme on peut, mais jamais on ne dit non aux *Tessier*. Je vais tenir compte des heures supplémentaires que nous aurons à faire… et on s'arrange ensuite pour la produire, cette brochure !

Pendant que le client patiente, Gratien prend la maquette et examine le format, évalue le travail de montage, les prépresses et la presse, le pliage… Il peut faire un profit intéressant en proposant un papier fin qu'il a déjà en stock, ce qui leur fera gagner un peu de temps. Il se munit donc de quelques échantillons du papier adéquat pour compléter le dossier et faire approuver le choix par ce client privilégié, tandis que Claudie poursuit son travail. Antoine répond promptement aux questions de l'imprimeur tout en gardant, dans son champ de vision, le profil de la jeune femme dont les doigts courent littéralement sur le clavier.

– Claudie va prendre en charge l'infographie et, dès que cette étape sera franchie, elle vous appellera pour l'approbation… disons d'ici vendredi, si tout va bien. Je vais télécopier l'estimation des coûts à votre bureau dès que je l'aurai complétée. Si vous l'approuvez, le travail d'impression débutera. Voulez-vous me laisser votre carte professionnelle ou votre numéro de cellulaire, car je présume que vous serez personnellement responsable du suivi ?

– Évidemment, et remettez-en une à cette jeune femme… que j'ai déjà hâte de revoir, ajoute Antoine.

– Elle va devoir travailler au moins deux soirs pour respecter votre délai, vous savez. Heureusement qu'elle est ultra-efficace !

– C'est une qualité que j'apprécie moi aussi, car j'ai mis beaucoup d'énergie dans ce projet. J'attends votre estimation, une formalité en fait, et la suite…

Lorsque Claudie relève la tête, le client est parti. Gratien, accoudé au comptoir, note les choix du client concernant le papier et calcule les quantités qui seront requises. Lorsque le bruit de la calculatrice cesse, Gratien dépose le dossier sur le bureau de Rachel, l'adjointe administrative, afin qu'elle complète le bordereau et fasse parvenir le devis au client pour approbation. L'imprimeur revient vers Claudie en sifflotant.

– Tu lui as fait grande impression à l'unique héritier de l'entreprise Tessier. Tu sais que lorsque son père va prendre sa retraite, un de ces jours, il aura une entreprise de plusieurs millions entre les mains…

– C'est un homme agréable et tu as vu la maquette ? Il est très talentueux. As-tu remarqué les détails de ses dessins, c'est un artiste, commente Claudie.

– Tu auras le plaisir de le revoir puisque c'est lui qui fera le contrôle des étapes. Voilà sa carte professionnelle. Il tenait à t'en remettre une personnellement, je ne comprends pas vraiment pourquoi… dit le patron sur un ton moqueur.

– Ne va rien t'imaginer… Je travaille tellement qu'il ne me reste pas de temps pour avoir un amoureux. Si cela survient, vous serez le premier averti, après mes parents, bien évidemment.

- Allez, passons aux choses sérieuses… Le boulot !

Vers 16 h, un fleuriste se présente et demande Claudie Delisle. Il est porteur d'une gerbe de roses aux teintes différentes. Un peu intimidée, la jeune infographiste ouvre la carte qui accompagne ce très volumineux bouquet.

« Me faire pardonner pour ces heures supplémentaires que je vous impose n'est pas chose facile… Acceptez donc ces roses qui parfumeront votre bureau, pendant que vos talents rendront concrète la brochure qui s'envolera vers l'Europe sous peu… Merci d'avoir dit OUI à l'une de mes demandes. Espérons que cela sera le premier d'une longue suite de consentements, aussi agréables qu'imprévisibles. »

Antoine Tessier

Claudie sourit à cet envoi un peu exagéré, mais elle apprécie néanmoins le geste : roses jaunes, roses, blanches et rouges s'entremêlent en guise de remerciement. « Il ne tient pas les autres comme étant à son service, en tout cas, comme la plupart des hommes qui ont réussi en affaires... Bon point ! » songe-t-elle en déposant la gerbe dans un pot saisi au passage dans la salle des employés.

Lorsque 17 h arrivent, elle met son ordinateur en veille et sort chercher une salade et un jus de fruits pour marquer la pause-souper, après quoi elle se remet au travail. À la vue de son horloge indiquant 21 h, elle décide de rentrer chez elle, un condo heureusement situé à quelques rues de là seulement. Décembre est gris et sombre en l'absence de neige. La magie de l'hiver n'a pas encore fait son œuvre, et c'est en pensant aux dangers de la conduite hivernale qu'elle savoure le fait de demeurer à proximité de son travail. Il y a cinq ans déjà qu'elle a choisi de s'installer à Boucherville afin d'éviter les allers-retours quotidiens jusqu'à Joliette où sa famille demeure depuis toujours.

Cette première décision majeure de sa vie, Claudie l'a prise afin de s'affranchir, afin de conquérir son indépendance, heureuse de voler de ses propres ailes après une enfance et une adolescence sans histoire. Sa jeune sœur Sophie fut la seule à réagir négativement à cet éloignement. Elle en voulait à Claudie de briser la belle image d'une famille unie, craignant que le climat ne soit plus jamais le même en son absence. Évidemment, Sophie tenait pour inébranlable cette famille nucléaire, figée dans le temps et dans l'espace... Mais la vie entraîne le mouvement et le changement commande l'adaptation. Claudie, elle, apprenait ainsi la valeur des choses et goûtait cette totale autonomie consacrant l'arrivée à l'âge adulte. Personne n'avait réussi, depuis son départ de la maison familiale, à envahir son repaire intime, à rompre son désir de vivre en paix. Était-elle devenue accro à cette agréable liberté ? Pas encore, du moins le croyait-elle...

* * *

Lorsqu'elle confirme d'un clic l'impression du montage Tessier, Claudie pense qu'elle s'est surpassée : le résultat devrait plaire à un artiste de sa trempe. Elle l'évalue et vérifie qu'il n'y a ni débordement, ni détails à modifier avant de demander l'approbation. En ce mercredi soir, il est peut-être chez lui et non à son bureau. Elle compose donc le numéro de son cellulaire, un peu nerveuse à l'idée d'interrompre l'une de ses activités personnelles. Il répond à la seconde sonnerie. Libre ? Évidemment ! En quelques minutes, il sera à l'imprimerie...

– Si vous préférez venir demain matin, nous ouvrons à 8 h 30, suggère Claudie afin de lui éviter un tête-à-tête alors qu'elle se sent un peu fatiguée.

– Vous êtes encore au bureau à 20 h... Vous devez bien avoir faim ? Si on regardait le montage en mangeant un petit quelque chose...

– Effectivement, je n'ai pas mangé. J'avais trop hâte de terminer... ajoute-t-elle pour marquer son enthousiasme. Un peu honteuse de cet aveu, elle retient le reste de sa phrase « pour vous revoir... » et précise : ... pour respecter les délais... »

– Alors, vous connaissez le Tim au coin du boulevard ? J'y suis dans une quinzaine de minutes.

– C'est bon. Je ferme mon ordinateur et je vous rejoins avec le montage. Une soupe chaude me fera du bien. À tout de suite, monsieur Tessier.

– Pitié, appelez-moi Antoine. Je serais gêné qu'on me confonde avec mon père... Et vous me verriez triste de devoir vous appeler mademoiselle Delisle alors que votre prénom est une vraie mélodie pour les oreilles, Claudie.

– C'est gentil ! Je vous rejoins... On se rencontre au Tim, Antoine.

La voix de la jeune infographiste s'est faite plus suave au moment de prononcer le prénom de son client et cette intonation amicale n'a pas échappé à l'interlocuteur qui referme son cellulaire avec un sourire énigmatique. « Cette fille a un petit quelque chose d'attirant et d'émouvant que je ne peux encore nommer... Attention mon vieux ! Il y a de ces croqueuses d'hommes qui ont tout pour vous éblouir, mais dont la morsure fait terriblement souffrir... » se dit-il pour éviter que son imagination ne s'emballe. Mais son cœur ne tient pas compte de cette mise en garde et il frémit déjà à l'idée de la revoir.

Il change de pull, se recoiffe et brosse ses dents afin que son sourire soit impeccable. Il ajoute une goutte d'eau de Cologne et endosse son paletot de cuir. Il a hâte de voir le résultat de son travail de concepteur, certes, mais aussi de la rencontrer en dehors du travail, cette femme qui a illuminé le début de ce mois de décembre, somme toute assez terne.

Il se présente le premier, la cherchant des yeux... Il choisit une table près de la fenêtre, espérant la voir arriver. Une petite *Écho* de couleur marine se gare et Claudie en descend, un cartable sous le bras. Le vent s'amuse dans ses longs cheveux noirs pendant qu'elle s'avance. Elle l'aperçoit et lui fait un petit signe de la main. Son sourire est renversant ! Antoine sent son cœur sur le qui-vive : « Comme elle est belle... »

– Vous... Vous m'avez devancée de quelques minutes ! J'espérais arriver la première, car c'est moins gênant, je trouve.

– Je suis là depuis deux minutes seulement. Juste le temps de voir apparaître une personne lumineuse entre toutes. Acceptez-vous qu'on se tutoie ? Cette rencontre me semblerait tellement moins guindée...

Devant l'approbation de Claudie, manifestée par un mouvement de la tête assorti d'un charmant sourire, Antoine enchaîne :

– Depuis ce lundi, j'ai des hallucinations : je te vois partout...

– C'est flatteur ! Mais n'en ajoute pas trop... Je me méfie des beaux parleurs. En réalité, je te remercie d'être là. Je peux te remettre la maquette en mains propres. Tu auras le temps de relire le montage et nous sauverons peut-être quelques jours au calendrier de livraison.

– Heureux de te revoir... vraiment, et aussi de savoir mon projet entre tes mains, de t'imaginer en train de le réaliser, de te deviner attentive aux moindres détails… cela me plaît beaucoup, je l'avoue.

Malgré leur accord de se tutoyer, un sentiment trouble, indéfinissable, comme un voile invisible, une retenue basée sur la prudence, les sépare. Claudie l'observe avec attention, cherchant à deviner le moindre indice d'une façade *macho*. Elle déteste la suffisance et les faux sentiments. Des baratineurs dont les paupières cillent subtilement ou dont la commissure des lèvres frémit lorsque les mots enrobés de miel sont lâchés, allument sa méfiance d'instinct. Ici, le regard d'Antoine est profond et droit, il ne dévie pas, soucieux seulement de se fondre dans cette fenêtre bleue des yeux de Claudie qui scintillent sous la lampe halogène. Il est calme et ses mains ne trahissent pas la moindre tension. « Il semble vraiment sincère ! »

– Je vais te chercher une soupe et un sandwich ? propose-t-il pour lui laisser le temps de se détendre un peu. Tu dois avoir faim… Qu'est-ce que je t'apporte ?

– Très gentil de ta part. Une crème de brocoli et un sandwich à la salade de poulet, plus un déca avec crème et sucre… Voilà qui va me réchauffer et me faire oublier ma longue journée.

Il se lève prestement. Elle constate qu'il est grand et assez athlétique. On dirait qu'il arrive de vacances, à voir son teint légèrement basané. Il prend place dans la ligne et transmet sa commande patiemment. Une fois le plateau bien garni, Antoine le dépose sur la table de quatre places dont l'espace sera utile pour examiner le document. Après quelques cuillerées de soupe réconfortantes, Claudie le questionne.

– Est-ce que tu reviens de vacances ? Tu as le teint de quelqu'un qui arrive de la Floride.

– Très observatrice. C'est réellement le cas. En fait, je suis allé passer les quinze derniers jours à Miami, dans la maison que mes parents y possèdent depuis des années. Je voulais être tranquille pour concevoir mon projet d'imprimé. Lorsque je suis au bureau, on me dérange sans arrêt. Les tâches administratives, tu vois ce que je veux dire ! Je n'arrive pas à créer quoi que ce soit de bon. J'ai donc transporté mon ordi et mon concept; j'ai profité d'une liberté totale pour le penser et le mettre en forme. Et les longues marches sur la plage, entre deux périodes de travail, quelques tennis avec des amis retrouvés là-bas, et un peu de bateau m'ont laissé ce teint estival, un peu étrange en décembre au Québec.

– Voilà une agréable façon de mêler l'utile à l'agréable. Pour ma part, c'est plutôt fin janvier ou début février que je succombe à l'appel du soleil... pendant la période creuse en imprimerie.

– Et où aimes-tu aller te reposer, si je ne suis pas indiscret ?

– J'aime bien aller au soleil, à Cuba par exemple, mais j'ai aussi une amie qui a épousé un Péruvien et nous sommes allées à Lima, l'an passé, dans la famille de son mari. J'ai adoré le Pérou, le Machu Picchu, les Andes mystérieuses...

La conversation gagne en chaleur et en intensité. Le repas fournit une occasion de parler de choses et d'autres, de tisser des liens. Elle lui avoue qu'elle est une irréductible célibataire, par choix, tandis que lui, confesse avoir tout essayé pour dénicher la perle rare, mais sans succès. Les expériences malheureuses ont fait place à un désintéressement, à un lâcher-prise, diraient les adeptes de la *psychopop*.

– À quoi bon se battre pour décrocher une étoile quand on est un pauvre terrien... conclut-il en exprimant un regret profond que Claudie a elle-même ressenti.

– On dirait que la bonne société veut absolument marier ceux qui ne le sont pas et séparer ceux qui le sont ! ajoute-t-elle en riant, laissant aller ses cheveux en arrière, dans un mouvement spontané. Quel paradoxe !

– Ce sourire... mériterait une photo. Je voudrais pouvoir en garder le souvenir. Et je vous donne entièrement raison sur les incohérences de la société. Ma nouvelle philosophie, c'est de laisser jouer le hasard. Je n'ose pas encore y croire, mais depuis ces derniers jours, je me sens en plein raz-de-marée... Pas toi ?

Claudie esquive la subtile allusion à leur rencontre imputable au hasard et qui semble troubler Antoine ou, en tous cas, le toucher plus profondément qu'il ne voudrait le laisser paraître. Mais elle veut se donner le temps de mesurer ses sentiments; elle aimerait freiner cet élan de curiosité qui s'immisce dans son propre cœur. L'interrogation d'Antoine reste suspendue à son regard. Certes, la mode est aux relations jetables mais sur ce chapitre, Claudie n'est pas une adepte du *fast-food*. Elle refuse la course contre la montre, comme le font ceux et celles qui vivent le *speed dating*, en cherchant à valider un certain nombre d'atomes crochus en 120 secondes. La roulette russe du cœur, ce n'est définitivement pas son style.

– Merci pour ce souper. Ma fatigue des dernières heures s'est envolée. Revenons à votre document... J'ai très hâte de vous le montrer.

Claudie repousse le plateau sur sa gauche et ne conserve que les cafés. Elle ouvre son cartable et remet la maquette couleur entre les mains d'Antoine, avec au passage, un léger effleurement des doigts. Il aimerait retenir un instant cette main, mais elle l'a déjà retirée. Elle utilise un stylet pour identifier les informations sans avoir à toucher le document, relevant tous les points d'importance de la création. Antoine semble captivé et son regard s'illumine à mesure qu'il visualise le résultat de ce travail impressionnant. Lorsque toutes les pages sont tournées, il referme la brochure, l'évalue dans son ensemble et s'assure qu'il n'a pas négligé les aspects majeurs de son offre de service. « Les administrateurs seront implacables envers moi, si la moindre erreur s'y glisse... »

– Le concept est très agréable, commente Claudie. Les photos ajoutent vraiment de la lumière et j'aime bien cette façon de présenter le produit : une maison dans un conteneur... *Home-in-a-box,* cela rappelle les jeux de notre enfance où nous pouvions créer notre univers en utilisant toutes les pièces de ces grandes boîtes... Votre prototype est à la fois simple et attrayant...

– J'ai vendu six unités en un mois, et il fallait voir la tête de mon père lorsque chaque conteneur a pris la direction du port de Montréal. En fait, la boîte contient un chalet en bois rond de style canadien qui, une fois sur place, peut être assemblé en 48 heures. Toutes les composantes sont accréditées pour l'exportation et les matériaux voyagent facilement. Comme je n'avais aucune information en appui pour assurer mes premières ventes, j'ai rejoint mes clients en prenant l'avion afin de vivre avec eux l'arrivée du colis et l'assemblage de chaque maison. Cela m'a fourni une excellente banque de photos et m'a permis de pousser mon test de marché jusqu'au service après-vente. C'était un exercice essentiel en fait. Avec le chargé de projet, nous avons inversé l'empilement des matériaux afin que les éléments du solage se retrouvent en haut du conteneur et le toit dans le fond. C'est à mon retour, le mois dernier, que j'ai décidé de créer cette brochure qui devrait, au cours de l'année 2000, faire la preuve d'une nouvelle rentabilité. Le matériel imprimé nous servira de tremplin... du moins, je l'espère. Un concept digne du nouveau millénaire !

– C'est génial ! dit-elle avec les yeux brillants et une expression d'admiration. Je comprends que tu en sois fier. Voilà... Je te laisse la maquette pour une relecture attentive. Dès que les approbations sont obtenues, avec ou sans modifications, reviens me voir pour terminer cette étape de création. Puis, le dossier sera remis à la production.

– Tu as fait un travail raffiné, avec des touches féminines que j'apprécie... Cette bordure de couleur fait chic, tout en conservant l'aspect rustique, presque montagnard, que la nature même du produit exige. Quelle minutie !

– C'est mon travail de trouver les meilleures caractéristiques graphiques afin de mettre en valeur un projet d'imprimé. Les logiciels nous permettent de créer une foule d'ambiances. Lorsque le client sait ce qu'il veut, c'est encore plus facile de relever ce défi.

– Je vais faire mes derniers devoirs de client… et tout contrôler. Je dois le présenter à mon père demain matin, puis je te l'apporte au cours de l'après-midi.

– Et maintenant, si l'on veut être en forme demain, il faut rentrer… Nous nous reverrons…

– Tu as raison, il se fait tard. Tu as toute une journée derrière toi. Est-ce que je peux te demander une faveur ? J'aimerais bien avoir ton adresse courriel, afin de pouvoir échanger avec toi. Cela nous donnerait la chance de mieux nous connaître, si tu es d'accord.

– Normalement, mon courriel personnel est réservé à la famille et à quelques amis. Si c'est pour essayer de me séduire, je ne souhaite pas entrer dans ce genre de scénario. Je ne suis pas une conquête ni une énigme à résoudre. Très sincèrement, j'ai pris plaisir à discuter avec toi, en client autant qu'en ami. Si tu veux que nous ayons la possibilité de mieux nous connaître, sans autres idées préconçues, je veux bien…, mais ne me prends pas pour acquise. Tu es d'abord et avant tout un client, pour le moment du moins. J'aimerais éviter de me sentir redevable.

– Je ne cherche pas à te piéger; je suis simplement à l'aise avec toi et j'apprécie ta présence, ta personnalité, ton style… Contrairement à toi qui sembles très sociable, j'ai peu d'amis avec qui partager mes sentiments personnels… Si je gagne une amie, ce sera très bien.

À l'endos de la carte professionnelle de l'imprimerie, Claudie écrit son adresse courriel alors que le regard d'Antoine exprime la reconnaissance. « Voilà le deuxième OUI que j'espérais de ta part… » En prenant la carte, il retient légèrement sa main, pour ressentir une seconde cette sensation de chaleur, ce raffinement, cette exclusivité amicale qu'elle consent à partager avec lui. Elle le regarde en toute transparence, capable à la fois d'exprimer la candeur et la réserve.

– J'ai été heureuse de travailler à ton projet, Antoine. J'espère que ce concept sera une belle victoire pour toi et un succès pour votre entreprise. Je trouve que tu as de belles aptitudes artistiques. C'est une capacité rare qui révèle du cœur, des émotions, de la sensibilité. Cela m'intrigue un peu de voir quel homme se cache derrière cet artiste, sous son costume de gestionnaire... Alors, si tu veux poursuivre la conversation, je n'y vois pas d'objection. Et j'ai adoré les roses... Bonne fin de soirée !

Il s'empresse de lui tendre son manteau puis la regarde sortir. Sa présence si féminine, son parfum subtil et sa perspicacité lui manquent déjà...

* * *

Antoine referme la porte de chêne verni du bureau de Jean-Paul Tessier et prend un siège en attendant que son père termine l'appel téléphonique qui le retient. Le fondateur de l'entreprise de construction ne tarit pas d'arguments lorsqu'il s'agit de convaincre un client, même avec une réputation de quarante années d'excellence. Pour lui, chaque vente est un exploit, comme s'il risquait encore son pain et son beurre, comme à ses débuts. Toute sa vie a été sacrifiée à cette ambition de réussite financière et de notoriété. Il n'a malheureusement pas pu vivre une vie, une vraie, telle que son fils la conçoit.

Lorsque la conversation téléphonique s'achève, la vente est conclue et Jean-Paul affiche un large sourire.

– C'est la centième transaction pour une familiale de type manoir, de l'année 1999. C'est fantastique ! Sans compter que de ton côté, ton projet de maison exportable dans un conteneur – que je pensais invendable je l'avoue – permet d'envisager un marché d'exportation très intéressant...

– Justement papa, je viens te montrer la brochure qui va soutenir tout notre marketing international. J'aimerais que tu en prennes connaissance. Le montage sera d'abord imprimé en français puis on le traduira en anglais, en espagnol et en chinois... En fait, partout où se trouve un port de mer, existera une porte ouverte susceptible d'introduire notre produit.

Chapitre 1

– Belle présentation ! C'est moderne et ça met en valeur le concept de « maison livrable partout sur terre, dans une boîte ». Bon travail mon fils, ajoute-t-il en lui assénant une solide tape dans le dos. J'ai failli désespérer de te voir t'intéresser un jour aux affaires… Mais là, tu m'impressionnes ! Je vais lire ton feuillet de A à Z et demander à Josée d'en faire une révision au cas où ; elle a un œil de lynx pour détecter les fautes d'orthographe, cela dit, sans vouloir déprécier ton travail. Je te remets les commentaires avant midi, si ça te convient !

– Parfait papa. Je te laisse juger… C'est là-dessus que je travaillais depuis quelques semaines. Je me suis dit que les six ventes du début étaient une sorte de test. Il faut concevoir des maisons pour les nouveaux marchés… sortir des sentiers battus !

– Ça tombe bien, je voulais te parler d'homme à homme. Avec ce projet, j'ai le sentiment que tu t'es vraiment impliqué. Pour la première fois, je sens ton enthousiasme. Depuis que tu as terminé tes études à HEC, nos relations n'ont pas été très bonnes. Tu m'as pas mal déçu, je dois le dire. Cette entreprise, je l'ai créée de toutes pièces, je me suis fendu en quatre pour te rendre la vie facile et toi, tu ne voulais rien savoir. Ne proteste pas, je connais ton refrain. Ta mère, elle, affirme qu'on t'a trop gâté… Mais le temps des caprices d'adolescent est terminé.

Antoine écoute pour la énième fois le sacro-saint credo entrepreneurial de son paternel. Après avoir tout tenté pour le mouler à ses propres valeurs, Jean-Paul a fini par repousser le moment de sa retraite en espérant que le miracle vienne un jour. Le projet *Home in a Box* est la première initiative qui porte ses fruits. L'homme d'affaires usé par les efforts entend bien saisir cette occasion pour décrocher, enfin…

– Ça me fait plaisir, crois-moi, et à ta mère donc ! Nous avons longuement discuté hier soir, et nous avons pris une grande décision. Je fêterai mes 65 ans le 10 janvier. Je n'ai jamais pu profiter de la vie, mais là, je sens que c'est le bon moment pour passer la main. Le 10, il y aura un conseil

L'œuvre inachevée

d'administration et j'annoncerai officiellement ma retraite en te désignant président et directeur général de *Tessier-America*. Raymonde et moi allons ensuite nous la couler douce, prendre tout l'hiver en Floride et puis, on verra...

Antoine cache difficilement ses réactions. À 35 ans et fils unique, il sait depuis longtemps qu'une épée de Damoclès est suspendue sur sa tête. À maintes reprises il a essayé de se soustraire au destin qui l'attendait mais ses aspirations personnelles étaient à des lieux de ce défi de bâtisseur qu'il jugeait dépassé, servile même. Il aurait aimé repousser encore l'échéance de cette décision; or visiblement, ses parents semblent avoir choisi pour lui.

– Maman m'avait un peu vendu la mèche en me disant que la maison de Miami serait dorénavant plus animée... Mais tu veux quitter la direction ? Tu pourrais garder au moins la présidence du conseil d'administration et me laisser seulement la direction générale. Ce sera lourd pour moi... Je ne suis pas comme toi, un vieux loup aguerri; j'ai peur de vous décevoir et je te l'ai dit cent fois, je refuse d'y sacrifier ma vie. J'ai bien d'autres projets qui me tiennent à cœur.

– Tu as été à bonne école, tu verras, le fond d'entrepreneur qui te vient de tes ancêtres va refaire surface, assez de *moumouneries*, mon gars ! Prends la balle au bond, tu vois bien que je n'en peux plus ! On ne te demande pas de décrocher la lune ! L'entreprise est solide, ses actifs sont nets, ses profits augmentent et tu as trouvé une niche pour nos produits de bois rond à en faire baver tous nos compétiteurs... C'est le moment mon fils ! Tu as assez perdu de temps, sans compter qu'on vieillit, ta mère et moi. Ne gâche pas nos dernières années en faisant encore des caprices. Cette fois, c'est la bonne !

Jean-Paul, le père au cœur dur comme la pierre, le plus rigide des hommes d'affaires, s'est usé à la tâche et son approche paternaliste a failli tourner au drame avec son seul fils. Au cours des derniers mois, il s'est enfin rapproché d'Antoine et a choisi de lui faire confiance, sans trop lui poser de questions sur ses intentions. La chance de passer la main se présente aujourd'hui et son soulagement est perceptible. Le paternel remonte une mèche de cheveux rebelle qui barre son front creusé de rides et regagne son fauteuil.

– Rappelle-toi seulement que nous avons une entière confiance en toi... Raymonde et moi n'avons plus qu'un rêve, maintenant. C'est que tu puisses fonder une famille et nous donner un petit-fils. Ça, Antoine, c'est la dernière demande que je fais au bon Dieu... Après cela, je pourrai me reposer sans aucun regret.

– Pas si vite... Crois-tu qu'avec le poste de PDG, il me restera du temps pour une vie de famille ? Mon agenda sera si rempli que je n'aurai pas même le temps d'aller au cinéma un soir par semaine... Sans compter que maman est une lionne qui jauge les prétendantes et s'emploie à les faire fuir juste en flairant leur parfum... Je suis condamné au célibat, j'en ai bien peur...

– Le temps va arranger les choses... Tu paniques pour rien ! Notre décision est sans appel. Tu auras cette promotion et un salaire de 200 000 $ pour te faire avaler la pilule. Avec ça, les femmes d'expérience – qui, soit dit entre nous ont aussi le sens des affaires – devraient mesurer les atouts que tu possèdes dans ton jeu... Le charme et l'éducation en plus !

–Justement ! C'est un argument qui me frustre ! Je me contenterais volontiers du quart de ce salaire si on me laissait le loisir de vivre une vie normale. Mais le temps joue contre moi. Est-ce que je vous dois toujours obéissance ? Mais à quoi bon en remettre... Qui vivra verra !

Antoine s'est assombri; il se retire, laissant son père à l'examen du matériel promotionnel. Les tempes grises et le front marqué par les soucis, le dos un peu voûté, un port de tête hautain dont le regard d'acier trahit une grande fierté, Jean-Paul a toujours été un chef de file, malgré une formation somme toute rudimentaire. En 1960, avec un cours commercial en poche et un père travaillant comme *jobbeur* dans les chantiers, il a bâti sa première maison, l'a mise en vente pour payer une partie de la deuxième puis, à la cinquième transaction, sa propriété lui appartenait : c'était son fonds de commerce, en quelque sorte, qui lui a servi, ensuite, à initier la base de la compagnie de construction *Tessier*, avec son père et sa femme Raymonde comme premiers actionnaires.

Quarante ans plus tard, *Tessier-America* jouit d'une situation financière enviable et une cinquantaine de familles y trouvent un revenu intéressant. Toute une collection de reconnaissances... et des articles de journaux ayant consacré cette réussite sont soigneusement exposés sur les murs du siège social, en guise de témoignages. Oui, Jean-Paul et Raymonde ont bien mérité leur retraite... « C'est bien là le nœud du problème », songe Antoine en regagnant son bureau.

En fin d'avant-midi, la secrétaire revient avec le dossier en mains. Elle met des gants blancs pour expliquer deux petites notes placées sur des *post-it*. Il s'agit de suggestions qu'Antoine apprécie, puisque cela indique que les lecteurs ont eu grand soin de prendre en compte l'envergure du produit et le succès qu'il est possible d'en obtenir. Rassurée, elle se retire en ajoutant qu'elle trouve la présentation très belle. Malgré un style un peu pincé et une froideur dans le regard, la compétente Josée semble heureuse d'avoir été consultée. Après un dernier examen, Antoine considère que le travail est prêt pour la prochaine étape. Vers 11 h 30, il compose le numéro de téléphone de l'imprimerie Clairval, avec un demi-sourire de satisfaction.

– Madame Claudie Delisle, s'il vous plaît...

La voix de Claudie est mélodieuse; ses propos sont sympathiques. Antoine se sent comme s'il était un ami de longue date. Elle lui dit qu'il peut passer avant l'heure du lunch, sans problème. Même lorsqu'elle a raccroché le combiné, il conserve le téléphone collé à son oreille... « Comment puis-je faire pour t'apprivoiser, belle dame ? J'aimerais tant obtenir un autre OUI de ta part aujourd'hui...»

Chapitre 1

Lorsqu'il se présente à l'imprimerie, quelques employés s'apprêtent à sortir manger. Antoine s'excuse d'arriver toujours au mauvais moment…

– Je ne mange qu'à 13 h d'habitude. Alors, nous avons le temps de revoir votre brochure. Avez-vous des modifications à proposer ?

Elle porte un chandail en mohair qui semble d'une douceur indescriptible. Le blanc met en valeur son teint mat; elle a relevé ses cheveux, qu'une grosse pince retient pour former des mèches souples. Antoine aimerait prendre le temps de détailler cette vision quasi parfaite, mais la réalité lui commande de se concentrer d'abord sur son dossier.

– Nous avons deux petites suggestions : ici, nous ajouterons cette phrase et là, en conclusion, nous allons réécrire le slogan afin de l'ancrer, comme on dit en marketing. Si on le répète huit fois, il a des chances d'être retenu par le lecteur moyen… Je pense qu'on va en faire une chanson… *Home in a box* ! Ça sonne rigolo quand on prend la voix d'un robot synthétiseur…

Il se pince le nez et le redit en chantonnant. Claudie ne peut résister à la scène et son rire est une belle cascade de joie qui tombe dans l'oreille d'un Antoine transformé en clown.

– Vous avez essayé sur l'air de Mon beau sapin ? Bois rond et sapin, c'est un concept intéressant, une association d'idées très subtile.

Ils rient de bon cœur. Puis leurs regards restent suspendus sans que ni lui ni elle ne trouve le mot, n'ose troubler le silence paisible qui retombe. Ils se regardent simplement, essaient de voir dans l'âme de l'autre sans cacher ce qui vibre entre eux en cette seconde, sur une onde qui les réunit comme un mince fil de lumière.

Le cellulaire d'Antoine sonne. Il est tenté de l'ignorer mais doit revenir à ses obligations. Il ouvre le boîtier : « C'est ma mère » articule-t-il en répondant. Elle cherche le cadeau qui lui ferait plaisir pour Noël… Il dit qu'il n'a besoin de rien…

juste d'un peu de liberté, mais elle insiste. Alors, il promet qu'il va y penser et la rappeler. Il est gentil avec elle, même si son appel a mis fin à ce qu'il qualifiait intérieurement de moment magique.

– Elle a un don incroyable pour s'interposer entre moi et toute personne susceptible de m'intéresser… À chaque fois ! Comment fait-elle ? C'est de la sorcellerie !

– Les mères ont un sixième sens. Elles sentent les pièges qui peuvent mettre leur rejeton en danger… Même si eux ne voient pas encore le moindre indice de la menace qui s'approche.

Claudie sourit malicieusement pour appuyer ce commentaire. Elle sait que le danger, c'est elle et lui en train de se regarder sans rien dire. « Il me voit peut-être comme une profiteuse, une sœur, une amie, alors que je ne suis ni l'une ni l'autre », se dit Claudie.

– Il faudrait que je vous la présente, la très maternelle Raymonde, afin que je sache si ce pouvoir de détection est un prototype unique, à moins que toutes les mères aient ce type de GPS comme équipement de base.

– Si je rencontre la vôtre, vous ne serez qu'à moitié rassuré sur votre problème. Il vous faudra comparer avec une autre mère, la mienne par exemple, pour vous faire un portrait plus complet de l'arsenal maternel de détection. Sans compter que pour nous, les filles, le père est aussi un juge implacable. Qu'en pensez-vous ?

– Je serais heureux de faire cette expérience : un labo comparatif mère-mère puis père-père, c'est passionnant ! Je suis partant quand vous voudrez.

– Il faut d'abord terminer notre dossier. Alors, je fais les retouches cet après-midi. Voulez-vous revenir les approuver ou êtes-vous en mesure de signer l'approbation conditionnelle aux changements dès maintenant ?

Antoine rétorque alors sur un ton plus feutré, mais le sourire aux lèvres :

– C'est une question piégée. Je meurs d'envie de revenir, mais ce n'est pas pour vérifier le résultat des corrections, mais pour te revoir, Claudie.

– Comme c'est gentiment dit… Si j'oubliais le nombre de dossiers qui s'accumulent sur mon bureau, je te choisirais toi. Mais là, pour être honnête, je dois me concentrer sur le prochain client.

– Alors, je signe à tes conditions et je te propose un souper demain soir. Le patron ne te fait quand même pas travailler le vendredi soir ?

– Demain soir… Rien en vue sauf un immense besoin de relaxer. J'ai le choix entre un long bain de mousse et un souper au resto… Je vais y penser et je te fais un courriel ce soir, lorsque mon horizon se sera un peu dégagé. Ça te va ?

– Oui, je te laisse mariner un peu, comme disent les dragueurs. Vous… Je me sens privilégié d'avoir pu bénéficier de tes talents d'infographiste; une autre personne n'aurait pas pu y apporter autant de chaleur… J'espère que nous nous reverrons très bientôt !

Il semble un peu timide en prononçant ces derniers mots. Sans attendre de réponse, il referme son veston et enfile ses gants. Il passe la porte en faisant un petit salut de la main. Claudie reste figée, comme dans une bulle où les impressions et les sensations s'entremêlent. Elle sursaute lorsque le téléphone sonne. Le charme est rompu.

Sa journée de travail se termine vers 19 h 30. Claudie a réussi à réaliser la plupart des dossiers jugés urgents. Elle fait un arrêt au supermarché puis rentre à la maison avec, en tête, les chants de Noël qui envahissent tous les commerces pour y imposer leur ambiance pro-consommation. Elle range ses provisions, fait bouillir de l'eau, se fait une soupe-minute qu'elle savoure avec quelques cubes de fromage. Puis elle se rend à la salle de bain et tourne les robinets de la baignoire et, en attendant, elle ouvre son ordinateur. La petite fenêtre s'allume : vous avez deux courriels !

Le premier vient d'Amélie, sa meilleure amie, qui lui propose de faire ensemble leurs courses des Fêtes ce samedi. Et l'autre, celui d'Antoine. Elle clique sur la boîte.

Bonsoir Claudie,

Je t'ai dit un tout petit merci pour ton travail, mais je n'ai pas réussi à trouver les mots pour te dire le plaisir que je ressens en évoquant notre rencontre. Ma semaine a été remplie de toi, de tes talents, de ton charme, de ta vivacité d'esprit, de ton honnête façon de communiquer. J'espère que nous pourrons en parler demain, si tu acceptes mon invitation à souper. Le resto n'a pas d'importance, puisque c'est ta présence qui a le don de créer l'enchantement. Disons chez Pacini à 18 h 30 ? Si tu as une autre préférence, n'hésite pas. Je quitte pour aller à mon cours. J'attends ta réponse,

Antoine

Elle relit puis se souvient que la baignoire doit être juste à point. Après une détente bien méritée, elle aura trouvé les mots pour lui répondre. Pendant de longues minutes, elle profite de l'eau chaude sur son corps pour trouver le calme et faire disparaître les courbatures d'une semaine surchargée. Dans son esprit, une présence s'impose, sans qu'elle se sente envahie. Antoine se fait discret, éloquent, respectueux, délicatement entreprenant, mais sans brusquerie. Il arrive à exprimer ses pensées sans les imposer. Cet homme a quelque chose d'attirant, d'exclusif, soliloque-t-elle. « On dirait qu'il est conscient de ce que j'aime et aussi de ce que je déteste le plus au monde : être considérée comme un trophée à remporter. »

Elle songe longuement à la réponse qu'elle devra lui faire; si elle se sentait menacée par cette relation, elle lèverait sa garde et enverrait le prétendant voir ailleurs, mais elle réagit cette fois dans le sens de la confiance. « Je dois lui laisser le temps de me montrer son vrai visage. C'est la moindre des délicatesses. Ce n'est pas un méchant loup qui va croquer la brebis... Allons-y pour une seconde étape, puisque j'y prends plaisir », conclut-elle.

Bien emmitouflée dans son peignoir, elle laisse ses doigts courir sur le clavier.

Bonsoir Antoine,

Je serai heureuse de partager un bon souper en ta compagnie demain soir. Ma curiosité joue en ta faveur; mon insatiable goût pour les pâtes aussi. Je me demande bien qui se cache derrière cet homme sensible, attentif, bon communicateur et artiste que j'ai croisé sur ma route. Alors, il convient de s'apprivoiser un peu plus pour voir si nos aimants s'attirent ou se repoussent ? C'est comme un jeu de polarisation dont il est impossible de prédire le résultat.

Alors, je serai là demain soir, attentive et disponible pour te connaître mieux. Si j'arrive à faire abstraction de ton nom de famille, je crois que tu es un homme équilibré et authentique. Une impression de sympathie se dégage de toi. Je me sens bien en ta présence et j'ai hâte d'être à ce rendez-vous. Vivement demain !

Claudie

Elle se relit et le clic d'envoi fait passer le message sur l'écran demeuré ouvert d'Antoine. Son cœur bat un peu plus vite lorsqu'il découvre qu'elle accepte ce premier véritable tête-à-tête. « Merci Claudie de me laisser une chance de t'aimer ! »

* * *

Joliment coiffée, légèrement maquillée, Claudie est éblouissante lorsqu'elle rejoint Antoine, dans un angle du restaurant qui leur laisse un peu d'intimité. Un parfum de bonheur enrobe la jeune femme lorsqu'il se lève pour l'accueillir. Il hésite puis lui fait une chaleureuse accolade, pour lui signifier qu'il est content de la revoir. Elle sourit et s'assoit en face de lui. Pour chacun, c'est un vertigineux plongeon dans le monde des échanges improvisés, de l'apprivoisement où le regard, le sourire, les mains et le corps entier participent à la communication. Combien de temps faut-il à deux êtres humains pour tomber amoureux ? Cinq secondes...

Lorsque l'addition est payée, Antoine propose à Claudie de lui montrer son studio tout en prenant un digestif. Lui dans la camionnette de *Tessier-America* et elle dans sa petite voiture se suivent au fil des quelques rues qui les séparent l'un de l'autre. Elle découvre son univers : un loft minuscule, décoré avec goût, mais d'une simplicité étonnante.

– En fait, mes parents croient que j'ai acheté un grand condo de luxe, mais je n'avais aucune intention de me retrouver seul dans l'un de ces châteaux de verre où la solitude est à couper au couteau. Ici, je viens me reposer, et parfois aussi peindre. J'ai deux passions : les langues et la peinture. Depuis des années, j'ai appris l'espagnol et l'italien... et j'ai bien maladroitement expérimenté aussi l'art de traduire ma réalité intérieure en images et en couleurs.

– Et puis-je voir ce que donne ce coup de pinceau ?

– Ma seule toile vraiment présentable est là, au-dessus de mon lit : une plage déserte et une mer turquoise venant la baigner. Je suis obsédé par ce paysage qui n'attend, pour prendre vie, que la présence de la personne qui transformera ce décor de brochure touristique en lieu plein d'émotions.

– C'est très beau, très poétique. On y sent toute ta solitude. Ce tableau est fascinant. J'aurais presque le goût d'y entrer...

– C'est mon vœu le plus cher, Claudie, de te faire partager mon univers et de partager le tien.

Avec une douceur infinie, il s'approche d'elle pendant qu'elle examine le paysage et il l'enlace. Elle se tourne vers lui et accueille son premier baiser.

Chapitre 2

Décorée comme une carte de Noël, la maison des Tessier est l'un des manoirs de la collection haut de gamme dont la visite a souvent valu à l'entrepreneur en construction des commandes ou des commentaires envieux, selon le budget des visiteurs. Le souper qui s'y prépare prend des allures de réveillon, même si l'on aborde seulement la mi-décembre. Antoine est anxieux de présenter Claudie à sa famille et Raymonde, sa mère, l'est encore davantage en pensant qu'il s'agit du centième souper de présentation pour lequel elle se met en quatre, les quatre-vingt-dix-neuf précédents ayant été un coup d'épée dans l'eau assez décevant. « Que faut-il que je fasse de plus pour être une sympathique belle-mère alors que l'élue est probablement encore l'une de ces mégères flamboyantes que notre cher Antoine a croisées dans un bar », se dit-elle avec une pointe de regrets.

Antoine l'a patiemment aidée à dresser le couvert, lui rappelant qu'il ne s'agissait pas de recevoir la reine d'Angleterre. « Un service normal, des ustensiles qui vont servir et des verres dans lesquels on pourra boire… Pas tout ce flafla qui impressionne en détruisant l'ambiance… », voudrait-il dire en observant Raymonde tirée à quatre épingles, coiffée, épilée, manucurée et habillée comme pour un soir de première à l'Olympia. Du haut de ses cinq pieds et deux pouces, elle domine toute la maisonnée par son souci du détail et ses manies de toujours voir ce qui dépasse, de repérer ce qui ne va pas, de détecter la moindre chose qui détonne. Le problème, c'est qu'elle ne se contente pas de le voir; elle ne peut se retenir de le dire ! Comme un grand livre ouvert, elle laisse ses pensées s'écouler en un flot de paroles dont elle ne mesure pas les éventuelles blessures sur ses invités. Le plus souvent elle gaffe, elle renchérit, justifie, complique allègrement la situation. Parle-t-elle trop ? Non… elle pense à haute voix, c'est l'un de ses défauts. Mais Jean-Paul l'adore pour sa spontanéité et il avoue, avec une certaine admiration, qu'elle lui a souvent permis de détecter les pièges du milieu des affaires en se fiant à son œil inquisiteur. Raymonde a du pif, mais manque cruellement de délicatesse, déplore son fils.

Si Claudie ne lui fait pas une bonne impression, Antoine sera soumis au jugement implacable de cette mère sur-protectrice qui, sans imaginer le moins du monde qu'elle empiète sur les terres de son fils, lancera deux ou trois petits pics du genre : « Elle porte un parfum bon marché ! », ou encore : « elle enfile des talons hauts pour la première fois ? », ou pire : « elle n'a pas choisi la fourchette à salade pour manger l'entrée ni le couteau approprié pour beurrer son pain... Dans quel milieu a-t-elle donc été éduquée ? » Pour un célibataire dans la trentaine, ce genre de détails importe peu, surtout si la demoiselle est sensible et intelligente comme l'est Claudie. Mais cette nouvelle venue n'entrerait pas dans les bonnes grâces de Raymonde et se verrait refuser le statut privilégié de future mère de ses petits-enfants.

– J'espère qu'elle n'a pas d'allergie particulière ? lance Raymonde pour vérifier si son fils connaît un peu la personne qu'il daigne leur présenter.

– Nous avons mangé ensemble quatre fois au restaurant et jamais elle n'a parlé de problèmes alimentaires. Mais... ça me revient là, oui, je pense qu'elle est allergique... au snobisme ! Alors, détends-toi un peu, s'il te plaît.

– Petit comique ! Ta mère n'est pas snob : elle est vigilante. J'aime que mes invités soient bien traités. N'est-ce pas un signe de respect ! Et si j'avais eu une fille, je suis certaine qu'elle aurait de bonnes manières, une personnalité affirmée et un don inné de séduction. Mais je t'avoue bien humblement et... excuse ma franchise mais, parmi les... filles que tu nous as présentées, aucune n'aurait pu être ma fille, pas même à moitié. Tu sais, lorsque le jour viendra où je regarderai ta compagne en me disant que je serais fière de la présenter comme ma belle-fille, ce jour-là sera une bénédiction pour nous tous. C'est que tu auras vraiment trouvé la perle rare…

– Tu aurais dû avoir une fille, toute ta vie aurait été plus simple, et la mienne aussi ! soupire Antoine.

– Si j'avais pu en avoir deux… Mais tu sais bien que tu fais ma fierté; jamais je ne voudrais oublier tous les bons moments que nous avons passés tous les trois. On est une vraie famille et c'est ton bonheur qui nous importe, maintenant. Alors, le repas doit être parfait, la maison irrésistible, tes parents charmants et toi ? Heureux enfin !

– Papa est encore au bureau ?

– Non, il est allé chez le coiffeur puis un ami voulait lui montrer quelque chose… Je n'y ai pas vraiment prêté attention. En fait, il a déserté la maison pour ne pas être sur mon dos pendant les préparatifs du repas. Il ne devrait pas tarder maintenant.

Raymonde soulève le rideau et regarde si l'auto de Jean-Paul n'est pas déjà stationnée ou engagée dans l'allée bordée de grands érables dénudés. Une neige fine tombe et vient fondre sur le sol. Il est dix-sept heures et Claudie doit arriver vers dix-huit heures. Antoine ne peut résister à l'envie de lui parler. Il lui passe un coup de fil.

– J'ai terminé mes achats de Noël avec Amélie. On s'est bien amusées. J'ai même demandé quelque chose de très spécial au père Noël… Photo à l'appui ! Oh ! Comme le temps file… Je prends une douche, je me coiffe et j'arrive dans une heure pile !

– Parfait ! dit-il en riant. Comme ça, il n'y aura aucun commentaire négatif sur ta tenue vestimentaire ! Je voulais juste te dire que j'ai hâte de te voir. Je fais les cent pas ici, comme un gamin. Tu as tellement changé ma vie, en quelques jours. Tout s'illumine dès que tu apparais. Tu me manques déjà…

– Comme c'est gentil… Moi aussi, je pense à toi sans arrêt même si ce n'est pas très raisonnable. Mais je me répète que, comme c'est bon, que ça fait du bien, que c'est légal, que ça ne fait pas de mal à personne, je ne vois pas pourquoi je me priverais de ces quelques instants de bonheur un peu fou ?

– Je t'aime ! Je n'arrête pas de penser à notre première nuit d'amour… J'en rougis de plaisir et mon cœur se met à battre quand je revis cet instant où je t'ai rejointe sous les draps… Tu es tellement femme que j'en perds tous mes moyens. J'aurais dû apprendre les techniques de massage pour pouvoir cartographier ton corps centimètre par centimètre, le caresser et l'étudier, connaître les zones les plus sensibles et celles qui te font vibrer le plus…

– Antoine ? Si tu continues dans cette description, j'ai bien peur qu'on en vienne à annuler ce souper… On peut toujours changer le programme, si c'est toi qui annonces le tout à tes parents.

– Non, j'ai une meilleure idée. Après le digestif… Après les conversations creuses de tes « futurs beaux-parents », on s'échappe avec une seule intention : être ensemble, se faire du bien !

– Quelle belle perspective ! Vivement… le dessert !

– Tu auras bien mérité un dessert, surtout si tu réussis à charmer papa, alors là, aucun problème, et à clouer le bec de ma chère maman, là c'est plus incertain.

– Alors, je sonne à votre porte dans… 40 minutes ! Drôle de famille que la tienne… Tu es certain que je peux m'adapter à ce monde exigeant, où chacun joue un rôle plutôt étrange. Moi, je préfère de loin la simplicité et les relations vraies. Oups ! Règle numéro 1 : Il est interdit d'arriver en retard pour un souper de présentation. Je t'aime !

Claudie range les quelques sacs qui contiennent ses précieuses trouvailles. Elle retire délicatement le colis déjà tout enrubanné qui est destiné à l'hôtesse de la soirée, la femme la plus importante au monde en ce 13 décembre 1999, Raymonde Labelle-Tessier. Elle le glisse dans un grand sac imprimé aux couleurs traditionnelles des Fêtes, entouré de papier de soie délicatement parsemé de brillants. Et pour Jean-Paul, un cognac VSOP dans un emballage de la SAQ, ce qui ne devrait pas l'offusquer, car « il appréciera davantage le contenu que le contenant », avait approuvé en riant l'informateur prénommé Antoine. Les emballages bien en vue au centre de la table, Claudie se plonge dans sa toilette. « Antoine, puis-je être simplement moi-même avec ta famille ? » se demande-t-elle en questionnant son miroir.

Elle choisit une jupe souple, confectionnée de plusieurs morceaux de tissus superposés et se terminant en pointes un peu dansantes au moindre mouvement. Le haut sera dans le style décentré, lui aussi : un bustier bleu aqua, retenu pas une petite broche entre les deux seins et s'évasant pour épouser la ligne de la taille puis retomber avec souplesse sur les hanches. Les épaules ressortent, délicates, sous les minces bretelles et une minuscule chaîne d'or, agrémentée d'une perle noire finement enchâssée dans la monture, complète la tenue simplement parfaite. Claudie n'aime pas beaucoup les bijoux, mais elle garde un assortiment de quelques classiques, pour les grands événements. Elle glisse à ses lobes d'oreille les deux petites perles noires assorties. Ses cheveux sont remontés et retenus par une fleur de soie aqua, faisant briller ses cheveux noirs aux mèches effilées. Qu'en penserait Carmen ? La mère de Claudie lui a transmis ce goût pour les couleurs et la simplicité des contrastes. Coiffeuse et couturière, elle a longtemps créé pour ses deux filles des tenues de jumelles, même si elles n'en étaient pas. Reste le bouquet : parfum délicat, aérien comme les vêtements, un peu pétillant lorsqu'on s'approche… c'est du Claudie à cent pour cent !

Elle place ses sandales noires dans un sac-chaussures, endosse son manteau et, les bras chargés, elle referme la porte de son condo. Heureusement, la voiture est encore tiède et la neige continue de tomber doucement. Belle soirée pour un souper de famille : l'ambiance des fêtes commence à créer une sorte de magie. Elle chantonne, le cœur léger.

* * *

Antoine ouvre la porte dans un élan d'impatience peu commun : « Enfin, te voilà ! » Il étreint Claudie un instant puis l'invite à entrer, la débarrassant de ses colis. Dès que la porte est refermée derrière elle, Raymonde s'approche pour lui souhaiter la bienvenue.

– Je te présente Raymonde, ma mère… et voici Jean-Paul, mon père. Je suis heureux de vous présenter mon amie, Claudie Delisle.

L'accolade, la joue tendue, la poignée de main sympathique, voilà la nouvelle venue introduite dans la dynastie des Tessier. Elle prend une seconde pour mettre ses sandales et déposer son manteau, croisant un miroir sur son passage, juste le temps de s'assurer que son rouge à lèvres n'a pas débordé. Antoine se place derrière elle et passe gentiment ses deux bras autour de ses épaules, de sorte que leurs deux images se superposent dans la glace.

– Je suis si heureux de te retrouver, dit-il en parlant à la jeune femme du miroir. Tu me rappelles quelqu'un que j'aime beaucoup… Ta tenue est parfaite ! Tu es éblouissante ! lui souffle-t-il à l'oreille.

Claudie sourit à cet instant d'intimité alors que la réception leur imposera un bel effort de socialisation. Elle lui prend la main. À deux, tout est plus facile.

– Comme c'est beau ici, j'adore cette maison ! Quelle belle ambiance, chaleureuse ! Est-ce que tu me fais les honneurs d'une visite Antoine ?

– Nous allons d'abord prendre l'apéro puis je te ferai découvrir ce château où j'ai grandi, dit Antoine en l'entraînant au salon.

Claudie est un peu tendue, mais les échanges avec Raymonde et Jean-Paul commencent sur une bonne note. Ils commentent abondamment la brochure publicitaire qu'elle a réalisée en soulignant le talent du concepteur et, dans un éclat de rire général, elle avoue que les heures supplémentaires sur ce dossier n'en finissent plus. C'est Jean-Paul qui poursuit, confiant.

– Antoine est très fier de son projet, et nous sommes certains que le succès lui en reviendra. C'est son bébé, la maison dans un conteneur ! L'idée du siècle, ma foi ! Moi, j'ai construit des maisons normales, pour les gens d'ici. Lui, à l'ère de la mondialisation comme on dit, il fait un pas de géant et s'en va vendre nos maisons au Japon et en Italie. Les temps changent…

Raymonde observe Claudie à la dérobée pendant que les hommes lui dressent le portrait des différents marchés. La jeune femme est d'une beauté remarquable, d'une simplicité rayonnante; elle montre une aisance à s'exprimer, assise d'une façon très féminine entre les deux hommes les plus importants de sa vie. Sans pouvoir encore dire précisément pourquoi, Raymonde semble fascinée par la nouvelle amie de son fils. « Il a du goût… pour une fois ! »

– Désolée de vous interrompre, mais je dois aller vérifier la cuisson… s'excuse Raymonde. Vous avez juste le temps de visiter les lieux et ensuite, nous passerons à table.

Avec entrain, les Tessier père et fils accompagnent Claudie dans un univers où le chic côtoie le bon goût. Elle s'attarde aux photos de famille, se moquant un peu de l'air timide de l'enfant de 8 ans, puis du sourire séducteur de l'adolescent vêtu de l'uniforme de l'école privée qu'il fréquentait. Les tableaux et les objets d'art viennent compléter une décoration digne des magazines à la mode. La chambre d'Antoine a gardé un parfum d'adolescence, avec sa table de travail, un ordinateur et une bibliothèque bien garnie. À la tête du lit, une mosaïque de photos disposées en patchwork où toutes les histoires d'amitié, les relations importantes, les amourettes aussi, trouvent leur importance aux yeux de ce fils choyé par la vie.

– Le plus difficile, c'est d'accepter de vieillir. J'aimerais bien avoir encore 17 ans et vivre dans l'euphorie de mes années de formation. Quand je regarde toutes ces tranches de ma vie, j'ai peine à croire que certains clichés ont maintenant plus de 20 ans… La vie nous pousse sans cesse en avant. Pour moi, l'amitié a été la plus belle chose que j'aie connue, jusqu'à ce que je te rencontre…

L'œuvre inachevée

Jean-Paul se retire discrètement, laissant au jeune couple la possibilité d'échanger quelques confidences puis, après quelques minutes, afin de ne pas faire preuve d'indélicatesse, Claudie et Antoine rejoignent la salle à manger, où tous se retrouvent devant une table soigneusement dressée, aux couleurs de Noël.

– Quelle présentation superbe ! Madame Tessier, vous êtes une véritable professionnelle de la décoration. J'aime ce raffinement : wow ! Je suis très impressionnée. Dommage que je n'aie pas pensé à apporter mon appareil photo.

Antoine avait prévu cette possibilité et il demande à Claudie de poser entre son père et sa mère, devant cette table éblouissante. Le cliché est joyeux, sans trucage : un instantané comme Antoine les aime. Puis, Claudie propose de faire l'inverse et elle fige sur l'écran le trio familial. Enfin, devant le sapin illuminé, Jean-Paul prend en photo les amoureux qui se regardent en riant : pince-moi pour voir si je rêve, c'est notre première photo de couple ! lui dit-elle à voix basse.

Raymonde prend à cœur son rôle d'hôtesse et elle assigne d'abord la place de sa jeune invitée avant qu'Antoine ne songe à l'examen que subit, sans le savoir, sa compagne : Claudie va-t-elle choisir le bon verre, la bonne fourchette et le bon couteau pour le pain et le beurre ? Il est trop absorbé par la conversation qui s'engage. Les parents d'Antoine veulent tout connaître de la vie de Claudie : les questions fusent en cascade, s'enchaînent comme si elle était finaliste au jeu-questionnaire « Qui dit vrai ? ». Les réponses amusées et pleines de rebondissements relèvent les balles avec spontanéité et Claudie s'amuse à relancer les autres convives de sorte que tous entrent dans la conversation. Pendant ce temps, les plats défilent : Entrée de saumon fumé, potage à la crème de brocoli, faisans aux canneberges sur un lit de chicorée, assortiment de fromages fins et, pour clore le tout, une bombe Alaska flambée par l'assistant-chef Jean-Paul. Le temps s'est envolé et la maison est témoin de l'une de ses plus belles soirées. Pas de confidences, mais pas de fausses notes non plus. « Une trêve », pense Antoine, toujours inquiet de ce qui va suivre.

Lorsque Raymonde annonce qu'elle se rend à nouveau à la cuisine, les invités la supplient de ne rien rapporter sans quoi personne ne pourra plus bouger... Le café, le thé ou la tisane sont néanmoins acceptés et c'est au salon que les convives se retrouvent. Antoine en profite pour glisser deux mots à l'oreille de son invitée : je pense que tu les as charmés, sans effort... Je n'ai jamais vu ma mère aussi détendue et complice de tes répartites que ce soir. Tu es superbe ! Si tu savais combien tu me combles de bonheur !

La conversation s'engage à nouveau sur la gastronomie, puis sur les voyages et enfin, Raymonde et Claudie parlent de leur tenue vestimentaire. La mode réinventée par deux femmes qui, deux heures plus tôt, craignaient ce premier rendez-vous... Agréablement bercé par ce babillage féminin, le ventre bien plein, l'esprit en paix, Jean-Paul se verse un cognac, se pinçant presque de voir son épouse aussi enthousiaste. Vers 21 h, Antoine prend la parole et indique qu'il a un cadeau très spécial à offrir à la personne qui compte le plus pour lui en cet instant.

– Je suis heureux, si heureux, Claudie, de t'offrir dès ce soir et en présence de mes parents que j'adore, ce cadeau de Noël qui me tient tant à cœur. Avec tout mon amour !

Il tend une enveloppe à la jeune femme, étonnée, intriguée même de l'aspect solennel de ce geste. Elle le remercie d'un baiser rapide sur la joue puis elle fait tourner l'enveloppe entre ses doigts, se demandant bien ce que son amoureux lui réserve comme surprise. Raymonde et Jean-Paul sont aussi impatients qu'elle et Claudie ouvre délicatement ce pli mystérieux. Elle y trouve un forfait pour deux à Punta Cana, en République dominicaine. Elle lit la date du départ : 24 décembre 1999, retour le 3 janvier 2000. Dix jours de vacances au soleil, dans un hôtel en formule tout inclus !

– C'est magique ! Je rêve ? Nous partons dans... 10 jours pour la mer des Caraïbes. Je n'en crois pas mes yeux. Antoine, tu es le plus imprévisible et le plus extraordinaire

des hommes. Merci ! C'est le plus beau cadeau que j'ai reçu
de ma vie ! De vraies vacances ! Super !

Cette fois, c'est un véritable baiser qui est échangé par les
amoureux, devant des parents qui semblent se réjouir de
cette nouvelle relation. « Mais ils sont réellement en amour,
ces tourtereaux !, glisse Jean-Paul à l'oreille de Raymonde.
Ça me rappelle le jour où l'on s'est rencontré. C'était un coup
de foudre à nous jeter par terre… Tu parles d'un cadeau
de Noël ! C'est nous qui recevons le plus beau de tous…
C'est le miracle qu'on attendait depuis 10 ans au moins. »
Raymonde esquisse un sourire béat comme si elle venait
de voir une apparition de la Vierge. « Cette jeune femme
est magnifique; elle est vraiment la perle rare que notre fils
mérite. Jolie, aimable, douée d'une grande intelligence, à
l'aise et pétillante comme un bon champagne… Si j'avais
eu une fille, mon cher, j'aurais voulu qu'elle soit exactement
comme Claudie ! »

Revenus de leurs émotions, c'est au tour des échanges
de cadeaux aux parents. Antoine remet une enveloppe à
Raymonde : une croisière aux Bahamas pour leur souhaiter
une agréable retraite. Puis Claudie remet ses trouvailles,
plus modestes, mais néanmoins appréciées : Cognac pour
monsieur et l'Encyclopédie de la cuisine internationale pour
Raymonde, attention touchante, bien accueillie par la mère
d'Antoine. Les embrassades chaleureuses en témoignent
alors que chacun renchérit de compliments sur le cadeau
reçu, le commentant et en appréciant la pertinence. Lorsque
23 h sonnent à l'horloge murale, les amoureux annoncent
qu'ils vont prendre congé. C'est une Raymonde conquise
qui remercie Claudie de cette première visite et qui lui fait
promettre de revenir, dès leur retour de vacances, pour
une autre rencontre afin, ajoute-t-elle, de faire plus ample
connaissance.

– Merci pour votre accueil. Antoine ne pouvait avoir de
meilleurs parents que vous deux. On sent l'amour dans vos
yeux. Quelle chance il a, cet homme !

Chapitre 2

Antoine sort à la suite de Claudie et le couple se retrouve blotti dans la petite Écho toute refroidie… Ils rient de tout et de rien, se rappelant qu'un certain dessert est toujours au menu.

– Je t'invite chez moi… Mais c'est toi qui cuisines ! lance Claudie en prenant la route tout enneigée sous un ciel étoilé.

* * *

Lorsque le réveille-matin sonne, Claudie et Antoine sursautent. Enlacés dans la tiédeur de la couette blanche recouverte de broderie anglaise, ils s'étreignent en bâillant, souriants et amusés d'ouvrir les yeux et d'observer la personne aimée, la câliner et lui redire à quel point la nuit était magique.

– Monsieur mon amoureux… Je vous rappelle humblement que notre dimanche ne nous appartient pas tout à fait. Mes parents nous attendent pour le dîner de famille. C'est à ton tour de jouer au prince charmant !

– Je me souviens du défi que tu m'avais proposé. Je dois vérifier si ta mère est aussi protectrice que la mienne… À moins que ce ne soit ton père qui me tende un piège afin de garder sa précieuse fille-à-papa libre comme l'air.

– Mes parents sont de bonnes personnes, des gens qui ont vécu une vie basée sur le travail, sur le respect des autres. Ils nous ont donné, à Sophie et moi, tout ce qu'ils pouvaient et nous n'avons jamais manqué de rien. Ils nous ont aimées et accompagnées… Le plus difficile, c'était de les quitter, car on est si bien dans ce genre de nid… même lorsqu'on a grandi.

Tout en préparant le café, Claudie et Antoine se racontent des anecdotes familiales, des morceaux d'enfance, des faits qui ont marqué et influencé leur personnalité. Puis, ils passent à la douche sans que la moindre gêne ne les envahisse. Deux irréductibles célibataires peuvent-ils se retrouver en couple sans se sentir brimés ? C'est la magie qui opère puisque chacun y met son grain de sel, lance une coquinerie, joue de finesse pour que l'ambiance de ce petit matin garde son côté pétillant. Un croissant tiède et un yaourt aux fruits, le lit est refait à deux, le condo rangé sommairement et en moins d'une heure, le jeune couple est d'attaque pour la seconde épreuve qui s'amorce par une balade jusqu'à Joliette. La première neige a fondu sur la chaussée, rendant la conduite très agréable.

– Mes parents vont à la grand-messe de 10 h chaque dimanche. C'est une tradition bien ancrée chez eux, d'autant plus que mon père est marguillier.

– C'est bien d'avoir des parents qui gardent les traditions chrétiennes. Mes parents sont catholiques, mais ils ne vont plus guère à l'église que pour les enterrements…

–À propos de valeurs, je voudrais te demander quelque chose. Ce voyage que tu me proposes, j'aimerais bien en payer la moitié. Par principe ! Je ne veux pas me sentir redevable, si jamais les choses tournent mal entre nous. On m'a toujours dit que ma liberté avait un prix, que les bons comptes faisaient les bons amis… Peux-tu comprendre ça ?

– Mais c'est un cadeau… Tu ne vas pas le refuser ? s'inquiète-t-il soudainement.

– Non, j'aimerais vivre ce voyage avec toi, mais je me sentirais mieux si les frais étaient partagés. Pas pour le prix dont il est question, mais pour le respect de mon autonomie, de mon indépendance. Je te l'ai dit, j'aime bien assumer mes décisions et ne rien devoir à personne.

– Si tu insistes… Je veux bien. Si ce partage te rend le fait de m'accompagner plus confortable… je n'ai pas l'intention de saboter notre projet de voyage. Demande acceptée ! Tu assumes les frais de nourriture et de rafraîchissements sur place et moi les vols et l'hôtel.

Claudie sourit et savoure le sérieux avec lequel il traite ses demandes. Elle ne veut pas profiter des largesses d'Antoine, ni endosser l'attitude de celle qui veut juste passer un bon moment sans assumer ses responsabilités. Pour elle, l'amour ne peut grandir sans une confiance totale et cette étape n'est pas encore franchie. Plus délicat encore, elle aimerait bien en savoir plus sur l'historique sexuel de son nouvel amant. Elle hésite un peu puis ose aborder le sujet encore tabou pour beaucoup de couples.

– J'aimerais que l'on puisse avoir des relations sexuelles en toute confiance. Je suis une fille responsable et je n'ai jamais accepté de faire l'amour sans protection. Alors, je voudrais m'assurer que c'est aussi le cas pour mon partenaire, mon amoureux, tu vois.

– Oui Claudie, je comprends bien ta préoccupation. J'ai toujours été aussi strict sur cette question que toi. Alors, je vais me rendre dès demain à la clinique et passer à nouveau les tests de dépistage afin d'obtenir un certificat de « bonne conduite ». Et si tu veux bien faire de même, nous pourrons vivre notre relation sans crainte. Je tiens à toi et j'aimerais que notre amour soit durable… D'ailleurs, ce que tu me demandes est très sage.

– Bien, je suis rassurée. C'est un sujet assez délicat. En parler franchement me rassure. Comme nous allons partir en amoureux pour dix jours… la confiance sera vraiment réciproque. J'aime mieux ça. Qui sait ce qui peut se passer, lance Claudie d'un air taquin.

– Tu as bien saisi hier soir les allusions de mes parents. Leur plus grand souhait serait, lorsque nous serons prêts bien entendu, de leur donner un petit-fils ou une petite-fille. Je suis d'avis qu'on devrait bien prendre notre temps afin d'être certains d'avoir l'esprit tranquille, jusqu'à ce que nous trouvions la bonne recette… Alors, nous pourrions faire le choix de devenir parents ! Qu'en penses-tu ma chérie ?

– Il y a une quinzaine de jours, j'aurais mis ma main à couper que le célibat était ma destinée… Évidemment, je rêvais de trouver l'âme sœur, de former un couple, d'avoir une famille… Mais de m'entendre prononcer cette phrase, là, maintenant, me renverse. La vie est imprévisible. Oui, j'aimerais bien avoir un jour un enfant avec toi. Ai-je raison ou suis-je juste en train de prendre mes rêves pour la réalité ?

– Je me sens aussi un peu dépassé… à la fois comblé et confus : tous mes repères de vieux célibataire ont fondu comme neige au soleil dès que tu es entrée dans ma vie. Tout me plaît chez toi, en toi, et ce que je craignais le plus, c'était de devoir me résoudre à faire des tas de compromis pour me sentir accepté par une femme avec laquelle j'aurais des affinités, des sentiments raisonnables quoi, mais le grand amour, je n'osais plus le chercher, tu vois. Mais avec toi, tout est simple, on dirait que chaque pièce du puzzle se place toute seule, au bon endroit, sans forcer le jeu. Est-ce que c'est ça, l'amour ?

– Nous étions peut-être faits l'un pour l'autre sans le savoir. Il suffisait que nos chemins se croisent, tout simplement…

Le paysage défile sans que Claudie et Antoine n'y prêtent vraiment attention, seuls dans cette bulle où la communication remplit tout l'espace, où le plaisir de parler et d'être compris crée une bienfaisante ambiance. Lorsqu'elle tourne le coin de la rue Papineau, Claudie indique à Antoine où se trouvent le parc de son quartier et l'école fréquentée au primaire. Devant une maison coquette à deux étages, elle met son clignotant, ralentit et se gare. Voyant que la Camry de son père n'est pas là, elle commente, sur un ton d'adolescente heureuse.

– Les parents ne sont pas encore revenus de l'église, nous serons seuls… Zut ! Ma petite sœur Sophie doit bien être là…

– Quelle gamine tu as dû être…

Une jeune femme soulève le rideau puis s'empresse d'ouvrir. La petite sœur en question fait 5 pieds et 10 pouces, a une taille fine et de longues jambes, une chevelure bouclée avec des mèches châtains et blondes. Elle ouvre ses bras à Claudie et l'entraîne à l'intérieur. Elles forment un duo infernal, criant et tournant, heureuses de se fondre l'une dans l'autre.

– Tu me manques tellement ! avoue Sophie. Et tu me fais des tas de cachotteries ! Je devrais être fâchée contre toi, mais je suis plutôt curieuse… Présente-moi, j'en meurs d'envie !

– Antoine Tessier, je te présente ma petite sœur adorée, Sophie, ma presque jumelle et ma confidente, plus grande que moi aujourd'hui, mais à la fois une petite fille adorable et une femme magnifique.

– Quel plaisir de te connaître ! dit Antoine en lui tendant la main. J'avais vu quelques photos, mais l'original est beaucoup plus impressionnant. Je comprends pourquoi Claudie me disait que tu pourrais faire une carrière de mannequin. Nul doute que toutes les portes s'ouvriraient pour toi.

– Mais je préfère la vie des gens vrais et la tranquillité de mon coin de pays. Alors j'ai choisi d'être esthéticienne et d'aider les femmes à prendre conscience de leur beauté personnelle. Les stéréotypes, ce n'est pas ça qui rend vraiment heureux ! Il y a beaucoup de belles personnes qui sont très malheureuses… Moi, je veux protéger mon équilibre et je suis tellement bien ici, avec ma famille.

– Je comprends pourquoi tu es aussi célibataire… Dommage que je n'aie pas un frère ! ose ajouter Antoine, taquin.

– Je n'ai pas encore rencontré celui qui fera battre mon cœur, c'est simplement une question de temps… La preuve qu'il vaut mieux attendre, c'est votre histoire : Claudie a 30 ans et toi 35 je crois… La rencontre devait se faire au bon moment, au bon endroit : ça, c'est un beau roman !

En attendant l'arrivée des parents, Claudie fait visiter la maison avec, de temps à autre, la voix de Sophie qui se fait l'écho d'un secret, d'une confidence, d'une anecdote. La maison de deux étages contient une annexe où Carmen a établi son commerce depuis plus de 30 ans. Le salon de coiffure fait partie de la vie de la famille; Claudie et Sophie y ont évolué au fil des ans. La coiffeuse d'expérience a d'ailleurs plusieurs affiches qui témoignent de la collaboration des jeunes filles comme mannequins. Ici, elles ont 5 et 8 ans et là 14 et 17 ans… Les modes changent, mais la fierté maternelle semble toujours présente.

– Carmen va fêter ses 54 ans le 6 janvier prochain… Les années ne la touchent pas. Elle est toujours aussi jolie et ouverte à accueillir les autres. Elle s'est toujours oubliée pour nous faire plaisir. Une vraie maman-gâteau !

– Et René ? Comment est-il ? s'informe Antoine qui redoute un peu le caractère de ce père protecteur.

– Papa est un homme plutôt timide, moins exubérant, mais d'une sagesse… C'est un travailleur minutieux; il est souvent concentré sur ses créations, comme dans sa bulle. Tu sais qu'il est ébéniste. Il travaille pour une entreprise qui fabrique des meubles québécois sur commande. Chez Dion, depuis des générations, on fabrique des pièces hors du commun ! Tu vois tout le mobilier : la table avec ses pieds tournés, le vaisselier et la huche, les tables de salon. Il a lui-même dessiné et assemblé le tout sur mesure… et le foyer avec son manteau si imposant aussi. C'est du René : force, souplesse du mouvement, raffinement dans la finition, sens de la créativité qui se voit dans les petits détails. C'est un père adorable qui ne nous a jamais réprimandées…

– Avec trois femmes aussi jolies à ses côtés, je comprends qu'il soit heureux et créatif. C'est le bonheur sur terre ! lance Antoine.

– Il n'a qu'un regret, c'est de ne pas avoir eu un fils. Pour lui, le rêve de transmettre son savoir, d'aller faire du sport ou d'écouter le hockey du samedi soir avec son gars… c'est sa seule tristesse.

Une voiture se fait entendre et l'arrivée des parents rend la petite maison bourdonnante d'énergie. Sophie a mis la table pour cinq, l'odeur de la cuisson se répand partout dans l'air et les rayons de soleil viennent jouer avec les décorations du sapin de Noël. Imposant, il dégage un parfum forestier subtil.

– Antoine, je te présente Carmen et René, mes parents irremplaçables.

Chapitre 2

L'accueil est chaleureux et spontané. Carmen lui donne un baiser sur chaque joue et René y va de quelques tapes dans le dos, très bien senties. L'homme de forte stature porte une chevelure abondante très noire avec de belles tempes grises dans laquelle il passe une grosse main en les ramenant en arrière pour les remettre en place. Antoine croirait se retrouver devant un Félix Leclerc en observant cet homme au port de tête haut et fier et au regard pénétrant. Carmen est plus petite, 5 pieds et 5 pouces environ, à la taille souple malgré un peu de rondeur. Elle garde les cheveux courts et elle s'empresse de passer un tablier sur son ensemble classique bleu marine égayé par une écharpe de soie.

– Que diriez-vous d'un petit apéro ? C'est une occasion qu'il faut célébrer ! Claudie est amoureuse… Quelle histoire !

Les cinq verres se lèvent pour saluer les invités du jour. Sans façon, chacun prend ensuite place autour de la table de chêne massive et Claudie est priée de raconter en détail comment s'est produite LA rencontre. La soupe aux légumes, le bon pain chaud sur lequel le beurre fond doucement et voilà l'ambiance parfaite pour écouter le roman-fleuve qui se vit en direct. Antoine parle de sa famille, de ses défis au travail et de sa fameuse leçon de lâcher-prise qui fait rire tout le monde. Parfois, le sourire se fait ému, parfois c'est une larme qui coule des yeux de Carmen, attendrie de voir sa fille enfin heureuse. Sans pause publicitaire, toutes les impressions sont échangées et, pour clore le tout, Claudie leur demande de deviner quel sera son cadeau de Noël… Les spéculations sont difficiles… Pressée de leur dire, Claudie place sur la table les deux billets d'avion.

–Magnifique ! Vous partez dans le sud pour dix jours ! Chanceux…

– Évidemment, ajoute Antoine, si vous y consentez… Je me sentirais très mal d'enlever votre fille comme ça… sans votre accord.

René saisit la balle au bond et se mouche bruyamment…

– Vous semblez être un homme responsable et de plus, vous pouvez gagner votre vie honorablement (les rires fusent tout autour de la table)... Mais ma question est la suivante : voulez-vous simplement passer de belles vacances avec la plus belle fille du Québec ou désirez-vous en faire la compagne de votre vie ?

– Cher René, si nous étions encore en 1960, je m'empresserais de vous demander sa main, car je l'aime très sincèrement. Mais au tournant de l'an 2000, les dames décident elles-mêmes de leur avenir. Alors je m'en remets à elle. Vous serez, c'est certain, des témoins privilégiés de notre bonheur et, éventuellement, les grands-parents de nos enfants, si Dieu le veut !

Des applaudissements amusés confirment le consentement unanime. Sophie confesse un peu de jalousie, mais elle est heureuse de voir son aînée enfin comblée. Et René se rend compte que ce grand gaillard pourrait bien venir faire oublier l'absence de ce fils qu'il n'a pas eu. Lorsque le repas se termine sur une odorante tarte aux pommes, la famille Delisle compte visiblement un nouveau membre, adopté d'emblée avec une seule exigence, tant maternelle que paternelle : « Vous devez rendre notre fille heureuse, rien de moins ! »

Les heures qui suivent permettent à René de faire visiter à son futur gendre son atelier d'ébénisterie, aménagé dans le garage... Ils y jasent allègrement d'essence de bois, de tours et autres outils de précision ainsi que de construction résidentielle. Le projet d'Antoine de modéliser un chalet de bois rond dans un conteneur et de l'exporter fascine René. Visiblement, ils sont faits pour s'entendre...

Pendant ce temps, il y a caucus au féminin autour de Carmen. Les échanges mère-filles sont empreints de cordialité, mais tendent à mettre Claudie en garde, car le nouveau venu peut bien montrer son beau visage aujourd'hui et cacher des problèmes de comportement.

– Je vois qu'il te regarde avec sincérité et qu'il est très amoureux, mais tu le connais bien peu encore, commente la mère instinctivement soucieuse de protéger sa fille. Il faut plusieurs expériences communes pour bien connaître la valeur d'un homme. Ne t'emballe pas trop vite et surtout, pas d'imprudence. Tu sais qu'il vaut mieux rester indépendante plus longtemps que de risquer d'en souffrir. Je sais, je devrais me taire : tu as 30 ans et tu mérites tellement ce grand bonheur. Sois simplement certaine qu'il t'aime telle que tu es, qu'il te respecte.

– Il est très simple, comme nous. Ce qui me déstabilise, en fait, c'est qu'il est riche. Je crains que cela puisse gâcher le plaisir de réaliser des projets qui demandent des efforts. Il peut me donner tout ce que je peux imaginer, mais moi, j'aimerais mieux une vie simple où nous aurions la liberté de suivre nos élans, de créer notre bonheur. Maman, j'ai bien entendu tes conseils et je te promets de garder les deux pieds... enfin, au moins toujours un pied sur terre !

– Comme la vie est imprévisible : deux semaines et voilà toute ta vie bouleversée... ajoute Carmen en songeant à l'éloignement qui s'ensuivra.

– Allons maman, je vais toujours être ta grande, et je te tiendrai au courant de tout... Et à toi aussi, Sophie, je ferai des courriels de confidences pour te dire comment ça se passe...

La rencontre de ce dimanche à Joliette se termine sur des embrassades et les amoureux transmettent leurs souhaits de Noël en quittant leurs hôtes. On se promet un échange de cadeaux mémorable après le 4 janvier. Sur le chemin du retour, la conversation reste animée, car chacun veut savoir comment l'autre a réagi à cette première immersion.

– Ta famille est adorable, résume Antoine avec le sourire aux lèvres. Sophie est une sœur au grand cœur, un peu jalouse, mais on peut comprendre... René est un gaillard qui a le sens de la créativité; c'est un artisan de grand talent. Quant à Carmen, c'est une femme et une mère très attentive à ce que tu vis. Elle m'a semblé heureuse et surprise de te voir en amour, comme si tu avais grandi tout d'un coup. En tout cas, personne n'a contesté la légitimité du Prince charmant. Quelle famille ! Crois-tu qu'ils vont m'adopter pour vrai ?

– Tu les as charmés… Tu les as mis dans ta manche comme un magicien. Alors, nous venons de passer chacun notre test d'acceptation familiale. Demain, la vie quotidienne nous rattrape. J'ai du boulot pour huit jours à livrer en cinq jours et vendredi soir, c'est le party du bureau. Est-ce que tu voudrais m'accompagner ?

– Avec plaisir ! Pour moi aussi, la semaine sera lourde. Le problème, c'est que je ne voudrais pas te quitter. Je dois concilier mon désir d'être avec toi et les maudites obligations quotidiennes. Le travail administratif me tue. Heureusement, j'ai mon cours de peinture jeudi et… un certain party de Noël vendredi. D'ici là, je vais devenir fou sans toi !

– Nous allons utiliser Internet, le téléphone et continuer notre petite vie. C'est en nous que le changement s'est opéré. Tout semble identique, mais plus rien n'est pareil lorsqu'on est deux. Je pense à toi sans arrêt… c'est dingue ! avoue Claudie qui cherche à demeurer lucide. J'en oublie le temps. Il ne faudrait pas brûler les étapes, tu ne crois pas ?

Rien ne nous pousse et pourtant, j'ai moi aussi l'impression que tout est différent. Je voudrais prendre le temps de tout apprendre sur toi. J'aimerais aussi te raconter mon parcours, pas toujours facile malgré les apparences. Si je pouvais arrêter le temps, je le ferais maintenant. Nous aurions la liberté de nous apprivoiser petit à petit en oubliant le reste du monde. J'aimerais tellement que ces premiers jours de notre amour restent sacrés… pour tout le reste de notre vie.

Le trajet leur permet de relativiser un peu leur emploi du temps. Être en amour ne signifie pas faire une grande révolution… Alors, après un petit lunch arrosé d'un vin rosé très frais, sur le coup de 20 h Antoine parvient à s'arracher à la tiédeur des bras de Claudie pour rentrer dans son studio. Elle referme la porte et se laisse aller à la mélancolie. « Comment ai-je pu l'attendre pendant des années alors qu'il était là, à quelques rues d'ici ? Je voudrais déjà qu'il revienne ! »

Chapitre 2

*** * * *

La semaine se déroule en accéléré pour Claudie qui voit son cœur et son cerveau s'envoler à tous moments vers son bel amoureux. Le travail n'a plus le même attrait exclusif. Elle retombe sur terre en voyant le temps s'effriter sous ses yeux. Les travaux urgents sollicitent qualité et rapidité, deux aspects de ses responsabilités qui lui demandent de la concentration. « Suis-je moins productive, maintenant que l'amour occupe toute la place dans mon cœur ? » Bien au contraire, lui semble-t-il, sa créativité bénéficie de son humeur agréable et elle ose expérimenter de nouvelles techniques, y aller de petites fantaisies qui semblent les bienvenues. Personne n'ose le souligner, mais Claudie a des ailes, celles que le bonheur ajoute, comme une légèreté intérieure, un bien-être profond, créé par le sentiment d'être aimée. Certes, elle espère gagner un peu de temps afin de s'échapper quelques minutes pour partager le dîner avec Antoine ou encore regagner son condo plus tôt pour lui parler. Pourquoi cette précipitation ? Il ne va pas s'envoler... L'amour fait maintenant partie de sa vie et chaque battement de son cœur le lui rappelle.

La liste des choses à faire s'allonge, entre les courtes visites d'Antoine chez elle ou d'elle chez Antoine. Comme elle a ses règles, Claudie a décrété une trêve dans les relations sexuelles, ce qui lui permet de se sentir plus à l'aise, mais sans toutefois se priver de tendresse. Elle a beaucoup à faire : quelques achats pour compléter sa valise, planifier son départ en réduisant les provisions du frigo. Elle doit aussi réunir passeport, carnet de santé, assurance voyage et faire photocopier ses documents pour avoir tout en double. Et puis, elle est passée à la clinique privée pour prendre rendez-vous pour ses tests ; elle a mis à jour la correspondance, les comptes et autres décisions relatives à une fin d'année précipitée. Ce n'est décidément pas un mois de décembre comme les autres : un millénaire se termine sur une impression floue, comme si le monde allait changer soudainement. Lorsque le vendredi soir arrive, Claudie est épuisée, mais éblouissante. L'imprimerie ferme ses portes à 16 h pour permettre aux employés de se rendre à la maison et de revenir en tenue de soirée dans la salle d'un grand hôtel où ils pourront célébrer tous ensemble.

Elle achève de se coiffer lorsqu'elle entend la voiture d'Antoine se garer devant sa porte. Elle compte ses pas sur les marches de l'escalier, anticipant le plaisir de se jeter dans ses bras dans quelques secondes. Son cœur s'est mis à battre très fort à mesure qu'elle devine chacun de ses gestes : il passe la porte du corridor, secoue ses pieds enneigés, s'approche de la porte 104, enlève son gant et place son doigt sur la sonnette. Derrière cette porte, c'est l'amour de sa vie qui respire, aussi pressé de la voir répondre que si leurs vies en dépendaient. Elle se précipite vers l'entrée et tourne la poignée, retrouvant avec une sorte de fièvre et d'euphorie l'homme, devenu l'amour de sa vie. Il occupe tout l'espace laissé dans l'embrasure et la saisit déjà pour la presser contre lui. « Mon amour, comme tu m'as manqué ! » Sans relâcher son étreinte, il avance d'un pas et, avec son pied, referme la porte dans son dos tout en cueillant un baiser chaud et sucré sur ses lèvres gourmandes. « À moi aussi ! » murmure-t-elle en reprenant son souffle.

Les retrouvailles sont un événement après une semaine d'obligations de toutes sortes, même entrecoupées de petites rencontres, beaucoup trop brèves pour combler l'immense appétit d'amour qui a pris la force d'un cyclone. L'arrivée de la fin de semaine est une nouvelle bouffée de passion, une grande provision de temps qu'ils pourront meubler au gré de leurs fantaisies. Lorsqu'il relâche son étreinte, Antoine a perdu son manteau et abandonné ses bottes, tandis que les cheveux de Claudie sont retombés souplement sur ses épaules et que son rouge à lèvres a été dégusté jusqu'à la dernière trace.

– Si nous n'avions pas à sortir, tu serais déjà à moitié nue… lance Antoine en riant de cet élan passionnel qu'il n'a jamais éprouvé jusqu'ici.

– Et toi, encore chanceux que ta ceinture soit munie d'un code secret… Sinon, tu perdais ton pantalon, réplique-t-elle en se laissant choir sur le fauteuil, pour reprendre son souffle. Veux-tu un verre de Perrier ? Moi, j'en ai bien besoin. Je pense que tu as avalé la moitié de mes amygdales…

C'est en riant qu'Antoine range son manteau et qu'il retrouve Claudie dans la cuisine. Pendant qu'elle verse l'eau pétillante, il l'enlace doucement.

– Je sais aussi être doux, tu sais, murmure-t-il en caressant sa nuque de son souffle chaud.

– Je vois. Tu me chatouilles. Mais… viens avec moi, au salon, j'ai une surprise pour toi.

Dans une pochette aux couleurs de l'imprimerie Clairval, elle a glissé un exemplaire de la brochure qui sent encore l'encre fraîchement séchée. Antoine la découvre avec une belle fierté.

– Voilà donc le miracle qui nous a réunis ! Quelle belle création… Je n'en crois pas mes yeux ! Claudie, tu as fait un travail exceptionnel et votre équipe aussi.

Antoine a les larmes aux yeux en réalisant que, sans ce projet de dépliant, il n'aurait sans doute jamais connu Claudie. Non seulement le produit est à la hauteur de ses attentes, en tant que document promotionnel, mais il a aussi été le trait d'union entre deux personnes en quête d'un bonheur que chacun jugeait jusqu'alors utopique.

– Je suis heureuse qu'il soit beau, ce dépliant, mais encore plus heureuse qu'il nous ait donné ainsi une première occasion de réaliser quelque chose dans une complémentarité parfaite. Pour moi, l'amour, c'est justement cela… Chacun y apporte ce qu'il a de meilleur et il en résulte quelque chose de si beau, de si fort, que les deux en sont émerveillés, ajoute Claudie. La livraison de ta commande se fera lundi, mais je voulais absolument que tu voies le résultat ce soir.

Le temps de rejoindre les collègues du bureau est passé d'une bonne demi-heure lorsqu'ils s'habillent pour se rendre au party de Noël. L'ambiance est déjà festive et, lorsque Gratien Côté les aperçoit, il vient leur souhaiter la bienvenue.

– Notre meilleure infographiste est accompagnée de notre plus important client ! Tu parles d'un beau couple ! Bienvenue à vous deux et amusez-vous bien. Le bar est par là et le repas sera servi dans moins d'une heure.

Les collègues viennent à leur rencontre, leur donnent la main, complimentent Claudie sur sa tenue et Antoine sur son goût indiscutable. Le champagne pétille dans les verres puis dans les yeux. Le repas permet au patron de lancer son habituel discours-fleuve sur l'esprit d'équipe et de faire un bilan de l'année qui se termine. Puis le party explose : musique de Noël et succès rock, balades romantiques et discos endiablés soulèvent les quelque cinquante convives qui, pour la plupart, sont fidèles à cet événement depuis des années. La soirée se termine vers deux heures du matin alors que Claudie et Antoine reprennent la route du condo, laissant derrière eux un groupe encore plein d'énergie.

– Quelle ambiance ! Même le patron et sa femme ont dansé comme des jeunes… Mais là, j'ai un seul désir : me retrouver sous la couette, blottie dans tes bras, déclare Claudie en déposant un petit baiser sur la joue de son amant.

– Cette fin de semaine nous appartient ! Nous allons nous enfermer dans notre bulle et y rester sans que rien ni personne ne nous ramène sur terre…

– Ça, c'est un programme qui me plaît. Rien ni personne : juste toi et moi !

Les heures s'écoulent doucement pour les amoureux, entre un petit déjeuner au lit cuisiné par Antoine et servi vers midi trente, un après-midi feutré avec une musique douce et tendre en fond sonore, laissant ainsi la délicieuse impression que le monde s'est arrêté de tourner. Lorsque la nuit tombe, les amants se rapprochent et après de longues et douces conversations, les feux d'artifice illuminent à nouveau leur ciel. Un samedi au goût d'éternité fait bientôt place au dimanche plus précieux encore, chaque minute prenant une valeur nouvelle. Sous la douche, sur le divan, entre les coussins ou assis sur le tapis du salon, la vie amoureuse tisse ses ancrages. Lorsque la faim les tenaille, Claudie apporte un plateau de dégustation à la méditerranéenne : un pain baguette, du pâté de foie, quelques fromages, une grappe de raisin et deux verres ballons pour le vin bien frais. C'est d'ailleurs sur la table du salon que le banquet est servi. Adossés au revers du fauteuil, les pieds allongés sur le tapis du centre, des coussins perdus à droite et à gauche, chaque bouchée est un voyage, un jeu, une expérience d'intimité.

– Dans quatre jours, nous serons au soleil… toi et moi ! Tu sais que c'est un vrai conte de fées, notre histoire, laisse échapper Claudie en regardant Antoine qui n'a d'yeux que pour elle.

– J'espère que ce sera un voyage sans nuages, une lune de miel comme jamais des amoureux n'en ont connue. Je veux que tu sois heureuse. Je veux consacrer toute ma vie à te voir heureuse. Je t'aime !

– Tu m'en as donné un avant-goût durant ce week-end qui m'a emportée dans cet heureux espace. Je voudrais te dire merci, mais je m'inclus dans ce merci parce que c'est ensemble qu'on se sent bien. Quatre dodos… Je t'aime !

Le travail reprend lundi et mardi, puis les bureaux fermeront pour le congé de Noël. Claudie envoie ses vœux par courriel à son amie Amélie qui prépare aussi ses valises, car elle retourne au Pérou pour le congé des Fêtes.

Allo Amélie !

Comment te décrire mon bonheur ? J'ai du mal à y croire tellement tout a été parfait depuis notre rencontre miraculeuse du 1er décembre dernier. Antoine est un être à part. Il a tout de cet idéal masculin qui me faisait hésiter avant de le connaître, lui. J'en ai laissé passer des hommes que je jugeais bien, mais pour lesquels j'avais une petite réserve, comme un signal venant de mon intuition. Cette fois, je dois me rendre à l'évidence, il a tout… et j'en oublie même l'importance de réveiller mon sens critique. Cet amoureux, cet amant que je découvre, fait monter ma fièvre et je m'enivre de cette bienfaisante chaleur qu'il m'apporte. Oser aimer sans retenue, oublier mon vieux credo de fille indépendante, devenir la moitié d'une grandiose folie à deux... Ma peur de souffrir fait face à un besoin si profond de bonheur... Je n'ai qu'un seul désir, entrer dans le nouveau millénaire à son bras et lui appartenir pour la vie. Je sais que tu comprends cela, toi qui as dit oui à ton amoureux péruvien, en dépit des obstacles qui vous séparaient et des étapes à franchir pour affirmer votre amour.

Chère Amélie, notre amitié est très précieuse et je me demande souvent quelles seront tes réactions face à lui. J'ai tellement hâte que tu fasses sa connaissance à notre retour en janvier. Profite bien de tes vacances et salue toute la famille de José pour moi. Jamais je n'oublierai leur accueil de l'hiver dernier. Des câlins pour tous et de Joyeuses Fêtes à vous deux. Ton amie pour la vie !

Claudie D.

Les dernières heures qui précèdent le départ s'écoulent à la vitesse de l'éclair. Claudie ne peut retenir ses larmes en terminant son appel téléphonique à sa famille. Sophie est aussi émue qu'elle et les formules de consolation semblent inutiles. C'est en pensant au plaisir des retrouvailles, dès le 5 janvier 2000, que les cœurs se réconcilient un peu avec les objectifs positifs de cette séparation. On rit en évoquant la menace d'un bogue qui pourrait paralyser toutes les communications de la planète. Claudie promet de faire le test du téléphone aux premières heures du nouveau millénaire, juste pour faire mentir les prophètes de malheur. Elle fonce et, plus que jamais, la vie lui semble une merveilleuse aventure. L'heure est venue pour elle de prendre son véritable envol et elle ose enfin croire au bonheur qui prend forme peu à peu. En passant devant son miroir, elle se sourit, pleine de confiance. « Et si c'était ça, le vrai bonheur ? »

Chapitre 2

Antoine partage aussi cet enthousiasme et rien ne l'arrête; au cours des derniers jours, il a obtenu son rapport d'examen médical, confirmant sa bonne conduite sexuelle, puis il a réussi à faire entendre raison à ses parents qui insistaient pour que le jeune couple vienne passer une soirée en famille avant leurs départs respectifs. Jean-Paul et Raymonde seront en croisière du 26 décembre au 9 janvier. Puis le 10, c'est le fameux conseil d'administration qui permettra à Jean-Paul de passer le flambeau à son fils. Mais la rencontre demandée par sa mère n'aura pas lieu, faute de temps. Cette dernière boude un peu ce refus, car elle aurait tant aimé poursuivre la conversation avec Claudie. Seuls au bureau, le père et le fils prennent un cognac ensemble, histoire de faire le point sur cette fin d'année florissante.

– L'année 2000 sera ton année, mon fils !

– Je dois dire que les événements des quatre dernières semaines me rendent plus confiant... Je me sentais bien seul, avant de rencontrer Claudie. À ses côtés, plus rien ne me semble impossible. Alors, tu peux prendre ta retraite avec l'esprit tranquille, je vais tout faire pour mettre à profit ce que tu m'as enseigné.

– J'espère que tu seras aussi heureux que je l'ai été avec ta mère, poursuit Jean-Paul sur le ton de la confidence. Nous avons toujours pensé que l'amour était une sorte de ciment qui nous a protégés des difficultés de la vie, comme si on avait un bouclier. Notre rencontre aussi avait été un coup de foudre irrésistible. Je n'ai jamais regretté mon choix, après quarante ans de mariage. Alors, ton histoire me rappelle un peu la nôtre... J'ai le cœur léger depuis que Raymonde m'a dit qu'elle avait adoré Claudie. Elle en fait une obsession, tellement elle a hâte de partager plus de temps avec elle. Ça augure bien, surtout si vous décidez d'avoir un enfant un jour... Belle-maman sera peut-être un peu envahissante, mais cela vient d'un cœur généreux. Chaque chose en son temps n'est-ce pas ?

Père et fils regardent ensuite le bilan de fin d'année et ils planifient les commandes prioritaires pour janvier, car c'est

L'œuvre inachevée

Antoine qui reprendra la barre le 7 janvier alors que Jean-Paul rentrera de croisière le 9 seulement. Le contremaître et le contrôleur ont conjointement aussi des pouvoirs directs sur les décisions à prendre, tandis que Josée, la fidèle adjointe à la direction, tiendra le phare, prête à toute éventualité. Alors les vacances prochaines sont pleinement méritées, marquant une importante transition dans la vie de Jean-Paul et encore davantage dans celle d'Antoine.

– J'ai peine à croire que tu vas enfin rentrer dans le rang, ajoute Jean-Paul, un peu amer. Tu as une sacrée veine que j'aie été aussi patient avec toi. Les hommes de ma génération ont tout donné. J'ai sacrifié ma vie à cette entreprise. Et quand tu m'as snobé en refusant de prendre la relève, j'ai failli tout balancer par-dessus bord. C'est fou ce que les jeunes d'aujourd'hui sont entêtés ! On leur donne tout et ils trouvent encore le moyen de nous combattre. Je bénis cette femme qui t'a fait entendre raison. Je ne la remercierai jamais assez. Elle a réussi en un mois à t'ouvrir les yeux alors que moi, depuis ta naissance, ma seule motivation était de te bâtir un avenir, de te passer le flambeau. Alors, aujourd'hui, je suis ému…

Les larmes roulent sur les joues du sexagénaire usé par les efforts. Antoine regarde ce père fier et rigide, plus autoritaire que compréhensif, qui dévoile enfin son visage humain. Il s'approche de lui et, pour la première fois, c'est lui, le fils ingrat et rebelle, qui passe son bras sur les épaules voûtées de son père pour le consoler.

– Tu as enfin le droit de penser un peu à toi… Pardonne-moi !

* * *

Le stress diminue aussi pour Claudie qui termine l'année sur les chapeaux de roues, selon l'expression consacrée. Tous les mandats sont livrés à la satisfaction du patron et des clients. Elle termine sa dernière journée en classant soigneusement les dossiers de l'année dans ses fichiers informatiques puis elle crée des copies de sécurité afin qu'aucune donnée ne se perde. Le bogue fera-t-il des victimes au sein des petites entreprises ? Tout le monde retient son souffle après des mois d'anticipation technologique. « Qui vivra verra ! » Elle aide Rachel à terminer sa facturation puis, vers quinze heures, elle obtient son congé. En coup de vent, elle passe à la clinique où les résultats de ses tests gynécologiques sont maintenant disponibles. L'infirmière-chef commente brièvement et lui indique que si l'objectif de ce contrôle était de choisir le meilleur moment pour une grossesse, il lui semble que le moment serait idéal... Claudie rougit un peu et confirme à mots couverts que cette intention peut bien devenir son prochain projet de vie et de couple. L'infirmière lui souhaite de belles vacances de Noël avec une chaleur dans la voix qui lui fait plaisir. « Qui sait ce que la vie me réserve ! » pense Claudie en rentrant à la maison en ce 22 décembre 1999.

Le mercredi matin, 23 décembre, Claudie appelle à nouveau sa mère pour lui raconter les derniers événements et lui confier ses états d'âme. Elle est tout à son bonheur et demande à Carmen d'embrasser les autres pour elle. Les minutes ralentissent soudain et la journée s'étire interminablement tant pour Antoine que pour Claudie. Il vient enfin la rejoindre et, ensemble, terminent les valises. Le choix des vêtements pose un problème : accessoires de plage, vêtements de sport mais aussi tenues de soirée, car deux occasions importantes seront soulignées, sans oublier le petit ensemble toutes saisons pour les déplacements en avion... Et enfin ne pas oublier les produits de toilette, de santé, les chaussures, les bijoux et tout ce qu'on pourrait regretter d'avoir oublié.

Antoine s'amuse un peu de voir s'empiler les effets de Claudie, dubitative face à cette accumulation ! Avec bonhomie, il l'aide à faire le tri pour alléger un peu le poids de ses bagages.

– Et tu oublies que là-bas, tu auras peut-être envie de faire un peu de *shopping*. Il serait bon de garder un peu de place; d'ailleurs au besoin, le service de buanderie peut rafraîchir ce qui aura déjà été porté. Le plus souvent, nous serons en maillot de bain ou, mieux encore, sous les draps avec rien du tout ! plaisante Antoine en ajoutant qu'avec une carte de crédit, tout se règle très facilement.

– Pourquoi suis-je si anxieuse ? lui confie Claudie, se laissant tomber sur le lit à côté de la valise encore débordante. Je ne me sentais pas comme ça lors de mes voyages précédents. On dirait que j'ai peur de ne pas être à la hauteur, de ne pas te plaire. C'est ridicule, n'est-ce pas ?

– Voyons ma chérie, tu ne peux pas me décevoir, la rassure Antoine en la prenant dans ses bras. Tu es la femme la plus merveilleuse que j'aie jamais rencontrée. Je t'aime telle que tu es, et ta simplicité fait partie de tes plus belles qualités. Alors, on va se détendre et commencer nos vacances par une belle marche dans le parc, question de dire au revoir à l'hiver. Puis, on va souper léger et dormir assez tôt. Tu termineras tes bagages pendant que je passerai à mon studio. Je vais venir dormir ici si tu en es d'accord et j'apporterai ma valise, car demain, vers huit heures, nous pourrons prendre un taxi pour l'aéroport et nous envoler, tel que prévu, vers onze heures, loin de ce pays nordique, pour atterrir enfin sur le sable chaud vers quinze heures.

Réconfortée, Claudie lui sourit et chasse cette anxiété qui la tenaille depuis des heures. Main dans la main, les amoureux déambulent dans ce décor enneigé, comme si déjà, l'air était empreint d'exotisme. Un battement de cils, quelques tours d'aiguilles à l'horloge et le réveille-matin leur indique que le jour J se lève sur leur bonheur. « Fini le temps où je vois les autres vivre leurs rêves : aujourd'hui, le bonheur est là, à portée de ma main. Auprès d'Antoine, tout est possible » se répète Claudie.

Chapitre 2

Chapitre 3

L'avion survole les montagnes verdoyantes de cette île tropicale où les côtes sont devenues l'apanage des multinationales du tourisme. Claudie regarde la végétation qui se rapproche et elle réagit lorsque l'appareil se pose en douceur à Punta Cana. « Il fait actuellement 28° Celsius au sol. Merci d'avoir choisi SunVAC pour votre voyage; l'équipage et moi-même vous souhaitons un très agréable séjour en République dominicaine ». Les applaudissements des passagers sont nourris, ponctués de cris de joie et d'exclamations : enfin, la belle vie !

Dès qu'ils mettent le pied sur le tarmac, la chaleur ambiante et le soleil éblouissant créent la magique réaction d'une sensation de vacances, de liberté, d'ouverture à des expériences nouvelles. Antoine tient Claudie par la taille, la pressant légèrement contre lui. Ils franchissent cette haie humaine composée de musiciens et de danseurs en costumes colorés qui ajoutent à l'exotisme de l'atterrissage. À la file indienne, les arrivants font un arrêt au comptoir de l'immigration, acquittant leur droit de séjour dans la bonne humeur puis, c'est l'attente auprès du carrousel à bagages. Quelques vendeurs d'articles d'artisanat, des représentants de tours guidés et un photographe s'adonnent à leur métier en souhaitant dénicher de nouveaux clients. La cohorte de touristes en provenance de Montréal se regroupe et monte à bord de l'autobus qui les mènera au Bordelo, leur hôtel localisé sur la magnifique plage de Bavaro.

Claudie et Antoine admirent les grands palmiers bordant la route et observent le décor où tout leur semble nouveau. Comment vivent les populations locales ? Où sont les villages ? Y a-t-il des services ? Ici et là, des huttes avec des branches de palmes séchées en guise de toiture, de petites maisons en briques locales recouvertes de vieilles tôles; les abords de la route sont parsemés d'étroits sentiers menant à des habitations de fortune, dissimulées derrière des haies de végétation. Pour les touristes en formule tout-inclus, le contact avec les insulaires est rare; il se résumera à quelques services de dépannage, car ces sorties du ghetto ne cadrent pas vraiment avec le concept du séjour confortable et sécuritaire. Une sorte de frontière invisible existe entre les Dominicains et les vacanciers; un filtre, non seulement sur le plan des retombées monétaires, mais aussi sur le plan des communications. Ici, les cultures fraternisent, sans plus, le temps d'un accueil, d'une fête, d'un repos et d'un adieu. Le gouvernement en a décidé ainsi.

Le hall de l'hôtel est une immense structure de bois posée sur des dalles de marbre d'Italie. Un toit de chaume séché typique y a été posé : mariage du luxe et de la simplicité. C'est là que les nouveaux arrivants se voient assigner leur suite. Une fois inscrits, ils sont identifiés par un bracelet bleu qui leur servira de passe pour tous les services quotidiens. Une carte magnétique reliée à un terminal enregistrera toutes les transactions additionnelles, de sorte que personne n'aura à sortir le moindre billet vert pendant l'ensemble du séjour. Les procédures d'enregistrement sont simplifiées; une carte du village, imprimée en quinze langues différentes, au choix des arrivants, leur permet de s'orienter pendant les premiers jours. Antoine propose à Claudie de faire un saut à la chambre afin de déposer les bagages puis de profiter de cette fin d'après-midi pour une première escapade à la plage. L'immeuble 5 est situé près du restaurant et de la piscine. Antoine ouvre la porte du 503, prenant Claudie dans ses bras, il la soulève comme un bel oiseau précieux pour franchir le seuil de leur chambre.

– Chéri ! Quel accueil romantique. Et quel parfum ! ajoute-t-elle en posant les pieds au sol. Wow ! Une corbeille de fruits et du rhum. Et regarde, la terrasse est magnifique… C'est un palace !

L'œuvre inachevée

Elle ouvre les voilages et laisse passer l'air frais qui vient de la mer. Antoine la rejoint, après avoir déposé les valises sur le lit.

– Bienvenue chez toi, ma chérie ! La couleur de la mer est exactement comme celle de tes yeux… Que de beauté ! Que dirais-tu d'aller lui dire bonjour, à la mer des Caraïbes.

– J'ai besoin d'une minute… ou deux ! Je passe un maillot, un paréo et nous allons laisser ce sable blanc nous chatouiller les orteils. Antoine, si tu savais comme tu me rends heureuse…

En quelques instants, les valises sont rapidement ouvertes et les voyageurs se transforment en vacanciers, se promenant parmi des centaines d'autres personnes déjà installées joyeusement auprès des piscines, aux terrasses ou allongées sur la plage. Le sable blanc est fin, agrémenté de ses cocotiers qui lui conservent un peu d'ombre. Les vagues translucides viennent lécher la berge en douceur. Main dans la main, Claudie et Antoine se sont arrêtés à un mètre de la mer et, éblouis, ils admirent ce décor panoramique qui s'étend jusqu'à l'horizon.

– Comme c'est beau ! C'est exactement le tableau que tu as peint, dans ton studio… Et là, tu vois, nous sommes dans ton décor, tous les deux.

– J'ai rêvé de ce moment précis depuis des années. Venir ici avec toi pour y célébrer notre rencontre, notre amour, nos projets futurs… Je ne sais pas comment te remercier d'avoir accepté mon cadeau. J'avais peur que tu changes d'avis ou qu'un malentendu quelconque ne vienne briser mon rêve. Quant à la part que tu dois payer, je me ferai un plaisir de compenser le tout, petit à petit. Si j'avais refusé ce compromis, sans doute aurais-tu hésité à m'accompagner. C'est mieux ainsi, car nous voilà complices à parts égales. Toi et moi ! Quel bonheur tu m'apportes !

Claudie se rapproche et, dans un murmure, elle lui dit :

– Si tu savais combien je t'aime… C'est un sentiment si nouveau, si fort, que parfois, il me fait peur.

Chapitre 3

– Viens, allons mouiller nos pieds pour vérifier si c'est de l'eau pour vrai ou juste une tache de couleur sur un tableau accroché au mur de mon salon...

Comme deux enfants exubérants, ils s'avancent sur la plage, pénétrant dans l'eau, s'éclaboussant de gouttelettes tièdes qui sèchent rapidement sous les rayons du soleil. La salinité de la mer les porte aisément et ils se laissent bercer par le va-et-vient des vagues. Après plusieurs minutes d'euphorie, ils reviennent lentement sur la plage, récupèrent des serviettes duveteuses, se sèchent et se rendent au bar-terrasse pour y déguster une boisson fraîche. La musique locale est aussi enivrante que le rhum : À nous deux ma chérie ! À notre amour !

Fascinés par la mer, ils en oublient presque toute cette faune humaine qui se balade sous le soleil; les nouveaux arrivants reconnaissent, ici et là, la physionomie de quelques voyageurs qui étaient à bord du même vol. Parce que leur teint est encore d'un blanc laiteux, ils se démarquent des plus anciens, mais dans quelques jours, il sera impossible de les distinguer dans le décor bigarré des estivants.

Le soleil décline progressivement jusqu'à dix-huit heures et, lorsque les vacanciers délaissent les chaises longues, chacun regagne ses appartements, la plupart portant des traces évidentes de coups de soleil. En passant devant le kiosque des communications, ils s'y arrêtent, prennent leurs messages sur Internet et transmettent à leurs proches une brève confirmation d'arrivée. Puis, c'est la douche fraîche, le rangement des vêtements dans les placards et une sieste romantique. Claudie se laisse aller sur l'épaule d'Antoine qui, pendant de longues minutes, regarde sa belle au repos. « Comme elle me plaît, cette femme : je ne pourrai plus jamais vivre sans elle ! »

À vingt heures trente, ils se rendent au buffet pour un petit encas puis ils marchent dans les sentiers éclairés, s'étonnant de la tiédeur de l'air et du parfum de la nuit. Bordant les allées pavées, les troncs des cocotiers sont enguirlandés de lumières qui clignotent. Le clair-obscur est féérique. En s'approchant de la mer, les yeux tournés vers le ciel, ils cherchent l'étoile de la Nativité, celle que tous vont célébrer sur le coup de minuit. Antoine fait soudain face à Claudie et la regarde avec une infinie tendresse : « Je t'aime tant, Claudie. Je voudrais que le temps s'arrête ! » Leur baiser est doux et interminable. Seul le bruit des vagues leur permet de garder un contact avec la réalité.

Dans un immense amphithéâtre recouvert de paillis, les placiers s'affairent à dresser les tables rondes pour deux, pour quatre, pour dix, afin que chacun puisse faire de cette nuit de Noël un moment magique. La musique se répand, festive, endiablée, évocatrice d'un folklore hybride qui rejoint les cultures de tous les pays. Antoine et Claudie reviennent vers les groupes qui s'animent joyeusement. Les uns dansent, les autres chahutent joyeusement.

– J'aimerais bien aller me changer, suggère Claudie. J'ai apporté pour le réveillon une tenue qui devrait te plaire.

– Et j'espère être moi aussi à la hauteur de tant de beauté… ajoute Antoine, sur un ton amusé.

Lorsque le jeune couple rejoint la foule, il ne reste que trente minutes avant que minuit ne sonne. Autour d'eux, un millier de vacanciers déambulent en couple ou en groupe, se choisissant une table et se laissant porter par un orchestre occupant un coin de la scène. Un immense sapin de Noël se dresse à l'autre extrémité et, au centre, un décor de carton crée l'illusion d'une entrée de scène avec son rideau de strass largement déployé. Claudie s'amuse de cette ambiance de cinéma.

– Au moins, mon prince charmant n'est pas un figurant ! Tu es tellement élégant, Antoine, une vraie star !

Dans son complet de lin gris bleu, il affiche un sourire attendri; il traduit la fierté de se trouver en compagnie de Claudie. La robe rouge qu'elle a choisie, cintrée à la taille par un simple cordon tressé noir, au bustier délicatement brodé, laisse voir ses magnifiques épaules. Antoine ne s'étonne nullement de constater que les autres convives se retournent pour les observer. Un verre de *pina colada* bien frais à la main, ils laissent passer cette vague d'admiration dont certains échos leur parviennent. « Ce sont des vedettes de cinéma, je le parierais... Je n'arrive pas à me souvenir du titre du film dans lequel je les ai vus ensemble... Ils sont tellement romantiques... Regarde comme ils semblent s'aimer ! » Quelques personnes osent les prendre en photo, ce qui les fait sourire.

– Un peu plus et nous étions obligés de leur signer des autographes, taquine Antoine en riant. Les gens sont si envieux du bonheur des autres, qu'ils n'arrivent pas à le respecter sans le troubler.

Lorsque le maître de cérémonie ouvre l'animation du réveillon, les convives applaudissent aux premiers numéros lorsque s'amorce le grand décompte qui soulève l'enthousiasme collectif, à grand renfort de musique.

– Joyeux Noël, mon amour !

Les amoureux s'enlacent et se balancent comme deux lianes souples; leur étreinte se termine dans une sorte de danse amoureuse. Le reste du monde n'existe plus pendant de longues minutes. L'amour inhibe leurs pensées, alors qu'il fait battre leur cœur à l'unisson.

Pendant que les autres crient joyeusement, s'exclament, s'interpellent et se chantent des vœux dans différentes langues, Claudie et Antoine se rassoient en tête-à-tête. De la poche arrière de son pantalon, ce dernier retire avec fébrilité un écrin de velours bleu. Il ouvre la main de Claudie et, ému aux larmes, il lui demande d'accepter ce cadeau. Elle le regarde, retenant son émotion et, lentement, mue par une curiosité qui se transforme en étonnement, elle entrouvre le boîtier luxueux et y découvre une magnifique bague en or, au centre de laquelle un diamant brille de tous ses feux. Elle la regarde, incrédule, puis fait glisser le bijou ente ses mains avec précaution. Antoine passe doucement l'anneau au doigt de sa bien-aimée.

– Cette bague est en fait ma demande en mariage. Claudie, à compter de maintenant, tu es ma fiancée, ma promise, celle avec qui je veux partager tout le reste de ma vie. Si tu le veux… évidemment !

– Merci Antoine. Comme elle est belle, trop belle en fait… Oui, je veux bien être à toi, juste à toi, pour le reste de ma vie.

Les yeux dans les yeux, heureux et amoureux, Antoine et Claudie ne trouvent plus les mots pour partager leurs sentiments : les deux cœurs se sont synchronisés pour battre au même rythme. Après un seul service au buffet, ils se laissent aller à la danse, sur un air langoureux repris par un chanteur populaire. *Morir de Amor. Mourir d'aimer*, cette chanson thème d'un film culte du cinéma des années 70 n'a pas pris une ride depuis 30 ans. Le talent d'Aznavour a été d'y traduire toute l'intensité de l'état si précaire des amants et, cette intensité revit pour Claudie et Antoine en cette nuit mémorable.

Désireux de plus d'intimité, ils regagnent leur chambre pour cueillir cet amour qui exulte par tous les pores de leur peau. Tandis qu'au doigt de Claudie brille un diamant scintillant, Antoine se glisse à ses côtés avec douceur et sensualité. Quel plaisir de parcourir des yeux, des mains, de la bouche aussi le corps parfumé de Claudie. Elle vibre au moindre toucher, répondant avec spontanéité aux pressions agréables et aux stimuli d'Antoine. La respiration retenue, leurs élans épousant celui des vagues, ils traversent cette nuit d'amour dans la totale osmose de deux amants épuisés mais comblés. Ils s'endorment enfin dans l'évanescence de cet univers tout juste découvert. Le vent du large fait voler la mousseline des rideaux, et la mer sur laquelle les premières lueurs du jour s'étendent, reprend vie peu à peu. Cette nuit sera pour toujours celle de l'extase, celle où un homme et une femme se sont donnés tout l'amour du monde, sans condition.

* * *

Chapitre 3

Lorsqu'elle ouvre les yeux, Claudie cherche Antoine, mais elle est seule dans le grand lit défait. Il est sous la douche, chantonnant un air de La Bohème à mi-voix, pour ne pas la réveiller sans doute : « L'amour, l'amour... L'amour est enfant de Bohème, il ne connaît jamais de loi... » Étonnée de cette voix juste, elle saisit son paréo et relève ses cheveux. Sans bruit, elle se glisse dans la douche, laisse tomber le tissu et, nue, rejoint son amant. Étonné, Antoine entoure la taille de sa compagne de ses bras amoureux. Ils rient et s'enlacent, jouent à se couvrir de mousse et laissent aller leur bonheur pendant de longues minutes. Affamés, assoiffés, ils finissent par quitter à regret la salle de bain vitrée pour croquer un fruit. Antoine prépare le café, agrémenté de quelques gouttes de rhum, juste pour le parfumer, et tous deux le dégustent amoureusement sur le balcon.

L'après-midi est consacré à la plage sous un soleil radieux. Confortablement installés entre les îlots de vacanciers, ils s'allongent sous les grands cocotiers et les regardent avec fascination se balancer lentement sous un ciel immaculé. Les deux chaises longues sont l'une contre l'autre, les serviettes de plage se touchent, la mer et le ciel bleus sont réunis par un mince fil d'horizon : le regard d'Antoine se tourne vers celui de Claudie et ils jouent à se dévorer des yeux tout en bavardant de tout et de rien. Les rayons du soleil pénètrent la peau sans l'agresser et, à fréquences régulières, l'un se penche sur l'autre pour ajouter un peu de crème protectrice, prétexte à un massage exprimant une infinie tendresse, une passion ressentie dans le geste, une petite dose de désir et de sensualité qui s'ajoute à la caresse bienfaisante du soleil et du vent.

Antoine se rend au buffet, en rapporte une assiette bien garnie et quelques boissons fraîches qu'ils dégustent sans quitter leur chaise. La cuisine locale se mêle aux plats plus internationaux : le riz aux fèves côtoie les frites, le poisson repose auprès du poulet rôti, les salades entremêlent leur saveur et les fruits s'étalent en abondance. Plein soleil pendant trois heures, avec des haltes à la piscine et à la mer : la peau commence à se colorer lorsque le soleil atteint la ligne des arbres. Les amoureux se prennent la main et admirent cette plage qui s'étire sur près de 20 kilomètres, se laissant lécher les pieds par les vagues tièdes.

– C'est le plus beau 25 décembre de ma vie ! lance Claudie qui a du mal à croire qu'au Québec, au même instant, une bordée de neige est en train de saupoudrer le sol de 25 centimètres de flocons blancs.

– Ils en ont pour trois jours avant de reprendre le dessus. Profitons-en, car au retour, il restera encore une large portion de cet hiver à vivre. Pour moi aussi, c'est un vrai miracle d'être là avec toi. Tout est tellement magnifique. J'adore ce paysage, toujours pareil et toujours différent à la fois. Ici, la vie bouge lentement. J'aime ce rythme qui sait se faire doux. Demain, j'apporterai mon appareil photo pour en garder des images à peindre…

Le long de la berge se dressent des petits commerces d'artisanat, des restaurants-terrasses et d'autres plages très achalandées. Curieux de tout, les deux tourtereaux sourient devant les sollicitations parfois insistantes des Dominicains, et Antoine s'amuse à leur répondre en espagnol, ce qui les surprend. Claudie apprend rapidement les rudiments de la politesse, celle du refus sympa, comme disent les Français, afin de se libérer de ces attroupements.

– Évidemment, tant que nous ne serons pas assez bronzés, moi surtout, constate Claudie, ils vont se ruer sur nous en constatant qu'on est fraîchement arrivés sur leur île. Toi, tu avais déjà un bon fond de soleil floridien… Ça te va si bien. Je l'avais remarqué dès ta première visite à l'imprimerie… un certain premier décembre, si ma mémoire est bonne.

Antoine rit de cette évocation. Tout a été si vite entre eux. Le dialogue a été spontané, sincère, vrai. L'amour a germé dans un sol de maturité entre deux adultes qui assument parfaitement leur indépendance tout en reconnaissant la valeur d'être deux, de tout se dire, de partager des rêves communs. La passion se consume et les entraîne joyeusement, faisant fi du temps. Vingt-cinq jours de bonheur, c'est tout un univers; c'est plus que bien des gens n'en reçoivent dans toute une vie...

– Le temps est une valeur tellement flexible, aléatoire. Pour nous, il se fait généreux en nous permettant d'en profiter alors que pour d'autres, privés d'amour, de liberté, de choix en fait, c'est un interminable calvaire.

– Cet après-midi, j'ai observé plusieurs couples en vacances ici, et quelques-uns ne semblent pas vraiment en harmonie. Comment peut-on être dans un tel paradis et y vivre une absence de bonheur ? s'étonne Claudie.

Antoine s'arrête et plongeant ses yeux dans ceux de sa compagne :

– Ma chérie, j'espère que jamais, notre bel amour ne s'usera. Je ferai tout pour que chaque minute de notre union soit belle et qu'on ait envie de s'en souvenir, de la poursuivre, de l'embellir et de la partager.

– C'est mon vœu le plus cher. Il ne faut pas laisser notre bonheur se ternir, même si les années nous changent bien sûr... Notre cœur, lui, ne s'éteindra pas.

Ils échangent un baiser alors qu'une vague plus forte que les autres les fait chanceler. Ils se laissent porter par la force de ce reflux, riant de la situation. Oui, la vie peut parfois réserver des imprévus, déstabiliser les amants, mais tant que la passion tient lieu de force commune, le bateau de la vie à deux retrouvera toujours son point d'équilibre pour mieux continuer sa course vers le grand large.

* * *

Les jours et les nuits s'enchaînent, intemporels. Le temps coule au ralenti, à l'abri des obligations quotidiennes. L'euphorie des premiers jours a fait place à la curiosité et l'heureux couple a réservé quelques heures pour des excursions dans le pays. Les activités ne manquent pas sur terre, en mer et aussi dans les airs. Car ils ont même fait un tour de ballon afin de capter toute la beauté de cette plage mythique. Ils en rapportent des images à faire saliver leurs amis, au retour... Les communications par Internet sont déjà l'occasion de faire des envieux parmi ceux et celles qui, au Québec, sont aux prises avec la dure réalité de l'hiver.

Pour célébrer l'arrivée de l'année 2000 et leur première semaine d'amour, Antoine a proposé une balade à Palm Suite Village, un centre commercial qui leur permettra de s'offrir un bon dîner et de repérer quelques souvenirs à rapporter pour la famille et les amis. Claudie s'amuse à faire les boutiques sans se soucier des prix, puisque la carte de crédit d'Antoine a été gentiment mise à sa disposition avec empressement. Après un repas copieux chez Tony Roma's, les bras chargés de sacs bigarrés, ils regagnent leur hôtel afin de profiter du soleil de l'après-midi. Claudie a déjà hâte de revêtir cette magnifique robe blanche qu'elle a apportée pour célébrer le nouveau millénaire. Elle range sa bague dans l'écrin avant de se rendre à la plage.

– Tu trouveras sous le plancher de l'écrin le certificat d'authenticité de ton bijou, libellé à ton nom. Si jamais tu veux l'échanger... ou la vendre un jour, ce document te sera précieux.

– Quelle idée ! Vendre cette alliance ? Chéri, est-ce que tu doutes de mes sentiments envers toi ?

– Non, mais je voulais juste t'en informer. J'espère que ce diamant demeurera un lien éternel entre nous. Je t'aime de tout mon cœur, ne l'oublie jamais.

Vers 14 h, ils descendent à la plage pour se laisser aller, durant quelques heures, aux rêves éveillés de leur récent passé et aux errements incontrôlés de leurs cœurs. Afin de suivre la course du soleil, les chaises longues ont tourné le dos à la plage; ainsi, les rayons se répandent avec générosité sur les vacanciers. Dans une étrange exposition, les corps humains se laissent dorer, empruntant toute une variété de positions, parfois aussi loufoques qu'inconfortables.

– Je pense que nous allons être bien ici, indique Antoine en repérant deux chaises inoccupées dans une zone très ensoleillée.

Ils s'y installent, rapprochant leurs chaises soleil afin de pouvoir se tenir la main, si l'envie leur vient d'exprimer leur intimité. Badigeonnés de crème protectrice, ils plongent sans un demi-sommeil béat, profitant de ces minutes de repos absolu pour laisser errer leurs pensées. Lorsque la chaleur lui semble insupportable, Antoine propose à Claudie une boisson froide. Claudie ne souhaite que de l'eau fraîche. De retour avec deux verres remplis de glace, Antoine l'observe avec attention :

– Tu es vraiment la plus séduisante femme de toute cette plage; juste bien dorée, pleine de vie, adorable…

Elle ne réplique pas, se contentant de sourire à ce compliment. Éblouie par un soleil aussi généreux que les propos de son amoureux, elle referme les yeux Il se rassoit un instant puis, souffrant de l'excès de chaleur, annonce qu'il va faire une baignade dans la mer. Il se penche sur elle, dépose un baiser sur ses lèvres et se dirige vers la plage. Devant lui, l'eau est attirante, les vagues modérées. Une dizaine de baigneurs jouent à rebondir comme des bouchons de liège ou à se lancer des ballons dans ce bouillon d'un bleu progressif qui marie la mer et le ciel. S'il avait son tableau et ses pinceaux, il terminerait son œuvre, juste là, en ce moment. Il y placerait les deux silhouettes amoureuses se tenant par la main face à ce décor parfait. Des vaguelettes tièdes viennent lui lécher les pieds. Pour lui, le bonheur porterait une signature et une date : 31 décembre 1999. Un moment d'éternité gravé à jamais.

L'eau saline le rafraîchit et, en excellent nageur qu'il est, Antoine sort de sa réflexion et pique une tête dans la mer si accueillante. Il allonge le bras dans un mouvement de brasse en se disant qu'il est sans doute l'homme le plus heureux du monde. Emporté par cette euphorique sensation de bien-être, profitant d'une eau quasi translucide, il nage sous la surface, ne revenant prendre son air que lorsque ses poumons sont vides. Il franchit sans le savoir la ligne de démarcation balisée pour les vacanciers et poursuit sa course. Il profite, heureux, de cet instant d'équilibre physique, bonifié par un bonheur qui lui donne une énergie sans égale et le propulse de plus en plus loin. Dans un mouvement de bras vigoureux, son bracelet bleu du Bordelo se défait sans qu'il s'en rende compte. Alors qu'il amorce une remontée pour respirer, sa tête heurte quelque chose. C'est le choc. Un tube de peinture, dans son cerveau, vient de s'ouvrir, laissant couler une couleur visqueuse qui se dilue dans l'eau bleue. Il veut saisir ce goutte-à-goutte rouge acrylique qui s'effiloche. La source, la douleur, l'engourdissement, colmatés... Le rouge puis le bleu tournent au noir; il perd conscience. Un filet de sang se répand en surface puis s'estompe. Antoine sombre comme une feuille d'automne, sans vie.

* * *

Claudie se retourne pour faire dorer son dos et elle s'amuse à observer le décor, côté plage. Il y a bien trente minutes qu'Antoine est à l'eau et instinctivement, elle le cherche du regard. Elle scrute les baigneurs l'un après l'autre; aucun ne correspond à la silhouette de son amoureux. « Il doit nager à la brasse, c'est pour ça que je ne le vois pas en surface. Ce n'est pas son genre de rester debout à clapoter. Il adore plonger et il doit s'amuser à explorer les alentours », se dit-elle. Mais le temps passe; elle ne le voit toujours pas et son anxiété grandit. À quelques pas, les Gentils Animateurs ont démarré l'animation de fin d'après-midi et la musique retentit, envahissant l'espace. Des dizaines de couples s'amusent au lancer des bombes d'eau, encouragés par les applaudissements des autres vacanciers. Légèrement inquiète, elle se lève et se rend au bar pour savoir l'heure. Il est seize heures trente.

Claudie revient vers les chaises longues, enfile sa tunique et réunit ses effets personnels ainsi que ceux d'Antoine et les place bien en vue afin qu'Antoine les trouve, lorsqu'il reviendra. Puis elle s'approche de la plage et fixe l'horizon avec plus d'acuité. « Mais où es-tu ? Pourquoi restes-tu si longtemps à la mer ? » Pendant de longues minutes, elle reste là, s'attendant à le voir surgir de n'importe où avant de retourner vers les G.A. Les deux chaises sont toujours désertes. L'idée lui vient enfin qu'il est peut-être monté à la chambre pendant qu'elle dormait et qu'il y fait la sieste… Évidemment, c'est sûrement ça ! Elle presse le pas et monte au 503. Antoine n'est pas là. Elle enfile rapidement un pantalon cargo et un chemisier puis redescend, assez tendue. Lorsqu'elle arpente la plage, elle constate que les baigneurs se retirent, les uns après les autres; elle trouve une mer s'agitant de plus en plus, balayée par des vagues plus denses, plus rudes. Une angoisse se glisse en elle. Elle met ses mains en porte-voix et appelle : Antoine ! Antoine ! Mais le bruit de l'eau et le vacarme de la musique couvrent ses appels. Elle fait alors signe au gardien qui surveille les lieux. Un grand gaillard muni d'une garcette et portant le costume des agents de sécurité s'approche. En anglais, elle lui indique que son copain est parti se baigner, mais qu'il n'est pas revenu…

– Depuis combien de temps ? questionne-t-il.

– Cela fait une heure au moins… peut-être plus…, dit-elle sans pouvoir cacher son appréhension.

– Attendez-moi ici, j'appelle le directeur de l'hôtel et la police touristique. C'est la consigne habituelle.

Pendant qu'il s'éloigne, quelques autres touristes passent et regardent la jeune femme visiblement inquiète, qui crie en direction de la mer… Un couple plus âgé s'arrête et s'informe sur ce qui se passe.

– Mon copain est allé se baigner et il n'est pas revenu. Je suis très inquiète. C'est un excellent nageur, mais… j'ai peur … pour lui ! ajoute-t-elle en éclatant en sanglots.

Les touristes la réconfortent tant bien que mal puis se présentent.

– Je m'appelle Josie et mon ami Mac. Nous aimerions vous aider, au besoin. Nous sommes clients du Carabellada, l'hôtel situé juste à votre gauche, sur la plage. Nous logeons au numéro 18, premier étage.

La dame ressemble à une bonne grand-mère, avec son visage auréolé de cheveux gris bouclés. Claudie se ressaisit. « Il y a sans doute une explication simple… il va revenir et ce sera comme un mauvais rêve ». Main dans la main, le couple âgé s'éloigne, se retournant de temps à autre pour voir si la jeune femme est toujours là. Puis ils regagnent leur condo. Le ciel se charge de nuages gris et le vent fait gonfler la mer. Claudie sent un frisson la parcourir. « Mon amour, où es-tu ? Que t'est-il donc arrivé ? »

Le directeur de l'hôtel arrive le premier, accompagné du gardien. Il demande des détails sur l'homme disparu ainsi que leur numéro d'habitation. De son portable, il communique avec POLITUR, la police touristique, dont les bureaux sont situés tout près de l'établissement. Il donne la description de la personne qui manque à l'appel et demande de lancer une première alerte. Claudie se rend à la chambre pour chercher le passeport d'Antoine puis elle va rejoindre le directeur de l'hôtel à son bureau. Il fait une copie de la première page du passeport au numériseur et la transmet au poste de police.

– En attendant leur intervention, nous allons prendre un bateau et circuler dans la zone où vous l'avez vu partir pour se baigner, ajoute l'homme, très sûr de lui, en prenant deux vestes de pluie et deux gilets de sauvetage.

Le bateau *ESTÉFANIE* vient de rentrer d'une excursion de pêche en haute mer avec des vacanciers. Il est ancré tout près de la plage fréquentée par les clients du Bordelo. Le capitaine leur confirme qu'il est disponible et leur envoie une barque pour les amener à son bord. Quelques minutes plus tard, Claudie, accompagnée du directeur et du gardien de sécurité, monte sur le pont du bateau et le capitaine lui demande de désigner la zone approximative qu'elle veut couvrir. Elle demande à suivre les bouées qui bordent la plage en direction Est. Elle scrute la mer avec attention, cherchant à voir apparaître un détail, un membre, un corps… Cette seule idée, ajoutée au ballotement des vagues, lui donne la nausée. Après quatre kilomètres, elle demande au capitaine de faire demi-tour et de ratisser un peu plus au large, à contresens. Puis une troisième traversée vers l'est avec retour vers l'ouest, de plus en plus loin de la berge, jusqu'à ce que la nuit soit tombée. Claudie appelle et appelle sans cesse : « Antoine ! Antoine ! », mais ses cris restent sans écho. Voyant que les efforts deviennent inutiles, le directeur de l'hôtel fait signe au capitaine de rentrer au Bordelo. Tournée vers le large, fouettée par le vent, tremblante de peur, Claudie pleure en criant sa détresse, son incrédulité. « Ce n'est pas possible ! Pas Antoine, un maître-nageur ! Un homme en pleine forme ! Il ne peut pas s'être bêtement noyé comme ça, un 31 décembre, sur la plage de Punta Cana ! »

Les hommes aident la jeune femme à regagner la berge et une mini voiture de police s'approche, gyrophares bleus en marche. Sur la plage, deux enquêteurs de la police touristique se présentent et demandent à monter à l'appartement occupé par Antoine et Claudie. Elle ouvre la porte, priant le ciel qu'il soit là, lorsqu'elle entrera et qu'il ne s'agisse que d'un vilain cauchemar. Mais la pièce est sombre et vide.

Le responsable de la police ouvre alors un dossier d'enquête afin d'officialiser la disparition d'Antoine. Les questions d'identification, d'abord usuelles, deviennent ensuite plus suggestives :

– Avait-il des pensées suicidaires ? A-t-il déjà fait une tentative de suicide par le passé ? A-t-il déjà été suivi pour un trouble de la personnalité... Fait une dépression ou un *burnout* ? Se peut-il que monsieur Tessier ait voulu consciemment mettre fin à ses jours ? insiste le policier.

– C'est impossible... Nous sommes ici en amoureux et nous nous sommes fiancés à Noël. Je ne vois pas pourquoi il aurait voulu disparaître, alors qu'il touchait enfin le bonheur... C'est impossible ! Il ne m'aurait pas fait ça...

– C'était une simple hypothèse... Je suis désolé de vous harceler, mais je dois envisager tous les scénarios possibles. Vous dites que votre fiancé est fils unique d'une famille riche. Il s'agit peut-être aussi d'un enlèvement. Chez nos voisins haïtiens, la pratique est courante. Un groupe repère un individu qui est fortuné et il l'enlève pour obtenir une rançon contre sa libération. Vous étiez peut-être surveillés depuis quelques jours. Y a-t-il des gens qui vous ont approchés, des personnes d'ici ou même des touristes qui voulaient en savoir plus sur votre niveau de vie ? Vous aurait-on suivi au centre commercial par exemple ?

– Je n'ai rien remarqué de suspect. Évidemment, nous avons fait plusieurs achats sans trop nous soucier des prix. Quelqu'un aurait pu en déduire qu'Antoine était millionnaire et nous suivre jusqu'à l'hôtel… Mais bien des gens viennent en vacances pour faire cette vie pendant une semaine sans être réellement riches. Évidemment, de nombreuses personnes ont dû nous observer, notamment le soir de Noël, alors qu'Antoine m'a offert une superbe bague de fiançailles… Je n'arrive pas à croire que nous avons eu un comportement excessif, extravagant, qui aurait pu attirer l'attention. Nous étions si heureux de vivre notre amour que le regard des autres ne nous atteignait pas, en fait.

– L'autre hypothèse, c'est la noyade. Monsieur Tessier savait-il nager ? Aurait-il pu surestimer ses capacités en pleine mer ?

– Il avait été instructeur de natation pendant ses années d'études et il était considéré encore aujourd'hui comme un maître-nageur. Il avait aussi souvent nagé en mer puisque sa famille possède une résidence en Floride. Il y était allé en novembre dernier, justement. Je ne comprends pas. C'est impossible ! Il était très prudent; il voulait seulement se rafraîchir un peu après une exposition au soleil.

– Avait-il pris un repas copieux ou consommé de l'alcool ?

– Non, nous avions partagé une assiette provenant du buffet, bu de l'eau et des sodas. Rien de plus…

– Avait-il des habitudes compulsives, comme le jeu, par exemple ? Aimait-il fréquenter les casinos ? Aurait-il eu des dettes de jeu qui l'auraient ennuyé ?

– Non, pas à ma connaissance. Nous ne sommes même pas allés au casino depuis notre arrivée ici. S'il avait été attiré par le jeu, je m'en serais très certainement aperçue… Et il n'a aucune dette, bien au contraire…

– Bon ! Nous allons vous demander d'avertir ses parents dès maintenant afin de leur signaler sa disparition. Pendant ce temps, nous allons visiter tous les bars et établissements de la côte avec sa photo pour vérifier s'il n'a pas été aperçu en fin de journée quelque part. Nous vous ferons un rapport demain, le 1er janvier, vers treize heures, conclut le policier. Nous prendrons aussi contact avec votre ambassade. Pour l'instant, ce sera tout.

Le directeur de l'hôtel a écouté la conversation sans intervenir. Lorsque le policier quitte la chambre, il ajoute :

– Nous avons malheureusement déjà vécu de telles situations, et nous sommes désolés pour vous. En pareil cas, nous allons communiquer avec votre voyagiste et lui demander de vous accorder un crédit aérien afin d'être accompagnée pour le reste de votre voyage. Est-ce que vous connaissez quelqu'un qui pourrait venir vous rejoindre ici et vous réconforter; l'un de vos parents, une amie… Votre voyagiste va assumer ses frais d'avion à partir de son point d'origine jusqu'ici.

– Mes parents seront sans doute trop bouleversés et ils n'ont jamais voyagé; ma sœur non plus… Je vais tenter de joindre mon amie Amélie qui est actuellement à Lima, au Pérou… Les parents d'Antoine sont en croisière aux Bahamas. Je ne sais pas comment les atteindre en cette veille du Nouvel An…

– Je vais faire un appel pour trouver leur port actuel. Quel est le nom de leur bateau ?

– C'est le Norvegian Gem qui est parti de Miami le 25 décembre dernier. Ses parents sont Jean-Paul Tessier et Raymonde Labelle-Tessier. Mon Dieu, ils vont être dévastés… C'est une nouvelle épouvantable. Peut-on attendre à demain pour les prévenir ?

– Nous allons faire les recherches avec diligence, mais personnellement, je doute qu'on puisse les rejoindre avant demain en matinée, au mieux, en espérant qu'ils ne seront pas en pleine mer. Toutes les communications sont pratiquement impossibles d'ici là…

– Si vous me prêtez votre cellulaire, je peux tenter de joindre mon amie tout de suite, avant que toute sa famille ne soit en pleine festivité, suggère Claudie en cherchant son carnet d'adresses.

Les mains tremblantes, elle prend le téléphone et compose le numéro de la famille De Flores. Quelques minutes d'attente et c'est le beau-frère de son amie qui répond. Étonné, croyant que Claudie appelle simplement pour faire ses vœux du Nouvel An à son amie, il lui fait ses vœux en espagnol et passe la communication.

– C'est toi, Claudie… Quelle belle surprise ! Comment se passe ta lune de miel ? Est-il déjà minuit chez vous à Punta Cana ?

– Je suis contente de te joindre, Amélie. Je t'appelle parce que… j'ai un gros problème… J'ai besoin de ton aide… Antoine a disparu ! ajoute-t-elle en éclatant en sanglots.

– Qu'est-ce que tu racontes ? C'est une blague ? Tu pleures… Comment est-ce arrivé ?

– Il est parti nager dans la mer cet après-midi et il n'est pas revenu. Je le cherche depuis des heures. C'est un excellent nageur. Comment aurait-il pu se noyer ?

– Ma pauvre Claudie, c'est un vrai cauchemar ! Qu'est-ce que je peux faire pour t'aider ?

– Mon agence de voyages me permet de faire venir quelqu'un ici, pour me rejoindre et m'assister, m'aider à faire face. Est-ce que tu pourrais quitter Lima et venir, pour quelques jours ? Je sais que c'est une demande énorme, mais je n'ai personne d'autre à qui… faire appel. Et puis, tu parles espagnol et j'aurai sans doute besoin d'une interprète. C'est compliqué ici, les questions, les procédures…

– Évidemment que je vais aller te rejoindre. Comment puis-je avoir un billet d'avion rapidement ?

Chapitre 3

– Le directeur de mon hôtel va te joindre à ce même numéro pour te donner les consignes, dès qu'il va les obtenir du voyagiste. Ce sera probablement le premier vol de demain matin, de Lima... Entre-temps, peux-tu préparer ta valise ?

– Oui et j'attends l'appel téléphonique. Tout le monde ici te salue et t'envoie ses encouragements. Ils vont comprendre... Ne t'inquiète pas pour ça. Je suis tellement désolée... Toi qui étais si heureuse !

– Merci Amélie. On se reparle dès que possible.

Les coordonnées de son amie sont transmises au directeur et ce dernier loge un appel sur son walkie-talkie à un adjoint.

– Rejoignez-moi SunVAC à Montréal tout de suite. Et envoyez-moi Pierrette avec un plateau de nourriture et des rafraîchissements au 503. Notre invitée n'a pas mangé depuis des heures. Il faudrait aussi voir la disponibilité de Nadia, qui parle français. Je veux qu'elle me rejoigne au 503 dès que possible. Merci.

Les directives sont claires, concises, parfaitement maîtrisées. Claudie a l'impression que ce n'est pas la première fois qu'il traite ce genre de drame. Elle ose le questionner.

– Chaque année, nous avons deux ou trois dossiers semblables de disparition en mer, sans compter des centaines de cas de blessures causées par les vagues ou les chutes pendant la pratique d'activités sur le terrain. Nous vous demandons d'ailleurs la plus grande discrétion afin de ne pas nous faire une réputation négative. Ce qui arrive n'est en rien de notre responsabilité. Vous en convenez n'est-ce pas ?

– À première vue, je pense que ce n'est en rien de votre faute...

– Nous avons entre 1500 et 2000 convives ce soir, pour le réveillon du Nouvel An. Alors, je vous demande d'être discrète afin de ne pas troubler les autres vacanciers. Une dame de compagnie, Nadia, va venir vous rejoindre et elle va passer la nuit à vos côtés. Elle est Française. Vous aurez ce qu'il faut pour vous restaurer. Voulez-vous voir un médecin ?

– Je comprends… qu'on ne peut rien faire… de plus ce soir, n'est-ce pas ? C'est terrible ! Est-ce que la mer a déjà rendu un corps, dans le cas d'une noyade, dites-moi ?

– Malheureusement, aucune victime n'a jamais été retrouvée sur la berge. Il y a suffisamment de prédateurs au large pour en disposer, cela dit sans vouloir vous paraître insensible. Je suis sincèrement désolé de ce qui vous arrive. Si je peux faire quoi que ce soit, n'hésitez pas. Je passe la nuit à la réception ou sur le terrain, mais tout le monde ici peut me joindre.

Quelques coups légers frappés à la porte; c'est la livraison d'un plateau qui permettra à Claudie de manger un peu. L'appétit n'est pas au rendez-vous. Elle regarde la belle robe blanche restée étendue sur le lit, que son amoureux ne verra peut-être jamais… Ses larmes l'assaillent. Pour effacer cette triste perspective, elle replace le vêtement dans la penderie. Elle dégage aussi le fauteuil où les sacs imprimés au nom de boutiques réputées, résultat de leurs derniers achats, sont restés alignés sans être ouverts. Elle range le tout nerveusement, sous le regard attentif du directeur.

– Vous n'y êtes pour rien… C'est sans doute le résultat d'un accident qu'on ne peut pas expliquer… Je suis désolé, vous savez… ajoute le directeur avec compassion.

Claudie hésite à le remercier, se demandant si son attitude est commandée par le désir qu'aucune fausse note ne nuise à la soirée de fiesta et à la réputation de son établissement, ou s'agit-il d'une réelle sympathie…

– Je vous attends vers 11 h demain matin à mon bureau. Nous aurons alors le rapport de POLITUR, le contact avec votre ambassade, la collaboration de votre agent de voyages pour une accompagnatrice et, bien évidemment, la communication avec votre belle-famille. D'ici là, je vous conseille de manger un peu et de tenter de dormir.

– Il n'y a donc rien que je puisse faire, dites-moi ? Tout ce drame va donc se perdre dans une indifférence totale… Je ne peux pas le croire. Un homme est disparu… C'est votre client !

– Même en période normale, pendant la nuit, il nous est impossible de faire quoi que ce soit. Alors, vous imaginez lorsqu'un tel événement se déroule le 31 décembre en fin de journée, la terre entière s'arrête de tourner pour l'occasion; de plus, c'est un nouveau siècle qui commence ! Cela peut vous sembler inhumain, mais je n'y peux rien. Encore heureux que l'on ait pu rejoindre les policiers et votre amie… Croyez bien que si je pouvais faire davantage, je le ferais…

– Ça va, j'ai compris. C'est arrivé au pire moment qui soit pour vous, mais pour moi, ce moment n'aurait jamais dû arriver, vous comprenez, jamais ! Je l'aime, il m'aime, nous sommes fiancés, nous avons des projets et ce voyage était notre rêve…

– Je dois vous laisser maintenant. Nadia ne va pas tarder. À demain, madame Delisle.

* * *

Assise sur le balcon, Claudie attend qu'il soit onze heures pour se rendre à la réception. Toute la nuit, les vacanciers ont célébré le Nouvel An avec musique, feux d'artifices et confettis. Vide de sens maintenant pour elle que cette fête, ce passage à l'An 2000 : sans Antoine, c'est la vie même qui s'est arrêtée. Elle n'a pas pu avaler la moindre bouchée du plateau que l'accompagnatrice a placé dans le frigo-bar. Elle a bu de l'eau, juste quelques gouttes d'eau, suffisant à lui rappeler cette mer implacable qui lui a pris son amour. Et le vertige ressenti sur le bateau, la veille, l'a reprise.

Nadia s'est allongée sur le fauteuil afin de demeurer disponible pour parler. Claudie n'a plus de mots; elle fixe l'horizon. Il doit être au moins là-bas, à force de nager entre les vagues. Elle aussi divague… « Mais non. Il a fini de nager; il a fini de l'aimer; il a fini de respirer ». Ses mains tremblent, l'attendent, le cherchent. Lorsqu'elle ferme les yeux, elle le revoit se pencher sur elle et lui dire : « Je vais nager, me rafraîchir un peu…»

Nadia vient la rejoindre et la tire de sa rêverie. Il est l'heure de descendre. Claudie porte les mêmes vêtements que la veille, incapable d'ouvrir la penderie où les effets d'Antoine sont abandonnés, comme elle. Elle referme la porte et se rend à la réception. Le directeur la voit de loin et lui fait signe de le rejoindre à son bureau.

– Comment allez-vous ce matin ? Avez-vous pu dormir un peu malgré le bruit de la fête ?

– Je ne suis pas ici pour parler de moi… Donnez-moi les résultats des recherches des policiers, s'il vous plaît.

– Personne n'a vu monsieur Tessier ni reconnu la photo. Seuls les gens du centre commercial se souviennent de vous avoir vus ensemble, au cours des heures qui ont précédé la disparition. Et s'il s'agit d'un enlèvement pour une demande de rançon, nous aurons probablement un appel téléphonique au cours de la journée, car les ravisseurs n'attendent pas très longtemps avant de ferrer leur poisson.

– Avez-vous pu établir la communication avec le bateau de croisière sur lequel monsieur et madame Tessier sont en voyage ?

– Oui, nous avons parlé au commandant vers neuf heures ce matin. Ils sont en escale à Nassau. J'ai annoncé à votre beau-père la nouvelle de la disparition. Il en a été très affecté. Il m'a dit qu'il allait noliser un hélicoptère et venir nous rejoindre au cours de l'après-midi, ici même. Nous avons libéré un appartement pour les accueillir dans le même immeuble que le vôtre afin de faciliter vos échanges.

– Et le voyage de mon amie ? Va-t-elle pouvoir venir me rejoindre ?

– Elle a quitté Lima vers dix heures trente ce matin et elle devrait arriver en soirée. Un de nos chauffeurs ira la chercher dès que le vol sera annoncé par le contrôleur aérien.

– J'aimerais parler à ma famille, ce matin, pour les mettre au courant de ce qui est arrivé. Et l'ambassade du Canada ?

Chapitre 3

– Personne ne répond encore à cette heure. Nous essayons régulièrement, mais vous comprendrez que le congé du Nouvel An complique un peu les communications.

En attendant l'arrivée de ses proches, Claudie retourne marcher sur la plage, scrutant la surface turquoise de l'eau qui brille sous les rayons du soleil. Les bouées alignées aux extrémités de la plage sont faites de noix de coco colorées qui, en raison de l'usure, ont repris l'allure d'une tête brunâtre et chevelue. À chaque mouvement, on croirait voir surgir la tête d'un baigneur... Mais le fil qui les attache les unes aux autres finit par apparaître, tuant tout espoir. Les vacanciers, qui ont festoyé jusqu'aux petites heures du matin, commencent à sortir de leurs appartements pour se restaurer. La plage est encore peu fréquentée, même à midi.

Claudie remonte à sa chambre pour prendre une douche, en attendant l'arrivée des enquêteurs, puis de ses beaux-parents et d'Amélie. Comment va-t-elle pouvoir expliquer ce qui s'est passé ? Comment vont réagir Jean-Paul et Raymonde qui avaient investi tous leurs espoirs dans ce fils tant aimé ? Et comment vont se tisser les liens, maintenant qu'Antoine n'est plus ? Que de questions pour une jeune femme qui n'en finit pas de se demander pourquoi elle n'est pas allée se baigner avec lui... Pourquoi l'a-t-elle quitté des yeux... Pourquoi n'a-t-elle pas veillé sur lui comme il l'aurait fait très certainement pour elle ? Pourquoi ces quelques minutes de séparation ont-elles créé la petite faille engloutissant tout leur bonheur et tout leur avenir. Elle se sent à la fois coupable, impuissante et tellement seule, en ce premier jour d'une année qui devait être si merveilleuse.

* * *

Vers treize heures, les deux enquêteurs sont de retour à son appartement. Ils font état de leurs démarches, malheureusement infructueuses. Ils n'ont pas encore rejoint le personnel de l'ambassade, à Santo Domingo et, compte tenu de la distance, ils estiment que la rencontre avec les autorités ne pourra pas se faire en ce jour particulier du 1er janvier. Avant de se retirer, ils demandent à Claudie de leur remettre une preuve d'ADN afin de pouvoir, le cas échéant, associer cette information à tout signalement pour identification.

– Nous allons vérifier les admissions dans les hôpitaux ici et en Haïti et nous étendrons également la vérification aux morgues. Interpol a été avisé de la disparition et tous les postes frontières du monde sont en alerte. Mais comme il n'a pas de passeport sur lui, c'est sa photo qui peut, éventuellement, nous apporter une concordance. Avec quelques cheveux, notamment, nous pourrons ficher la personne portée disparue, précise le policier, et en face d'un suspect, comparer l'ADN.

Claudie leur apporte un peigne qu'Antoine utilise dans sa trousse de toilette. Il ne le touche pas et lui présente un sac de plastique hermétique dans lequel elle le glisse. Avant de quitter les lieux, ils laissent sur la table un dossier en espagnol de plusieurs pages que Claudie doit parcourir puis signer avant son départ vers le Canada.

– Bien que l'enquête puisse se poursuivre au-delà du 4 janvier, nous voulons que vous puissiez repartir avec l'Avis de disparition et le rapport de notre force policière. Légalement, ce document doit porter votre signature ou celle d'un parent, afin de nous permettre de classer… temporairement… le dossier.

– Je vais le faire lire par mon amie et donner suite demain… ajoute Claudie en regardant avec une sorte de méfiance cette liasse de papiers rédigés en espagnol.

Après leur départ, Claudie termine de ranger la chambre et elle s'attarde sur les effets qu'Antoine a laissés sur sa table de nuit : sa montre, une chaîne fine en or, une bague de graduation, la carte magnétique du Bordelo et son portefeuille. Elle décide de regarder ce qu'il contient : permis de conduire, carte d'assurance-maladie, d'assurance sociale, carte de citoyenneté, de donneur de sang de la Croix-Rouge et carte d'un centre hospitalier sont soigneusement rangées d'un côté; de l'autre, ses cartes bancaires, de crédit et de débit. Dans le deuxième compartiment, traîne la photo usée d'un groupe de cinq jeunes hommes, des amis de collèges sans doute, portant la date du 20 juin 1985, ainsi que la clé d'un coffre de sûreté sans aucune consigne ni identification. Dans le porte-billets, trois coupures de cent dollars américains, quatre billets de vingt dollars canadiens et quelques reçus antérieurs à leur voyage. « Il n'avait pas de devises locales, puisque tous les achats d'hier ont été payés par carte de crédit en dollars américains », constate-t-elle en refermant le cuir souple et en le reposant sur la table. Au même moment, des coups brefs sont frappés à la porte.

Comme si elle venait de commettre une indiscrétion, elle sursaute et se lève rapidement pour aller ouvrir. Le directeur de l'hôtel est accompagné de Jean-Paul et de Raymonde qui, sacs de voyage en main, viennent d'arriver. Ne sachant comment réagir, elle hésite une seconde puis voit que Jean-Paul lui ouvre les bras… Elle se rapproche et l'enlace, incapable de retenir ses larmes. L'étreinte se passe sans un mot et dure plus d'une minute. Raymonde s'est approchée et elle a posé sa main sur l'épaule de Claudie, dans un geste maternel. La jeune femme se tourne vers elle et l'étreint à son tour, murmurant simplement : « Merci d'être venus si vite… Je ne pouvais plus supporter ce choc toute seule… »

Le directeur dépose les autres valises et remet à Jean-Paul la clé de l'appartement adjacent. Puis il se retire discrètement. Alors qu'il regagne son bureau, un couple âgé reconnaît son écusson et demande à lui parler.

– Vous êtes bien le directeur, questionne Josie, la sexagénaire.

– Oui, qu'est-ce que je peux faire pour vous ?

– Nous aimerions savoir si la jeune femme qui pleurait sur la plage hier, vers dix-sept heures, parce que son mari avait disparu en mer, va bien ? Nous lui avons parlé et elle était désespérée.

– Vous dites avoir parlé hier à une dame qui loge ici ? Je ne vois pas de qui il pourrait s'agir…

– Elle est grande et a des cheveux noirs; elle est très belle. Elle a dit que son mari était allé se baigner et qu'il n'était pas revenu… On pourrait penser à une noyade, non ?

– Vous devez faire erreur. Nous n'avons eu aucune disparition ou noyade hier… Peut-être était-ce une dame qui logeait au Paladium ou au Princess ? À moins que le disparu n'ait simplement été retrouvé au bar ou au casino ? Ne vous en faites pas… Bien des gens paniquent parfois pour des riens. Ici, chez Bordelo, nos clients sont toujours en sécurité !

– Mais cette femme portait votre bracelet bleu, je l'ai bien vu. Nous l'avons consolée brièvement et, toute la nuit, cette histoire nous a obsédés. Nous avons pensé à elle, seule, en cette nuit du Nouvel An.

– Il s'agit certainement d'une fausse alerte. Les agents de sécurité n'ont d'ailleurs rien rapporté de semblable ce matin, lorsqu'ils ont terminé leur ronde. Ne vous en faites pas et passez de belles vacances. N'est-ce pas merveilleux d'être ici, en République dominicaine, avec ce soleil, cette plage et cette mer qui ont fait notre réputation ? Vous logez au Carabellada ! Si vous revenez l'an prochain, choisissez donc le Bordelo…

Le couple regarde s'éloigner cet homme si sûr de lui qu'on le dirait insensible. Mais ils n'ont pas rêvé et ils le savent. L'industrie touristique se protégerait-elle de toute publicité négative ? Pendant de longues minutes, ils flânent sur la berge, entre les chaises longues qui parsèment la plage, espérant reconnaître la jeune femme désespérée. Mais elle n'apparaît nulle part.

– Je pense que cet homme ne dit pas toute la vérité, Mac. Il espère juste sauver les apparences… Pauvre femme ! Je vais faire une prière pour elle. Quoiqu'il en dise ce directeur, je pense qu'elle est actuellement en plein cauchemar, cette pauvre petite… conclut la vieille dame en s'éloignant.

* * *

Raymonde et Jean-Paul se sont assis et Claudie leur a raconté en détail l'après-midi du 31 décembre et son désarroi lorsqu'elle a constaté qu'Antoine ne revenait pas la rejoindre, après la baignade.

– Si j'avais su, je l'aurais accompagné à la mer, mais comme il ne me l'a pas proposé, j'ai cru que cela lui ferait du bien de nager, de bouger… J'ai pensé qu'il voulait peut-être être seul tandis que je prenais un bain de soleil. Je n'ai donc pas pensé à l'accompagner. Moi, je ne fais que jouer dans l'eau; je ne nage pas aussi bien que lui. Je ne voulais pas l'obliger à rester à faire le bouchon. Il aimait la mer, se mesurer à elle !

– Tu ne pouvais pas deviner ce qui allait se passer. Ce n'est pas de ta faute. À 35 ans, Antoine n'avait pas besoin d'une gardienne pour aller se baigner tout de même, s'indigne son père, sentant bien dans quel état d'esprit se débat Claudie, dans cette spirale de culpabilité.

– Et après, comment les autorités ont-elles réagi ? Y a-t-il eu des recherches ? questionne à son tour Raymonde.

– Dès que j'ai alerté le gardien de sécurité, le directeur de l'hôtel – celui qui vous a accompagnés tout à l'heure – m'a proposé de prendre un bateau et nous avons ratissé toute la baie face à la plage, sur quatre kilomètres environ vers le large. On a arrêté nos recherches lorsque la nuit est devenue trop opaque pour voir quoi que ce soit. J'ai crié, j'ai appelé, j'ai espéré qu'il serait rentré à l'appartement entretemps, mais au retour, il n'était toujours pas là.

– Et la police locale, est-elle avertie ? demande Jean-Paul.

– Oui, c'est la police touristique qui a ouvert le dossier dès que j'ai donné l'alerte, hier vers dix-sept heures et ils ont diffusé des photocopies du passeport d'Antoine, avec sa photo. Ils ont ratissé tous les établissements des alentours, les bars, les casinos, les hôpitaux, les taxis et les commerces jusqu'à ce midi. Rien. Personne ne l'a vu ni reconnu. Seuls les vendeurs du centre commercial où nous avons fait des achats en matinée ont déclaré le reconnaître.

– Que pouvons-nous faire de plus ? C'est épouvantable ! Antoine ne peut pas disparaître comme ça… ajoute Raymonde, les larmes aux yeux.

L'œuvre inachevée

Claudie tente de la réconforter, mais les mots lui manquent et toutes deux pleurent en chœur celui qui tient une place si importante dans leur vie. Jean-Paul serre les poings et les mâchoires, à la fois ému et en colère contre le destin. Pourquoi les priver de celui sur qui ils avaient fait reposer tout leur avenir ? Ne pouvant accepter le verdict implacable de sa disparition, sans chercher à en comprendre les raisons, le père a le cœur gros et il est profondément touché même s'il ne le laisse pas paraître. Il tente de comprendre, d'expliquer, de contrer la fatale nouvelle. Il émet alors l'hypothèse d'un complot, d'un enlèvement; puis il revient à la charge, suggérant à Claudie l'idée qu'une imprudence ou une trop grande largesse aurait pu attirer la convoitise d'un gang organisé.

– Les policiers ont aussi songé à cette possibilité en m'interrogeant hier, répond nerveusement Claudie. Selon eux, il existe peu de cas de ce genre ici, alors qu'en Haïti, le problème est très fréquent, plus médiatisé. Selon eux également, si cette hypothèse est avérée, nous aurons une demande de rançon dans les vingt-quatre heures de la disparition. Il nous faut donc attendre et espérer, en quelque sorte, qu'il soit vivant, mais entre les mains d'un groupe d'escrocs.

– Mon Dieu, cette perspective n'est guère plus rassurante... quoique l'argent ne pèse pas lourd contre une chance de le revoir vivant, ajoute Raymonde en se joignant les mains comme pour faire une prière.

La conversation autour des différents scénarios amène Claudie à aborder l'idée d'un suicide, telle qu'évoquée par les enquêteurs. Raymonde devient blanche comme un drap et se tourne vers Jean-Paul, dans un élan imprévisible.

– Il avait tellement dit et répété que le jour où il devrait sacrifier son amour de la peinture ou sa liberté de créer, à la gestion de l'entreprise, ce jour-là, il préférerait mourir. Ce que je craignais le plus au monde, c'est qu'il passe de la parole aux actes. Voilà où tu l'as peut-être conduit, Jean-Paul ! lance-t-elle, accusatrice.

– Mais je te jure que nous en avons parlé ouvertement et qu'il m'a dit qu'il était prêt. Il avait été enchanté de son expérience de commercialisation des six derniers mois puis, il pensait qu'avec Claudie à ses côtés, il se sentirait appuyé. Lorsque je lui ai annoncé que le 10 janvier il deviendrait PDG, il a donné son consentement, sans revenir sur cette maudite promesse qu'il avait faite à 20 ans… Il a bien mûri depuis ce temps-là… Je refuse de lier sa disparition à un suicide déguisé. Je pense au contraire qu'il a été victime d'une arnaque. Lorsqu'un jeune homme comme lui, qui vaut plusieurs millions, se balade dans un pays aussi pauvre, il y a de quoi attirer la vermine. Il faudrait une enquête musclée…

Jean-Paul et Raymonde se font face, visiblement en désaccord sur les causes possibles de la disparition de leur fils. Claudie reste figée en apprenant les prises de position passées d'Antoine face à la succession de son père, aux commandes de l'entreprise familiale *Tessier America*. Étrangement, il n'a pas abordé le sujet avec elle, se contentant de dire qu'à ses côtés, il se sentirait capable d'affronter l'avenir, quel qu'il soit. Était-ce une sorte de fuite ?

– Les policiers m'ont demandé si Antoine avait des antécédents suicidaires. J'ai dit que non, mais je me rends compte qu'il est suivi par un psychothérapeute… Je l'ignorais, avoue Claudie.

C'est Raymonde qui tente d'apporter des précisions.

– Il avait 20 ans; il venait de terminer ses études collégiales et il a annoncé à son père qu'il s'inscrivait aux beaux-arts, étant passionné par la peinture. Évidemment, Jean-Paul a dit non et a menacé de lui couper les vivres s'il ne faisait pas les HEC. Il a interprété la décision d'Antoine comme un caprice d'enfant gâté, de fils à papa qui fait tout pour fuir ou retarder le moment d'assumer ses responsabilités. Alors, un soir d'été, nous l'avons retrouvé inconscient dans sa chambre. Il avait avalé des dizaines de somnifères et laissé une lettre à son père. Heureusement, notre intervention rapide lui a sauvé la vie. Après cet… accident, il a suivi une psychothérapie d'un an. Et il s'est inscrit aux HEC ensuite, réussissant brillamment cette grande école.

– Tu vois bien que son état psychologique était redevenu normal, puisque les dix dernières années ont été pour lui une occasion de se préparer au rôle qui serait le sien. Plus jamais il n'a parlé de suicide ou fait de menaces, même si sa motivation n'a pas toujours été évidente. Il était là et il a créé le nouveau projet. N'est-ce pas le signe de sa… résilience ? conclut Jean-Paul.

– Justement, il n'osait plus aborder le sujet. En lui annonçant que tu lui confiais les rênes de *Tessier-America*, tu as signé sa condamnation. Nous aurions dû lui demander de consulter son psychothérapeute avant de conclure que la passation des pouvoirs se ferait sans soubresauts. Ses vieux démons sont revenus le hanter. La peinture, c'était sa vie ! ajoute Raymonde, ne pouvant réprimer ses larmes.

– J'avoue qu'il m'a beaucoup parlé de sa passion pour l'art et pour la peinture en particulier, ainsi que des cours qu'il suivait encore et de l'apprentissage des langues qui le fascinait. Mais il n'a rien dit de négatif face à l'entreprise, ose ajouter Claudie, comme elle le ferait devant ses propres parents. Il était si fier de son projet *home-in-a-box* que la suite des choses lui faisait un peu peur, mais pas au point de mettre fin à ses jours. Il m'a dit que la vie qu'il me proposait était pleine de contraintes, de responsabilités et il voulait qu'on reste proches malgré les imprévus à venir. D'ailleurs, il vous prenait en modèle. Et puis, il vous a offert une croisière pour souligner votre début de retraite. Pour moi, cela signifie qu'il était consentant à prendre la relève en janvier, tel que vous le lui aviez proposé. Il voulait même que nous ayons un enfant ensemble, afin de combler tous vos vœux… et d'assurer la relève, plus tard. Ne s'agit-il pas d'évidents signes d'acceptation ?

– L'amour qu'il a trouvé, en vous rencontrant, a fait la différence selon moi, ajoute Raymonde. Claudie, depuis votre rencontre, nous pensions qu'il avait enfin accepté son destin. Mais Dieu seul sait ce qui s'est passé dans sa tête... hier à cette même heure !

Raymonde s'effondre à nouveau, en proie à un chagrin sans fond. Claudie la prend par les épaules et elles s'avancent sur le balcon. La mer a repris ses teintes turquoise et joue à faire des vagues, dans une totale indifférence.

– J'aimerais me rendre près de l'eau et y faire une prière, si vous me le permettez, suggère la mère éplorée.

Jean-Paul et Claudie l'accompagnent en la soutenant. Lorsqu'ils arrivent sur le sentier pavé qui les relie à l'immense plage, des curieux se retournent sur leur passage. « Qu'est-ce donc que cette étrange procession ? Ces dames pleurent ! » Parmi eux, une journaliste en vacances, reporter à La Petite Semaine, voit sa curiosité piquée et elle tire son appareil photo de son sac de plage. Elle suit discrètement les trois visiteurs, les voit se rapprocher de la plage et, la dame âgée s'agenouille, en larmes et semble prier. Sans être vue, elle contourne le groupe, recule dans l'eau et fait un zoom pour apercevoir les visages. Elle mitraille les trois personnages sans savoir si cette intuition est prometteuse. Après de longues minutes passées à échanger, à se consoler, à montrer du doigt un point précis dans la mer, les étranges vacanciers regagnent le bloc 5.

Nadia Bergeron attend quelques minutes puis elle les voit prendre place sur la terrasse, identifiant ainsi le lieu où ils se trouvent hébergés. Sans perdre une minute, elle se rend à la réception et demande si elle peut parler à l'occupant du 503. Elle a une information pour eux, ajoute-t-elle. La réceptionniste lui dit, sans méfiance, qu'elle peut se rendre à l'appartement et les rencontrer. Elle consulte la fiche d'inscription : les occupants sont Antoine Tessier et Claudie Delisle de Boucherville. Elle se précipite à sa chambre et, sur son ordinateur portable, elle tape Antoine Tessier. Le moteur de recherche lui livre, en quelques secondes, une foule de documents déjà en ligne sur l'entreprise familiale, les remises de reconnaissances officielles, leurs projets d'exportation... Une conférence prononcée par Antoine quelques mois plus tôt auprès des futurs MBA, y est même textuellement re-produite. Elle écrit donc un courriel à son rédacteur en chef afin de lui demander conseil... « Je pressens qu'il s'est passé quelque chose ici : le père et la mère sont là avec une jeune femme, tous en larmes sur la plage. Antoine Tessier vient de se noyer ! C'est le scoop que je t'envoie dans 30 minutes, si tu me fais de la place...»

Alors que Claudie et les parents d'Antoine se restaurent un peu, tentant de trouver une façon de faire progresser l'enquête, une dame frappe à la porte et demande à parler à Madame Delisle.

– C'est moi... dit Claudie en entrouvrant la porte.

– Je vous ai vue, tout à l'heure, sur la plage et je voulais vous faire mes condoléances... Si je peux vous être utile, n'hésitez pas à me faire signe... Ça doit être terrible... pour vous et toute la famille ?

– Nous sommes encore sous le choc. Mes beaux-parents viennent d'arriver des Bahamas, en hélicoptère; ils sont dé-vastés. La disparition d'Antoine est un tel choc. Je n'arrive pas à croire qu'hier, à pareille heure, je l'attendais sur ma chaise longue alors qu'il est allé se rafraîchir dans la mer. Et il n'est jamais revenu ! Nous nous étions fiancés à Noël et nous devions rentrer le 4 janvier à Montréal. C'est un drame épouvantable...

– C'est une si triste histoire ! Mes condoléances à chacun... et si je peux vous aider, n'hésitez pas. Je suis au 306. Je m'ap-pelle Josée.

La fausse Josée se retire, fière d'avoir obtenu en deux minutes tout ce qu'il faut pour alimenter *La Petite Semaine* du 2 janvier et faire vibrer l'actualité toujours en panne de sensations fortes pendant les longs congés. Elle tient là une histoire croustillante à souhait.

* * *

Il est 20 h lorsque le directeur de l'hôtel vient accompagner Amélie jusqu'à la chambre 503. Les deux amies se tendent les bras.

Chapitre 3

– Enfin, te voilà ! Pardon d'avoir gâché tes vacances… Si tu savais comme je me sens malheureuse ! laisse aller Claudie dans un élan de désespoir. Je ne sais plus quoi faire, je coule…

– Je suis là ! C'est injuste… Tu avais droit au bonheur, toi aussi. Je ne peux pas y croire. Un mois de bonheur et il disparaît. Ma pauvre chérie. Viens me raconter comment tout cela s'est passé, la console Amélie, refermant la porte pour conserver un peu d'intimité, sachant le directeur toujours dans leur dos.

Amélie dépose son sac de voyage et entoure affectueusement les épaules de sa meilleure amie. Elle la trouve amaigrie malgré le bronzage éclatant qui fait ressortir davantage la transparence de son regard. Mais ces yeux sont noyés de larmes et ce front torturé par le doute, le regret, la peine; une peine aussi grande que l'océan qui se balance au pied du petit appartement.

– Je voudrais me réveiller de ce cauchemar, revoir le front haut et droit d'Antoine penché près de moi pour me dire « bonjour ma chérie, est-ce que tu as bien dormi ? » Mais mon beau compagnon a disparu. Disparu… prononcer ce mot me fait lever le cœur. J'ai froid en dedans, j'ai peur aussi… Je pense que je ne pourrai plus vivre sans lui.

– S'il fallait qu'il m'arrive une chose pareille, je perdrais tous mes repères… le goût de vivre. Quel drame ! Mais la police, elle le recherche, oui ou non ? Raconte…

Pendant des heures, Claudie décrit à son amie la plus merveilleuse des histoires d'amour, leurs trente et un jours de bonheur sans nuages, leur parfaite harmonie sur tous les plans, leurs échanges et même les réactions positives de leur famille respective. Ouvrant le tiroir de sa table de chevet, elle lui montre la magnifique bague de fiançailles qu'Antoine lui a offerte à Noël. Amélie la regarde, éblouie par un tel bijou. Puis c'est l'horreur : le récit de l'absence, de l'angoisse, de la recherche en mer, de la nuit d'attente, du vertige de la solitude, de l'indifférence des gens, des mots vides de sens…

– Lorsque ses parents sont arrivés cet après-midi, j'ai réalisé que je le connaissais bien peu, mon Antoine… presque pas, en fait. Je n'ai partagé avec lui que ces quatre semaines sur toute une vie. J'ignore tout des autres trente-cinq années !… Ce qu'il m'a raconté de son passé, c'est bien peu et je me rends compte qu'on a surtout parlé d'avenir, de notre avenir. Il faut du temps pour se connaître et là, tu vois, on me vole cette chance de l'entourer, de le découvrir, de l'appuyer dans ses défis. Tous les couples ont cette chance, il me semble… Pourquoi pas nous ?

– Je comprends ce que tu veux dire… C'est tout ce qu'il faut à l'amour, un peu de temps, pour s'épanouir vraiment… Ma pauvre Claudie ! Crois-tu qu'on puisse encore le retrouver ?

– Les trois scénarios sont aussi horribles les uns que les autres, à des degrés divers : la noyade dans une mer qui ne rend jamais les corps, l'enlèvement par des gangs qui voudraient monnayer son retour ou le désir d'en finir avec la vie pour se soustraire à l'obligation de gérer l'entreprise familiale, autrement dit le suicide… Comme l'a exprimé Raymonde, sa mère, une demande de rançon serait la bienvenue, car cela signifierait au moins qu'il est vivant. Mais après vingt-quatre heures, personne ne s'est manifesté… Dis-moi, qu'est-ce que je dois faire ?

– On va se reposer un peu et réfléchir, toutes les deux…, la réconforte Amélie.

Elle sort deux grands tee-shirts de sa valise, en passe un à son amie, comme au temps de leur adolescence. Elles se calent dans les oreillers et continuent de chercher à comprendre le malheur qui s'abat sur la vie de Claudie, au moment où elle pensait enfin toucher le bonheur tant espéré.

– Tu sais ce qu'il m'a dit, un soir : « Tu es mon âme sœur, ma moitié, mon complément. C'est toi que j'attendais pour me sentir vivant et accepter ma destinée ». Et voilà que moi, je viens de perdre cette moitié si précieuse pour qui j'aurais donné ma vie tout entière.

Chapitre 3

Sans rien ajouter, Amélie s'est mise à la bercer tendrement, ne trouvant plus les mots pour réconcilier la vie et l'amour avec l'absence et la mort. Après de longues minutes de tendresse, Claudie s'est endormie, oubliant pour quelques heures le chagrin qui a broyé son cœur.

Chapitre 4

L e téléphone résonne pour la trentième fois dans la maison des Delisle où trois personnes consternées ont étalé sur la table de la cuisine la revue populaire *La Petite Semaine* qu'une cliente leur a apportée. Ils en ont eu le souffle coupé. En première page, René, Carmen et Sophie découvrent une photo de leur Claudie en larmes, entourée des parents d'Antoine, porté disparu à Punta Cana depuis le 31 décembre. Ils ont lu et relu les propos de la journaliste sans comprendre ce qui a bien pu se produire. Sidérés, les trois se tournent vers le téléphone. C'est Sophie qui décroche le combiné.

– Claudie, c'est toi ? Comment vas-tu ? Nous sommes tellement tristes pour toi, dit-elle en gesticulant pour que ses parents décrochent les autres appareils et participent à la conversation.

Lorsque Claudie commence à raconter presque textuellement ce que le journal rapporte, Carmen l'interrompt pour lui dire qu'une journaliste a tout écrit et que les événements sont devant eux, froidement étalés au grand jour.

– Pas vrai ? Ils ont des espions partout, ma parole ! Ils auraient bien pu attendre que nous soyons de retour à Montréal. Quelles photos avez-vous ?

– Celles prises sur la plage avec les parents d'Antoine, puis sur le balcon de votre appartement, ainsi que le soir de Noël lorsque vous étiez en tête-à-tête sous le gros titre de « La belle fiancée se retrouve sans amoureux ».

– On dit qu'Antoine valait plusieurs millions puisqu'il devait succéder à son père. On laisse croire que tu l'avais séduit pour son argent et que la belle vie vient de t'échapper. Bien sûr, tout est au conditionnel et, depuis une heure, nous avons des dizaines d'appels des autres journalistes qui veulent des détails ou ton numéro ou encore qui proposent de monnayer une déclaration exclusive, des photos inédites ou quelque chose de croustillant...

– C'est absurde ! Je ne pourrai donc pas rentrer en paix à la maison... Heureusement que j'ai mon amie Amélie qui est venue me rejoindre. Elle va m'aider à traduire les documents de l'enquête et me servir d'interprète. C'est un cauchemar sans fin... Les parents d'Antoine sont anéantis. Que vont-ils penser de toute cette publicité ! Je vais leur en parler tout à l'heure. Ils vont être furieux ! Là, je viens de me lever. J'ai réussi à dormir quelques heures, mais je n'arrive toujours pas à manger.

– Prends bien soin de toi, glisse Carmen, inquiète des effets psychologiques de cette épreuve. On pense très fort à notre grande fille. Courage ! Nous irons te chercher à l'aéroport et, d'ici là, on va tenter de mettre le couvert sur la marmite en refusant de parler aux médias. Est-ce qu'on peut faire autre chose ? Passer un coup de fil à ton patron ? Bien, on va lui donner l'heure juste et lui demander de ne pas commenter. On t'embrasse ma grande...

Les Delisle vivent des heures d'inquiétude comme jamais dans l'histoire de cette famille tranquille : la disparition d'Antoine, qu'ils avaient tellement apprécié les renverse et, par voie de conséquence, ils s'inquiètent pour Claudie, dont la voix brisée leur a semblé affaiblie, cassée par la douleur. Elle était si heureuse de cette rencontre, donnant vie à ses rêves de fonder une famille avec l'homme de sa vie. Là voilà confrontée à une perte brutale, à une incertitude qui risque de durer des jours, des mois, des années peut-être. « Pauvre enfant, elle ne mérite pas un tel chagrin... Espérons qu'elle sera assez forte pour y faire face...», pense Carmen, en scrutant la photo du magazine avec attention.

– Nous allons l'entourer du mieux que nous le pouvons... mais cette blessure risque de mettre beaucoup de temps à cicatriser; c'est le pire des deuils ! Elle n'a pas fini de souffrir pour ces quelques jours de bonheur, notre Claudie. Et nous sommes complètement impuissants à faire quoi que ce soit… ajoute René dans un long soupir.

Carmen lui met la main sur l'épaule pour lui rappeler que leur force, c'est d'être tous ensemble. Ce sera sans doute un grand réconfort pour leur fille, une fois qu'elle sera de retour. Pendant toute cette journée, le téléphone se fait entendre et, à tour de rôle, ils indiquent qu'aucun commentaire ne sera fait de leur part. Mais ils sentent bien que les événements les impliquent, par la force des choses. Alors, ils profitent de quelques heures d'intimité afin de se préparer à la tempête qui ne manquera pas de déferler.

* * *

Amélie s'est installée à la table et elle traduit en français les rapports que la police touristique a laissés pour approbation. Il est important que son amie puisse en connaître le contenu et les signer en toute connaissance de cause. Ce 3 janvier sera une journée de bilan pour Claudie qui doit, en présence des parents d'Antoine, prendre la mesure des événements et essayer d'y voir plus clair.

Les deux amies passent la matinée à cet exercice pénible, car les formules sont lourdes et assez nébuleuses, tandis que Jean-Paul et Raymonde passent des appels téléphoniques afin de planifier leur retour à Montréal. Vers quatorze heures, un agent consulaire de l'ambassade du Canada est attendu à l'hôtel afin de faire le point sur la disparition.

– Politur a terminé son rapport en demandant à la conjointe ou à une personne de la famille de signer le dossier de recherche qui atteste que tous les efforts ont été faits entre le 31 décembre 1999 à dix-huit heures, au moment de l'appel de l'hôtel Bordelo, jusqu'au départ vers Montréal le 4 janvier 2000, afin de retracer la personne portée disparue. Cette autorité limite, par la suite, sa responsabilité à un contrôle d'ADN sur toute personne hospitalisée ou décédée à l'intérieur de leurs frontières ainsi qu'à l'assistance aux équipes d'Interpol ou de la GRC, dans le cas où des enquêtes seraient entreprises de leur côté. Cela veut dire qu'ils ferment le dossier… conclut Amélie. Ils passent la main aux corps policiers du Canada et à la police internationale, en réalité.

– C'est aussi l'impression que j'ai eue en voyant atterrir les documents sur ma table. Tout a donc été fait, selon eux ! Ils ont des procédures assez expéditives…

– Nous allons bien voir avec le représentant de l'ambassade si c'est normal ou pas… Eux sont au fait de ces cas de disparition. Le rapport est achevé par la liste des investigations, les déclarations de chaque policier ayant collaboré aux recherches pendant la nuit du 1er janvier. Mais depuis, ils ne semblent pas avoir élargi leur périmètre de recherche. Ils sont restés dans les limites de la plage de Bavaro, à ce que je vois. Ils ont visité plusieurs points, en particulier le long de la côte, comme s'ils présumaient qu'Antoine ait nagé assez loin des regards, puis qu'il soit simplement sorti de l'eau pour aller prendre un verre et en profiter pour disparaître dans la nature.

– C'est la quatrième hypothèse, d'après eux. Ils ne m'ont pas demandé directement de commenter cela. Ils semblaient tourner autour de l'idée qu'Antoine avait peut-être des problèmes de jeu, des dettes, des dépendances aux drogues qui l'auraient amené à fuir la réalité et à maquiller une disparition. Je me refuse à croire à cette possibilité… J'aurais eu des indices… Non, je ne marche pas dans ce scénario.

– La noyade accidentelle alors ? Ou l'enlèvement ? À moins qu'il ne s'agisse d'un suicide… Ma question est difficile, mais logiquement, qu'en penses-tu ? lui demande Amélie en la regardant avec attention.

– Personne n'a réclamé d'argent… Au troisième jour ! Il aurait pu nager au-delà de la zone permise et balisée pour ensuite être heurté par un bateau. C'est un bon nageur. La distance lui aurait échappé. Il est en forme, quelques brasses de plus et il se retrouve dans le corridor où circulent les bateaux de pêche et les bateaux-taxis qui font la navette entre les plages. On devrait interroger tous les propriétaires de bateaux et vérifier s'ils n'ont pas heurté un objet, un poisson, sans savoir qu'il s'agissait d'une personne…

Amélie rédige donc une requête en espagnol, disant que cette enquête devrait être faite avant le départ de la famille du disparu, sinon ces derniers ne signeront pas les déclarations officielles. La lettre est transmise au directeur de l'hôtel qui la transmet au bureau de Politur. Après cette démarche, les deux jeunes femmes rejoignent les parents d'Antoine à leur chambre et tous se rendent au buffet pour partager leurs impressions devant un peu de nourriture supposée les aider à tenir le coup. Entre la désolation profonde et l'impuissance face à la disparition de leur fils, Jean-Paul et Raymonde passent par un éventail de sentiments pénibles qui les frappent en plein cœur. Indignés, ils apprennent qu'un magazine a tout rapporté et s'est même permis de spéculer. C'est la goutte qui fait déborder le vase…

– J'ai avisé nos avocats d'agir en notre nom et, Claudie, nous entendons leur demander rétractation en ce qui touche votre réputation. C'est inacceptable de prétendre que vous aviez de mauvaises intentions en fréquentant Antoine. Il y aura poursuite, si vous êtes d'accord.

– Évidemment, je suis d'accord. C'est de la diffamation pure et simple… Nous nous sommes rencontrés par hasard, vous savez dans quelles circonstances et notre amour a grandi avec sincérité et dans le respect. Je pense qu'ils ont émis cette hypothèse pour nous forcer à dévoiler d'autres informations, nous amener à démentir en révélant les circonstances de nos premières rencontres. C'est immoral… ajoute Claudie avec les larmes aux yeux.

– Et ils n'ont pas à savoir depuis quand ni comment vous avez fait connaissance, intervient Amélie. Ce sont des informations privées. Le problème c'est qu'ils fouinent partout, et il y aura toujours une grande gueule qui se fera un plaisir de tout raconter, même si ce n'est pas la vérité, juste pour passer pour un héros médiocre.

Les parents d'Antoine apprécient la présence d'Amélie qu'ils apprennent à connaître dans des circonstances assez douloureuses. Comme cette amie n'avait pas eu la chance de connaître Antoine, mais qu'elle a été la confidente de

Claudie depuis leur première rencontre, elle adopte un point de vue plus détaché sur les événements, lui conférant un léger recul, lucide et efficace. C'est à travers le chagrin de Claudie qu'elle se trouve affectée, son intention étant tout simplement d'aider son amie à sortir de ce cauchemar en lui permettant de se sentir moins seule.

– J'ai lu quelque part que pour retrouver des personnes disparues, les familles proposent une récompense à quiconque leur apporte une information utile à la conclusion de l'enquête. Cette possibilité vous a-t-elle été communiquée ? questionne Amélie.

– Je pourrais facilement offrir une récompense de 2000 $ afin de rendre la recherche auprès des pêcheurs plus efficace. Qu'en pensez-vous Amélie ? Serait-ce suffisant ?

– En tenant compte de l'économie locale, cela me semble une belle somme. Je vais aller en aviser immédiatement le directeur et le responsable de la recherche à Politur. Le plus vite sera le mieux…

Son absence est de courte durée. Elle revient avec un peu d'espoir, traduisant à la famille la réaction de l'enquêteur.

– Il a dit : « Ce n'est pas trop tôt ! Voilà qui peut nous aider à faire progresser la recherche et stimuler les témoins potentiels ». L'offensive va commencer dans une heure. Les résultats vous seront communiqués dès demain matin.

La présence de cette jeune femme est précieuse. Sa sincérité et son amitié touchent Jean-Paul et Raymonde. En observant Claudie et Amélie discuter, manifestant l'une envers l'autre un mélange de respect et de tendresse dans leur regard, les parents d'Antoine ressentent ce lien de confiance qui lie les deux jeunes femmes. Avec ses longs cheveux blonds très fins, ses yeux d'un bleu limpide et son visage aux angles parfaits, son sourire empathique et généreux, Amélie a une présence innée et ne passe pas inaperçue dans une pièce. Bien qu'elle aborde la trentaine, ses deux petites fossettes lui gardent un air d'éternel enfant. Après une semaine sous le soleil du Pérou, son teint légèrement basané contraste avec son chemisier blanc. Comme deux complices, elles ont traversé des années de confidences et de collaboration, depuis leurs études secondaires en fait. S'étant promis de ne jamais laisser la vie les séparer, c'est aujourd'hui la peine qui les rapproche, une cruelle épreuve qu'aucune d'elle n'avait même imaginée.

Le soleil du midi est un peu voilé, pour la première fois depuis l'arrivée du couple de vacanciers à Punta Cana. Cette pensée attriste Claudie qui mesure à quel point les événements des derniers jours ont changé sa perspective sur ce voyage. « Le paradis, c'est quand on est deux et qu'on partage une même vision du bonheur… Je ne pourrai plus regarder cette plage du même œil maintenant que mon compagnon a disparu. Mon amour, lui, ne doit pas disparaître…» se dit-elle en laissant errer son regard en direction de la plage où des centaines de vacanciers profitent d'un gros nuage pour bouger un peu.

Était-ce un présage de mauvais temps ? C'est en tous cas l'instant que choisit le représentant de l'ambassade pour les rejoindre et se présenter à eux, guidé par le directeur de l'hôtel avec qui il a déjà eu un long entretien.

– Je suis John Thompson, agent consulaire du Canada. C'est moi qui ai pris l'appel de votre hôtel m'avisant d'une présumée disparition. Les délais ont pu vous sembler longs… je m'en doute bien, mais c'était la relâche habituelle, vous comprenez…

Tandis que le directeur les guide vers une salle où ils pourront discuter à l'abri des regards, ils font les présentations d'usage. Après les avoir installés devant une table ronde, un pichet d'eau fraîche et des verres, le directeur se retire discrètement, soucieux de préserver la confidentialité. Claudie ouvre la discussion, sans préambule.

– Qu'est-ce que notre ambassade peut faire pour nous aider ? Y a-t-il des services en pareilles circonstances ?

– Nous sommes justement ici pour regarder les faits et pour voir si nous pouvons faciliter votre séjour et votre rapatriement dans des conditions moins pénibles. Vous pouvez compter sur moi pour vous aider, au meilleur de mes connaissances. Le directeur m'a informé des circonstances de la disparition et une copie du dossier de police m'a été transmise par télécopieur. J'en ai pris connaissance.

– Et... nous espérons plus que des paroles creuses... s'impatiente Jean-Paul.

– Je n'apprécie pas beaucoup votre ton, monsieur. Je voulais seulement présenter le dossier, en votre présence. Mais si vous préférez, allons droit au but. Alors... Les hypothèses des policiers nous laissent penser à un suicide ou à un accident, après avoir écarté la possibilité d'un enlèvement pour extorsion. Nous entendons par accident que la victime a été soit frappée involontairement par un bateau ou un objet présent sous l'eau, ou encore engloutie par une vague, ce qui aurait pu provoquer la noyade. Alors, en conséquence, nous allons appuyer votre requête de faire une recherche auprès des pêcheurs et navigateurs afin de voir s'il n'y a pas d'indices, des témoins, des faits nouveaux nous permettant de conclure à un accident. Une fois cette recherche terminée, nous serons dans l'obligation de ne conserver qu'un scénario, puisque vous avez indiqué que la personne disparue était un excellent nageur. Reste le suicide. C'est notre point de vue, pour le moment. Est-ce assez précis, monsieur Tessier ? Avez-vous des questions ?

– Nous ne voulions pas vous offenser, intervient Raymonde, qui ressent bien la tension créée par cette entrée en matière plutôt brusque. Nous sommes tellement désemparés par la disparition de notre fils, vous comprenez...

– Je fais face à pareilles situations trois ou quatre fois par année et je comprends votre désarroi. Mais il faudra bien vous habituer à cette idée puisque nous ne retrouvons que très rarement les victimes de ces drames. Les accidents de vacances, de plus, sont rapportés seulement lorsque les victimes sont des personnalités connues. Je pense que c'est votre cas. Le disparu et sa famille immédiate sont des gens d'affaires importants au Québec. Nous allons donc intervenir sur le plan médiatique afin d'éviter que toute l'industrie du voyage ne subisse une contre-publicité négative, ce qui nuirait aux bonnes relations entre le Canada et les autorités locales.

Thompson n'a pas encore terminé sa phrase qu'il retire de son porte-documents un communiqué de presse portant sa signature. Quatre phrases rédigées en trois langues y sont imprimées. Claudie en fait la lecture à haute voix :

Un Canadien disparaît accidentellement à Punta Cana

Le Gouvernement canadien déplore la disparition d'un citoyen originaire de Boucherville, au Québec. Monsieur Antoine Tessier, 35 ans, se serait noyé pendant son séjour en République dominicaine alors qu'il était en vacances pour quelques jours. L'homme d'affaires est disparu en mer le 31 décembre dernier, alors qu'il était parti nager seul dans la mer des Caraïbes. L'enquête policière locale n'a pas permis d'établir clairement les circonstances de l'accident. Cependant, il a été admis par les proches et les enquêteurs que l'établissement hôtelier où séjournait la victime n'était d'aucune façon responsable de cette disparition accidentelle.

John Thompson, agent consulaire du Canada

Santo Domingo, le 3 janvier 2000

Amélie regarde intensément son amie, guettant ses moindres réactions. Ses yeux se brouillent tout à coup. Une grosse larme glisse sur sa joue, roule et tombe, venant mouiller le papier qu'elle tient toujours entre ses mains.

– Je ne peux pas croire que c'est… comme ça que notre ambassade entend nous aider. Ce message n'est qu'un… qu'un paravent afin de protéger la réputation du Bordelo. Vous auriez annoncé la disparition du chien du premier ministre avec plus d'émotion…, laisse échapper Claudie entre deux sanglots.

– Mais je ne comprends pas votre indignation, madame… Ce message à la presse est tout à fait standard. Et le directeur de l'hôtel m'a assuré que vous lui aviez indiqué presque mot à mot cette décharge de responsabilité. Est-ce exact, madame Delisle ?

– Il est vrai que je lui ai dit que l'hôtel n'était vraisemblablement pour rien dans la disparition d'Antoine, mais votre communiqué donne plus d'importance aux présumées conséquences de la disparition d'un client sur l'industrie touristique que sur la véritable tragédie, humaine, pénible, dramatique pour tous ceux et celles qui connaissent les familles impliquées. Votre intention est de masquer l'importance de cette disparition, d'en minimiser la portée parce que les bons rapports économiques pourraient en être éventuellement affectés… C'est profondément blessant, cette attitude, monsieur, argumente Claudie.

– Je regrette que vous en fassiez une telle interprétation, croyez-moi, mais c'est ce message qui sera diffusé, selon la consigne habituelle. Libre à vous de publier un autre communiqué où vous aurez alors le choix d'étaler vos états d'âme aux médias. Moi je parle au nom de notre gouvernement, ne l'oubliez pas.

Ces derniers mots font exploser Jean-Paul qui, rouge de colère, se lève et se met à arpenter le fond de la pièce en vociférant.

– Les intérêts économiques ? Vous en avez du culot de venir jusqu'ici, trois jours après un drame aussi injuste que cruel, pour nous dire que l'hôtel Bordelo n'est pas responsable de la vie de ses clients, que la police de Punta Cana est impuissante à mener une enquête digne de ce nom et que le disparu était parti nager tout seul en mer. Pourquoi ne pas prétendre qu'il s'est suicidé, tout simplement, pendant son voyage de fiançailles et à la veille d'hériter d'une entreprise qui vaut plusieurs millions de dollars ? Vous nous prenez pour des caves ?

L'œuvre inachevée

Thompson reprend le document des mains de Claudie, le replace dans son cartable sur lequel est imprimé le drapeau canadien et se prépare à quitter la salle.

– Je vous laisse ma carte professionnelle et je vous transmets demain matin par télécopieur les documents officiels attestant de la disparition de M. Tessier. Libre à vous de faire ouvrir une nouvelle enquête auprès de la GRC et d'Interpol si vous avez une ou des raisons de croire que la personne disparue peut être encore vivante et se trouver au Canada ou dans un autre pays. En ce qui concerne la responsabilité de la police et des autorités de la République dominicaine, vous aurez le rapport de recherches auprès des conducteurs de bateaux demain, à ce qu'on m'a dit. Cette recherche va clore le dossier, du moins jusqu'à ce que de nouveaux faits puissent être révélés. Quant à moi, je pense que le résumé exact est le suivant : le disparu... pardon, M. Tessier s'est noyé volontairement ou accidentellement le 31 décembre 1999, sans que ni les autorités locales, ni l'établissement où il logeait en soient responsables.

Amélie tente d'intervenir pour tirer une aide concrète ou encore quelques conseils de l'agent consulaire avant qu'il ne quitte les lieux. Pour toute réponse, il hausse les épaules, en faisant un geste d'impuissance.

– Je vous fais toutes mes condoléances, monsieur et mesdames et j'espère que votre retour au Canada se fera dans la sérénité et le respect des déclarations faites ici en ma présence. Sinon, nous interviendrons pour baliser l'information correctement, soyez-en assurés. Sur ce, j'ai d'autres dossiers en attente.

Consterné, chacun tente de reprendre son calme et trouver la meilleure conduite à adopter après ce coup de tonnerre qui a profondément heurté les sentiments des proches d'Antoine.

– Il nous reste ce rapport, attendu demain…, commente Claudie. Et nous allons lire les autres documents qu'il nous faudra évidemment signer, quoi qu'on en pense. Grâce à Amélie, nous pouvons les comprendre mieux. Nous sentons bien que le souhait implicite de tous ceux qui sont concernés, c'est que nous quittions les lieux le plus rapidement possible en les exonérant de tout blâme, en les mettant à l'abri de poursuites ou de la publicité négative. Le message est clair... Si nous insistons pour faire durer l'enquête, ils vont déclarer qu'Antoine s'est suicidé, afin de détourner l'attention et la responsabilité sur la victime et non sur des circonstances externes. Cela explique pourquoi tous les dossiers semblables sont étouffés... Pauvre Antoine ! Il ne mérite pas que sa réputation soit ainsi salie.

Raymonde s'est réfugiée dans les bras de Jean-Paul, inconsolable à cette hypothèse que son fils ait volontairement mis fin à ses jours alors qu'il était heureux et qu'il avait tous les espoirs devant lui.

Claudie cherche un mouchoir pour essuyer ses yeux, tandis qu'elle remercie son amie pour sa patience et son aide. Elle sent déjà que l'opinion publique sera facilement manipulée pour miner sa crédibilité.

– Je vais devoir vivre avec cette image de la fille facile qui avait séduit le riche héritier juste pour son argent. Qui croira à notre histoire d'amour ? À notre attachement profond et sincère ? Pourquoi dois-je payer si cher ce bonheur légitime ?

– Allons, nous savons bien qu'Antoine t'avait choisie entre mille et aimée sincèrement. Il voulait passer sa vie avec toi et fonder une famille. Nous en sommes témoins ! Tu es et tu demeures notre fille, à présent, d'ajouter Raymonde.

En quittant la salle climatisée, les quatre personnes sont saisies par un soleil de plomb qui frappe durement à cette heure de la journée. Regagnant leurs chambres vers 15 heures, ils observent la plage de loin. Jean-Paul, dans une réaction active et offensive, propose que tous changent de tenue et il demande à Amélie de leur servir d'interprète. Il propose que tous aillent systématiquement aborder tous les bateaux et questionner les opérateurs afin de mener leur propre enquête. Jusqu'à la tombée de la nuit, ensemble, ils font la navette d'une plage à l'autre sur près de dix kilomètres.

C'est ainsi qu'après soixante-douze heures, le dossier de la disparition d'Antoine Tessier semble scellé. Le lendemain, les télécopies annoncées sont lues et signées, le rapport de police compilé est versé en filière. L'hôtel Bordelo fait approuver la déclaration de non-responsabilité en fin d'après-midi, alors que toutes les consignes de départ sont remises à tous les vacanciers de SunVAC. Évidemment, la promesse d'une récompense avait attiré quelques déclarations, mais elles ont été jugées insuffisantes par les policiers locaux. Prenant son courage à deux mains, Claudie se résout, le cœur gros, à faire la valise d'Antoine, avec l'aide d'Amélie.

Avant de retrouver l'autobus qui les conduira tous à l'aéroport, vers treize heures le 4 janvier 2000, quatre personnes vont s'agenouiller sur la plage pour faire leurs adieux à un être cher… dont le retour demeure une hypothèse si peu plausible qu'il faut un amour inconditionnel pour l'évoquer encore. Claudie veut y croire : elle choisit d'espérer envers et contre tous.

* * *

La longue file des passagers pénètre dans l'aéroport où s'entrecroisent des milliers de voyageurs. À la sortie du poste des douanes de Montréal, les portes s'ouvrent sur le public venu accueillir les arrivants, fiers de montrer leur bronzage si enviable en ce début janvier. Lorsque Jean-Paul et Raymonde s'avancent, suivis de Claudie et d'Amélie, des dizaines de flashes les éblouissent. Ils continuent d'avancer mais sont rapidement entourés de journalistes qui les pressent de questions : comment réagissez-vous à la disparition de votre fils ? Est-ce un accident, selon vous ? Quelles dispositions prendrez-vous pour la succession de *Tessier-America* ? Parlez-nous de la personne qui accompagnait votre fils ? Est-il vrai qu'elle voulait le séduire pour sa fortune ? Depuis quand la connaissiez-vous ?

– Si je refuse de répondre, ils vont inventer et ce sera pire encore… Je vais faire une brève déclaration et nous aurons ensuite la paix…, espère Jean-Paul.

– Nous devrions aussi annoncer une veillée à la mémoire d'Antoine pour demain soir, propose Raymonde avec l'assentiment de Claudie. Nous pourrions alors créer un mouvement plus rassembleur et ce serait une occasion de rappeler aux journalistes que nous sommes humains et chrétiens…

– Excellente idée, approuve Claudie.

Prenant son courage à deux mains, Jean-Paul confirme donc aux journalistes la disparition de son fils par noyade alors qu'il était en vacances avec sa fiancée à Punta Cana. Il invite les parents et amis à se regrouper à la salle communautaire le 5 janvier à compter de dix-neuf heures pour une soirée de prières et de partage. Il remercie son auditoire et demande aux médias de respecter leur chagrin et de les laisser vivre leur drame en famille.

Lorsque la meute se disperse, Claudie aperçoit ses parents derrière les cordons de sécurité. Elle se dirige vers Carmen, sa mère, qui la prend dans ses bras. Quelques journalistes sont restés à l'affût et se régalent naturellement de ces retrouvailles. René et Sophie s'approchent, entourant la jeune femme amaigrie et triste qu'ils retrouvent avec le cœur déchiré.

– Ma pauvre petite fille ! Nous sommes avec toi : nous t'aiderons à traverser cette période difficile. Enfin, te voilà de retour ! Tu nous as manqué, tu sais…

Claudie essuie ses larmes et essaie de sourire, malgré toute la peine que suscite son retour au pays sans son fiancé. Elle fait brièvement les présentations entre les deux familles.

– Antoine et moi aurions souhaité que vous fassiez connaissance dans un contexte plus agréable, mais la vie en a décidé autrement. Voici Jean-Paul et Raymonde… mes parents René, Carmen et ma sœur Sophie.

La sympathie mutuelle est manifeste, quoiqu'une certaine gêne s'installe concernant la suite à donner aux événements. Les Delisle aimeraient bien que leur fille vienne passer quelques jours à Joliette afin de pouvoir l'entourer et lui témoigner toute l'affection que nécessitent les récentes et pénibles circonstances qu'elle traverse. Les parents d'Antoine souhaiteraient qu'elle soit présente à la veillée organisée pour le lendemain soir et ils aimeraient aussi garder avec elle un contact privilégié.

– Elle est un peu notre fille, maintenant, dit Raymonde en lui prenant la main, afin de bien marquer l'affection qui s'est établie entre la famille Tessier et Claudie. Nous aimerions avoir le privilège de l'accueillir quand bon lui semble, sans vous l'enlever, bien évidemment. Antoine nous en voudrait de ne pas agir ainsi : il l'aimait tellement !

– Je pense que je vais passer la nuit chez moi pour me reposer un peu. Amélie me tiendra compagnie encore quelques heures. Demain soir, je serai avec la famille Tessier pour cette veillée de commémoration et, après cette rencontre, je me rendrai à Joliette pour y passer quelques jours en famille. Après… je vais reprendre le travail… laissant le temps faire son œuvre. J'ai choisi d'espérer… le retour d'Antoine, même au risque de provoquer les critiques ou les sarcasmes. Cet amour ne peut pas avoir été une illusion… Il est et il demeure ma raison de vivre.

– Nous comprenons ta réaction, chère Claudie. Surtout, n'hésite jamais à nous faire signe. Nous t'aimons tellement… nous t'aimerons pour deux désormais, ajoute Jean-Paul en retenant ses larmes.

Au moment de quitter l'aéroport, un dilemme se pose. Qui va repartir avec les bagages d'Antoine ? Pendant un bref instant, chacun regarde la valise noire et le sac à dos étiquetés à son nom. Claudie ? Les parents d'Antoine ?

– Nous allons les ramener à la maison, propose Raymonde. Mais s'il y a quoi que ce soit que vous souhaitez conserver, vous n'aurez qu'à le dire simplement. D'ailleurs, nous n'y toucherons pas dans les prochains jours… Ce serait trop difficile pour nous, vous comprenez…

Claudie acquiesce en remerciant sa belle-famille. Qu'aurait-elle fait en somme de ces bagages qui lui rappellent le vide cruel laissé dans sa vie par cette disparition aussi subite qu'injuste ? Elle ne souhaite pas se tourner vers les objets lui rappelant Antoine. Elle préfère le garder vivant dans sa mémoire, jour après jour, jusqu'à ce que la vie les réunisse à nouveau.

* * *

Le centre communautaire, éclairé de chandelles, est bondé. Une table placée sur le podium comporte une dizaine de photos d'Antoine, prises à différentes époques de sa vie. Deux gerbes de fleurs et un crucifix rappellent que la rencontre se fait sous le signe de l'amitié et de la foi catholique. Le vicaire de la paroisse, les marguilliers, les gens d'affaires et les représentants des différentes associations locales sont présents. Plusieurs amis de la famille Delisle de Joliette sont aussi venus, par solidarité avec ces personnes très connues dans cette communauté. Et comme, dans l'édition du matin, les journaux ont fait une large place à cette histoire, de nombreux curieux se pressent également aux portes afin de regarder le dénouement d'un drame en direct. Comment une famille riche se comporte-t-elle devant la mort, le deuil, la déception ? Comment une jolie jeune femme de Joliette avait-elle séduit ce célibataire millionnaire ? Que va-t-il se passer chez *Tessier-America* maintenant que le fils unique est mort ? Toutes les raisons sont bonnes pour être là, aux premières loges du voyeurisme.

Une musique douce emplit la salle et permet de masquer les chuchotements, entre deux allocutions. Mais le vide prend beaucoup de place : pas de cercueil, pas de dépouille, pas de service religieux… seulement un bouquet d'amour, d'amitié, de compréhension, d'empathie pour les proches. Les témoignages se succèdent et Claudie reconnaît dans l'assistance plusieurs de ses clients, son employeur, ses collègues de bureau et les notables. Les parents d'Antoine lui présentent quelques membres de la famille, des amis de jeunesse de leur fils ainsi que certains employés de longue date. Placée entre les Tessier et les Delisle, Claudie vit ce moment péniblement. Nerveuse, bouleversée, forcée de jouer un rôle qui la met mal à l'aise car elle n'est ni la veuve, ni la fille de la famille mais, pour certains, elle n'est de toute évidence qu'une amie opportuniste cachant mal sa déception. De plus, son instinct lui dicte le contraire de ce que la réalité lui montre. Elle s'efforce d'écouter les paroles de réconfort, mais son attention est ailleurs, quelque part avec Antoine, au restaurant du coin, dans son loft ou à bord de cet avion où il lui a redit tout son amour. Elle le veut vivant alors que tous réagissent comme si la mort avait fait son œuvre, irréversiblement.

– Pourquoi s'accroche-t-elle à l'idée qu'il va revenir ? demande Sophie à Amélie, alors qu'elles sont un peu en retrait, dans un angle de la salle où elles peuvent observer le déroulement de la rencontre commémorative.

– Elle a l'intuition qu'il est vivant. Elle me l'a dit plusieurs fois. Je ne sais pas encore si c'est ce que l'on appelle du déni, c'est-à-dire le refus d'accepter la réalité, ou si elle a des liens si profonds avec Antoine que ce dernier lui donne le signal de continuer de l'attendre, lui laissant entendre qu'il reviendra vers elle dès qu'il le pourra.

– Que faut-il faire, face à cette attitude ? Est-il mieux de lui rappeler que la mort revêt un caractère définitif ou vaut-il mieux la laisser espérer et lui permettre de cultiver une illusion ? Je ne sais pas trop comment réagir, avoue la jeune sœur qui voudrait bien tendre une oreille attentive à Claudie.

– Cela dépend un peu de toi… Moi je crois que l'amour entre Claudie et Antoine avait quelque chose d'exceptionnel. Mais je n'ai malheureusement pas connu Antoine. C'est donc une perception que j'ai. Alors je donne raison à Claudie et je l'encourage à espérer. Il sera toujours temps pour elle de faire son deuil lorsqu'elle aura des raisons de croire que plus rien ne les relie l'un à l'autre.

– Moi, lorsque j'ai vu Antoine et la façon qu'il avait de regarder Claudie, je me suis dit que rien ne pourrait jamais les séparer; alors je vais faire comme toi, espérer avec elle, l'écouter, l'appuyer si elle veut tenter quelque chose pour prouver qu'il vit toujours. J'ai lu quelque part qu'une personne ne meurt pas tant qu'on se souvient d'elle…

Elle a quand même vécu tout un choc et, sur le plan de ses repères personnels, elle en sera affectée, je pense. Imagine : pendant un mois, elle est transportée au paradis, elle vit le grand amour et elle fait des projets qui bouleversent toute sa vie. Tu te rappelles comment elle était déterminée à trouver l'âme sœur, l'homme idéal sans quoi, elle préférait rester célibataire ? C'était tout ou rien ! Alors, elle a vécu le meilleur et maintenant, elle tombe dans un cauchemar sans fin… Je la trouve forte, malgré tout. Moi, je ne pourrais pas faire face à tout ce monde. Je me serais enfermée dans ma bulle en attendant que la poussière retombe.

Les témoignages tirent à leur fin. Un homme, bien connu des médias, se lève soudain au dernier rang et s'approche du podium. Il sort de sa veste un pinceau, symbole du talent d'Antoine pour la peinture, et le dépose sur la table avec les photos; puis il se dirige vers le micro.

« Je suis un ami d'Antoine. Depuis les années de collège, nos routes ne se sont jamais vraiment éloignées. Il a été pour moi un frère, un modèle, un exemple d'intégrité. Alors qu'il aurait pu vendre son âme et sa passion pour la peinture, afin de vivre confortablement dans une société de consommation, il a été pour moi, écrivain et philosophe, un précurseur du transumérisme[1].

Il a renoncé à un statut que bien des gens lui enviaient – richesse et gloire en somme – au profit de ce que j'appelle l'expérience de vie. Il nous a démontré, à nous ses amis créateurs, que l'art ne peut s'encombrer de béton et d'ancrages; il avait pressenti ce que serait l'esclavage de posséder des biens qui deviennent vite désuets.

Il a privilégié l'ouverture à l'essentiel : l'être en lui-même, misant sur sa capacité d'approfondir ses connaissances du monde, d'élever l'unicité de son regard.

---

1   **Transumérisme** : Issu du courant appelé Simplicité volontaire, cette tendance sociale fait la promotion d'une consommation réduite des biens et des facilités qui sont à la portée des bien nantis.

L'œuvre inachevée

Antoine est une flamme qui s'est consumée avec une luminosité exceptionnelle. La qualité de son amour, de son amitié, de sa sincérité contribuera à nous mener plus loin que sa trop courte vie terrestre. Il nous laisse à chacun un message, une mission... À vous de la découvrir et d'être assez courageux pour l'accomplir, en célébrant sa mémoire.

Antoine, tu vivras toujours pour moi ! »

Claudie a écouté ce message avec une attention exceptionnelle : pas un mot qui ne révèle ce qu'elle a tellement apprécié chez cet homme qu'elle a choisi d'aimer. Mais qui est donc cet ami ? L'un des cinq gars de la photo qu'elle a trouvée dans le portefeuille d'Antoine, avec juste quinze ans de plus ? Pendant que le prêtre fait une prière d'au revoir, signifiant aux gens que la cérémonie va prendre fin, l'organisme Parents et Amis des Personnes Disparues distribue des chandelles et un feuillet sur lequel prennent place les paroles d'une chanson représentant leur hymne d'espoir. L'éclairage de la salle est tamisé et la mélodie monte, emplissant l'espace, faisant se balancer les personnes dans une sorte de vibration commune. Claudie reconnaît la chanson[2] sur laquelle ils ont dansé, le soir de leurs fiançailles, et ses larmes coulent... D'une seule âme, sous les halos des bougies, les paroles s'ancrent dans les mémoires, pour dire adieu à Antoine.

Les parois de ma vie sont lisses

Je m'y accroche mais je glisse

Lentement vers ma destinée

Mourir d'aimer

Tandis que le monde me juge

Je ne vois pour moi qu'un refuge

Toutes issues m'étant condamnées

Mourir d'aimer

---

2   Charles Aznavour, Mourir d'aimer

Chapitre 4

De plein gré s'enfoncer dans la nuit

Payer l'amour au prix de sa vie

Pécher contre le corps, mais non contre l'esprit

Laissant le monde à ses problèmes

Les gens haineux face à eux-mêmes

Avec leurs petites idées

Mourir d'aimer

Puisque notre amour ne peut vivre

Mieux vaut en refermer le livre

Et plutôt que de le brûler

Mourir d'aimer

Partir en redressant la tête

Sortir vainqueur d'une défaite

Renverser toutes les données

Mourir d'aimer

Comme on le peut de n'importe quoi

Abandonner tout derrière soi

Pour n'emporter que ce qui fut nous, qui fut toi

Tu es le printemps, moi l'automne

Ton cœur se prend, le mien se donne

Et ma route est déjà tracée

Mourir d'aimer...

Elle a fermé les yeux et elle le voit. Antoine est athlétique et sûr de lui; il marche vers la mer et s'y enfonce puis disparaît. Reste sous ses yeux brouillés de larmes ce décor exotique qu'il avait peint quelques mois auparavant, croyant qu'il s'agissait de la plus belle représentation de sa vie, de son amour pour la vie, de l'accomplissement de ses rêves. Il croyait au bonheur lorsqu'il a produit ce tableau en hommage à la beauté tranquille, avec la permanence douce du mouvement de la mer. Et Claudie lui est apparue; il l'a amenée sur cette plage afin de lui faire toucher du doigt ce rêve d'un amour infini. Il ne peut pas être mort… C'est impossible.

Lorsque la chanson se termine et que les dernières notes de musique s'estompent, un cri déchirant, un refus pathétique retentit : Nooon !

La voix de Claudie se casse et explose du plus profond d'elle-même. Tous se pressent autour de la jeune femme en larmes. Lorsque celle-ci revient à la réalité, les lumières sont rallumées et éblouissent l'assistance, révélant des centaines d'yeux rougis par l'émotion. Une longue ligne de personnes se forme, défilant lentement, permettant à chacun de présenter à la famille et aux proches ses condoléances et lui redire l'affection qu'ils partagent en ce moment de peine. Et la salle se vide peu à peu.

Quelques journalistes traînent encore sur les lieux, à la recherche d'informations nouvelles ou complémentaires. C'est ainsi qu'ils entourent Irénée de Blois qui, après avoir témoigné très humblement, se voit pressé de questions. « Depuis quand connaissiez-vous Antoine Tessier ? Quelles étaient vos relations ? De quelle manière a-t-il influencé votre œuvre ? Dans votre dernier livre, vous parlez des différents sens que peut prendre le suicide; croyez-vous que monsieur Tessier se soit suicidé ? »

Évitant les longues réponses, ce dernier résume brièvement la façon dont leur amitié a pris forme à l'école secondaire, et ce que fut son importance dans sa propre démarche de création littéraire. Mais visiblement, Irénée ne veut pas « nourrir la bête », comme il se plaît à décrire l'appétit des médias pour le sensationnel. Il s'excuse rapidement et s'esquive. Il désire une seule chose, à présent : faire la connaissance de celle qui a apporté à son ami la réponse qu'il attendait de la vie, cet amour parfait qu'Antoine espérait tant.

Il est le dernier de la file, lui, le grand philosophe que tout le monde s'arrache sur les tribunes publiques, auteur adulé par le milieu littéraire et dont les propos font l'objet des spéculations les plus avant-gardistes. Lorsqu'il identifie une tendance, toute la société se penche sur ses propos pour en analyser la pertinence et en apprécier la justesse. Avec ses cheveux mi-longs parmi lesquels apparaissent quelques mèches blanches, de Blois est une sorte de gourou de la pensée, au front strié des interrogations fondamentales qui le tenaillent. Jean-Paul et Raymonde le connaissent depuis près de quinze ans, mais étonnamment, ils l'accueillent avec une certaine froideur. « C'est lui qui avait encouragé Antoine à en finir avec la vie lorsqu'il avait 20 ans et qu'il devait choisir entre la peinture et l'entreprise familiale… Lui, le maître à penser d'Antoine, rendu plus ou moins responsable par une mère aujourd'hui éplorée, de son excès d'influence manifestée sur Antoine dans le difficile passage de l'adolescence à l'âge adulte; Raymonde avait alors sauvé son fils *in extremis* de sa tentative de suicide.

Lorsqu'il prend la main de Claudie et qu'il plonge ses yeux dans ce bleu turquoise, Irénée comprend ce qu'Antoine a trouvé dans cette relation intense, pure, presque irrationnelle.

– J'aurais aimé vous rencontrer dans une circonstance plus heureuse, dit-il, d'une voix chaude et sincère. Vous perdez un fiancé et moi un frère de cœur. Je vous envie d'avoir vécu ses dernières heures et je vous plains de constater que le temps vous a trahi. Soyez assurée de mon affection… inconditionnelle.

– L'aviez-vous vu récemment ? questionne Claudie.

– Nous nous étions rencontrés, tous les quatre, ce dernier jeudi, avant votre départ pour la République dominicaine. Le cours de peinture, c'était notre code secret de rendez-vous. Il nous a longuement parlé de vous, ce soir-là… Nous avons alors pu partager son attachement et je dois dire que la description qu'il nous a faite n'a rien d'exagéré, je le constate maintenant.

Comme la plupart des participants se retirent, Irénée se sent un peu bousculé dans son intention de faire connaissance avec Claudie. Il lui remet donc sa carte et lui demande de l'appeler dès qu'elle aura un moment, afin de poursuivre leur conversation. Elle la glisse dans sa poche et le regarde s'éloigner, l'air un peu abattu, visiblement ému par la soirée qu'il vient de vivre.

Jean-Paul et Raymonde embrassent Claudie et lui indiquent qu'elle sera la bienvenue en tout temps chez eux. Les Delisle se retrouvent dans l'appartement de Claudie en compagnie d'Amélie, afin de parler un peu de cette soirée plus qu'émouvante. Comme le pressentaient Sophie et Amélie, Claudie réaffirme qu'elle voit Antoine encore vivant et qu'elle entend se comporter comme s'il allait revenir vers elle.

– Que ce soit dans une semaine, un an ou dix ans, quelque chose en moi me permet de croire qu'il est vivant et que notre amour le conduira vers moi ou moi vers lui, tôt ou tard. Je ne pourrai jamais aimer un autre homme comme je l'aime, ajoute-t-elle en regardant la bague de fiançailles qui brille à son doigt. Je tiendrai ma promesse !

– Mais cela ne signifie pas que tu vas abandonner ta famille, tes amis, et poursuivre ta vie en solitaire comme avant. Cette rencontre t'a profondément changée, le mesures-tu ? lui demande Carmen, en l'entourant de ses bras alors qu'ils sont tous attablés autour d'un chocolat chaud.

– Je sais, la terre ne s'arrêtera pas de tourner parce que mon amoureux n'est pas là aujourd'hui, et ne le sera pas demain ni dans les jours à venir. Je suis capable de comprendre cela. Ma vie sera pareille à elle-même; j'ai d'ailleurs dit à mon employeur que je rentrais au travail lundi prochain, tel que prévu; c'est en moi que le paysage n'est plus le même. Avant, j'idéalisais l'amour… c'est comme s'il n'avait pas de visage.

Aujourd'hui, je sais qu'il a un nom et qu'il existe. Cette certitude me rend plus forte, malgré ma peine… Je fais le choix d'espérer et je vous demande de respecter mon intention, quoiqu'il arrive.

– Nous allons rentrer à Joliette et nous t'attendons demain, dans la journée ma grande, ajoute René en regardant sa montre. Tu as bien besoin de quelques jours pour te reposer et… des cadeaux attendent sous le sapin : l'avais-tu oublié ?

– Merci à vous trois pour votre présence. Ça m'a fait tellement réconfortée de vous voir à mes côtés ce soir. Nous en reparlerons demain, après avoir lu les journaux du matin; ils vont sans doute en rajouter, suite à la cérémonie.

La journée du 5 janvier se termine sans que Claudie ait eu la force d'ouvrir sa valise et de ranger ses vêtements de voyage. Elle partage une dernière nuit avec Amélie qui ira rejoindre les siens de bonne heure, le lendemain. Avant de s'endormir, alors que seule une veilleuse leur permet de se repérer dans le noir, Claudie demande à Amélie ce qu'elle a retenu des propos de l'ami d'Antoine, Irénée.

– Hum… Il semble évident pour lui qu'Antoine était d'abord un artiste, ce qui contraste avec l'image que ses parents ont de leur fils. Je reste avec l'impression qu'Antoine avait deux clans dans sa vie, deux personnalités et que chacun de ces clans enviait un peu les pouvoirs de l'autre. Et toi, qu'en penses-tu ?

– Irénée a décrit Antoine comme une personne qui n'aime pas les richesses, le pouvoir : c'est très vrai. Son ami le connaît bien je pense, et il le prouve lorsqu'il dit de lui que son plaisir n'était pas de posséder des biens, mais de vivre des expériences. Un côté de sa personnalité semble tellement lumineux, celui de la création… et l'autre un peu soumis, résigné à suivre les traces de sa lignée familiale. Lui aussi, il considérait l'amitié comme un refuge, comme un guide, comme une sorte de communion entre des personnes qui se sont choisies.

– Je lui donne raison, ajoute Amélie. Sans l'amitié, pas de reconnaissance profonde, pas de débat constructif… seulement une immense solitude.

– Je… ne sais pas comment te remercier pour ces quelques jours passés avec moi, dans cet esprit d'amitié qui m'a tellement réchauffé le cœur.

– L'important pour moi, c'est que tu puisses traverser ce grand chagrin sans que ta boussole se détraque. Tu viens de vivre un grand choc… je ne sais pas si moi, j'aurais la force que tu as en ce moment. Comment penses-tu continuer ta vie maintenant… sans lui ?

– Bizarrement, je me sens sereine, en paix avec moi-même. En choisissant d'espérer son retour, je me donne simplement le temps de revivre notre passé commun et de mesurer toute la valeur de cette rencontre. J'aimerais aussi apprendre ce qu'il était vraiment pour ses amis, pour ses parents. Je voudrais peu à peu remonter le fil de sa vie pour l'apprécier davantage. Qui m'en empêche ? Irénée m'a remis sa carte, alors j'irai l'interroger… Et je veux garder vivante la relation avec Jean-Paul et Raymonde, beaucoup plus marqués par cette disparition qu'ils ne le laissent paraître. Un détail me revient. Ils se sont querellés devant moi, le jour de leur arrivée, et j'ai senti une grande détresse, des remords, des blessures profondes. Je veux demeurer à leur écoute, tant qu'ils le voudront bien, évidemment.

– Tu m'impressionnes, Claudie. Après un si grand bouleversement, tu retombes sur tes pieds… Tu ne t'apitoies pas sur ton sort… Tu penses à lui, à eux, et tu poursuis ta route. Tu es… exceptionnelle !

– Pas tant que ça… J'espère qu'il me reviendra… Et je compte sur l'amitié, la famille, le travail aussi, pour garder ma stabilité. Je vivais avant lui. Je l'ai attendu très longtemps. Je peux vivre en l'attendant encore puisque maintenant, je sais qu'il existe. Mon amour pour lui me pousse à vivre… J'ignore d'où me vient cette force, en réalité.

– Je suis rassurée de te quitter demain, dans cet état d'esprit. Je craignais que la solitude ne te pèse. Tu sais, si tu as besoin de moi à nouveau, fais-moi signe. Mon mari comprendra. Il faut me promettre que tu n'hésiteras pas à m'appeler, si tu te sens seule ou déprimée, jour ou nuit, je viendrai !

– Promis ! Je te remercie pour tout. Il n'y a pas de mot pour dire comment j'ai apprécié ton aide. Tu es un ange !

Le sommeil gagne peu à peu les deux jeunes femmes. Demain, chacune retrouvera sa vie respective, mais ce lien d'amitié qui les unit, lui, ne sera jamais rompu, où qu'elles soient et quoi qu'il arrive. La vie est si imprévisible !

* * *

Deux semaines se sont écoulées depuis le retour de Claudie au travail. La compréhension des uns et des autres lui facilite la vie quotidienne. Mais elle mange peu et dort peu, ce qui lui donne assez mauvaise mine malgré un léger hâle persistant encore sur son front. Sans confier son inquiétude à qui que ce soit, la jeune infographiste attend avec une certaine anxiété le début de ses règles. Elle a consulté le calendrier et elle compte les jours depuis celles de décembre. Plus le temps passe et plus elle se questionne : se pourrait-il qu'elle soit enceinte ? Les si belles nuits d'amour partagées avec Antoine auraient-elles permis la conception ? Et ce sentiment ancré en elle… Elle le sent : Antoine est vivant ! Est-ce l'intuition d'une nouvelle vie qui germe en elle ?

Le 25 janvier, laissant s'écouler un mois après ses fiançailles officielles, Claudie confie à son amie Amélie ce qui constitue à la fois une inquiétude et une immense joie intérieure. Deux jours plus tard, après avoir acheté un test de grossesse, les mains tremblantes, elle se décide à poser la question à cette petite merveille de la science qui se trompe rarement. La réponse ne tarde pas : positif ! Des larmes de joie débordent, spontanées comme le champagne qui se libère soudain de la pression soutenue par son bouchon. Elle voudrait crier, chanter, sauter, annoncer le tout comme un hommage à cet amour partagé, insensé. Mais elle craint les réactions et le regard des autres : Antoine a disparu… Sa vie continue en elle, créant une situation équivoque pour la famille Tessier autant que pour les Delisle qui vivent une grande inquiétude depuis le drame si récent.

Mais elle ne peut garder une telle nouvelle tellement la joie explose en elle : « Tant pis pour ce que les gens vont dire... J'aime Antoine et il m'a aimée aussi. Alors je serai la mère de son enfant. N'est-ce pas une sublime réponse de la vie à cette mort supposée ? » Elle prend le téléphone et appelle sa mère afin de lui faire partager son bonheur. Carmen est bouleversée, René ne sait pas quoi dire, Sophie saute de joie. Peu à peu, l'euphorie de Claudie devient contagieuse et on se prend à rêver à ce petit bébé qui n'est, pour l'heure, qu'un tout petit embryon. Amélie, un brin plus inquiète, vient rejoindre son amie au condo pour célébrer la bonne nouvelle, mais aussi pour s'assurer que le moral de Claudie est assez solide pour vivre une telle expérience.

– Comment vas-tu faire pour élever cet enfant toute seule ? Et sa famille, comment va-t-elle prendre cette nouvelle ? Ce bébé va devenir l'héritier qu'ils ont perdu ? Leur attitude pourrait être difficile à vivre pour toi...

– Je vais leur annoncer en fin de semaine. Je suis invitée à souper chez eux. Ils m'ont conviée, car ils ont pris d'importantes décisions et ils veulent m'en faire part. C'est de bon augure, non ?

– Peut-être... Ils ne t'oublient pas, c'est évident. Espérons que le choc de cette nouvelle ne va pas faire surgir des sentiments de... propriété, comme si cet enfant était le leur, ce qui n'est ni vrai ni faux, en réalité. Pour ma part, je revendique le privilège d'être marraine de ce petit trésor conçu en plein paradis !

– Excellente idée. Tu étais là dès la disparition d'Antoine, à mes côtés. C'est à toi que reviendra l'honneur de devenir une maman de suppléance, si jamais il devait m'arriver quelque chose... Je sais que je peux compter sur toi en toutes circonstances.

– Alors, à ce titre, je vais te prodiguer toutes sortes de conseils « matantes » d'ici la naissance et je serai encore plus attentive à ton bien-être par la suite. Tu m'entends déjà : as-tu mangé tes brocolis, bu ton verre de lait, fait de l'exercice ou... as-tu pris du repos ?... Il te faut éviter le stress... afin que ce bébé puisse naître dans les meilleures conditions possibles, et ainsi de suite pour la litanie. Une chose est sûre : je vais l'aimer... je l'aime déjà ! ajoute-t-elle en posant doucement la main sur le ventre de Claudie.

Elles sont émues par ce geste. Avoir un enfant... Quelle grande décision ! Mariée depuis plus de quatre ans, Amélie ne se sent pas encore prête à devenir mère. Elle vient aussi d'avoir 30 ans et son mari espère en silence, respectant dans cette aventure la femme qu'il aime, tout en l'assurant de son désir de paternité. Amélie prend son amie dans ses bras.

– Tu avais raison, Antoine n'est pas mort... J'admire ta force, ton courage, tu seras une supermaman !

* * *

Raymonde et Jean-Paul ont dressé la table ensemble, comme c'est maintenant leur habitude. Depuis la disparition de leur fils unique, ils ne se quittent plus. Jean-Paul a remis les pouvoirs de diriger la compagnie entre les mains de subalternes et il a entrepris une profonde réflexion sur son avenir, sur la retraite, sur l'importance toute relative de la vie même... Raymonde a perdu cinq kilos et elle n'arrive pas à trouver le sommeil, cruellement torturée par des souvenirs pénibles : la culpabilité la ronge jour et nuit. Les migraines lui font vivre un enfer. Eux qui avaient fait reposer tous leurs espoirs sur ce fils, leur relève, les voilà abandonnés par le sort, trahis par la vie, devant survivre à un fils qui, sans être mort, leur renvoie l'image de leur propre vulnérabilité. Lorsque Claudie arrive, elle ne peut que s'étonner de les voir si affectés. Ils ont changé en quelques semaines, comme s'ils avaient perdu toute raison de vivre. « Peut-être que la nouvelle que j'ai à leur annoncer ce soir aura l'effet d'un stimulant, d'un baume sur leurs déceptions... », se dit-elle.

Après les embrassades émouvantes, Claudie les suit au salon. Elle y retrouve l'un des tableaux créés par Antoine à leur intention : il a peint leurs mains, en gros plan, réunies dans un geste d'amour et sur lesquelles une main d'enfant est posée. Ce symbole de la famille réunie est si touchant, si révélateur, que Claudie en a les larmes aux yeux.

– Il a su capter dans ce simple geste tout l'amour que vous avez partagé en famille. C'est un tableau magnifique.

Ils prennent de ses nouvelles et constatent que Claudie poursuit sa vie avec un courage qu'ils envient, imputable sans doute à sa jeunesse.

– Nous sommes trop vieux à présent pour combattre la fatalité… C'est pourquoi nous avons décidé de mettre l'entreprise en vente et de tourner complètement la page de nos ambitions, devenues aussi illusoires qu'inutiles. Nous n'aspirons plus qu'à nous reposer, en nous souvenant que notre insistance maudite de parents bornés a peut-être contribué à détruire, en partie, la vie de notre fils. Il ne voulait pas devenir gestionnaire : sa vie, c'était la peinture. Cela nous ronge de penser que nous n'avons pas su l'encourager dans sa propre voie. Nous lui avons forcé la main et aujourd'hui, nous le regrettons amèrement, explique Raymonde.

– Vous savez qu'Antoine vous aimait sans condition. Il ne voulait en rien vous décevoir et il avait trouvé un compromis entre la gestion et la peinture. Il ne voulait pas sacrifier l'un pour l'autre, parce qu'il savait que cela avait une très grande importance pour vous, ajoute Claudie.

– Vous êtes vraiment gentille et nous apprécions vos bonnes paroles. Nous avons aussi pris la décision de vendre le loft d'Antoine et il sera donc libre le 1er février prochain. Parmi les objets et le mobilier, y a-t-il quelque chose que vous aimeriez conserver ? interroge Jean-Paul.

– J'hésite un peu, mais le tableau du bord de mer, celui qui est au salon, me rappellerait sans doute l'un des plus beaux moments de ma… notre vie. Et son appareil photo, qui comporte toutes celles qu'il a prises pendant notre voyage, si vous n'y voyez pas d'inconvénients. Son ordinateur portable aussi, puisque nous avions correspondu ensemble plusieurs fois. Évidemment, vous pouvez y enlever les fichiers qui touchent le travail, les dossiers de l'entreprise, puisque ce sont des données internes concernant vos affaires.

– Aucun problème… Cela nous amène à aborder un autre aspect, assez délicat. Vous savez que sur le plan juridique, un cas de disparition nécessite des démarches spécifiques, sinon une patience que nous n'avons pas… Nous basant sur les rapports de la police et de l'ambassade du Canada en République dominicaine, nous avons mis en marche une procédure afin de faire déclarer Antoine légalement décédé. Ainsi, les parts qu'il détient dans l'entreprise ne seront plus gelées pour une période de sept ans, ce qui facilitera la transaction de vente. C'est une décision qui nous pèse beaucoup…

– Est-ce vraiment essentiel ? N'avait-il pas de procuration ou de mandat qui vous permette de procéder sans avoir à précipiter cette déclaration. S'il revenait ? S'il avait un enfant légitime ou illégitime… Que se passerait-il ? Vous savez, de nos jours, les tests d'ADN peuvent permettre de reconnaître de telles situations.

– Antoine a eu une vie exemplaire… Du moins nous voulions bien le croire même s'il a eu des fréquentations assez douteuses… ajoute Raymonde, pour qui cette hypothèse semble une inquiétude non avouée. Évidemment, si l'une de ces filles qu'il nous a présentées s'était retrouvée enceinte, nul doute qu'il y aurait eu une revendication financière… À moins que… Claudie, êtes-vous en train de nous dire que…

– Je suis enceinte. Je porte l'enfant d'Antoine. J'ai passé un test cette semaine, voyant le retard de mes règles. Si tout va bien, vous allez être grands-parents d'ici 8 mois, avoue Claudie un peu hésitante, craignant les réactions de ses hôtes.

– Mon enfant ! Est-ce Dieu possible ? Quel miracle ! Vous nous redonnez un enfant… celui d'Antoine. Que Dieu vous bénisse ! s'empresse de dire Jean-Paul en prenant Claudie dans ses bras. Vous venez de nous sauver la vie, ma chère enfant.

– Claudie, je ne sais quoi dire… Félicitations ! laisse tomber Raymonde en cherchant à retenir ses larmes, tellement bouleversée qu'elle en perd l'équilibre.

Elle est livide. Jean-Paul s'inquiète. Il la rejoint, court lui verser un verre d'eau tandis que Claudie la réconforte de son mieux.

– Un bébé ! Il n'est donc pas mort puisqu'il a transmis la vie. Ma tête va éclater… Je ne me sens pas bien. Je veux juste m'allonger…

Elle boit un peu d'eau, mais rien n'y fait. Inquiet, Jean-Paul compose le 911 et demande une ambulance.

– Sa santé s'est beaucoup détériorée depuis… Je crains pour son cœur. Il vaut mieux ne rien négliger. Venez avec moi, le temps me paraîtra moins long. Nous mangerons au retour, dès que je serai rassuré, supplie presque Jean-Paul.

Le transport et l'arrivée aux Urgences se font en quelques minutes et, dès l'accueil, elle est mise sous moniteur afin de diagnostiquer et de prévenir un infarctus. Une quinzaine de minutes plus tard, Raymonde a vu le médecin et celui-ci estime que ce sont les signes d'un AVC qui semblent se confirmer. Il réclame donc une résonnance magnétique immédiate. Elle est transportée vers le service d'examens tandis que Jean-Paul et Claudie partagent une grande inquiétude.

– Je sentais qu'elle n'allait pas bien… En apprenant la nouvelle de votre grossesse, le choc a sans doute été trop violent pour elle. Mais je ne dis pas cela pour vous culpabiliser, ma chère enfant, vous ne pouviez pas savoir… Je sais qu'au fond d'elle-même, elle ressent une joie profonde, mais elle accepte très mal que son fils ne soit plus avec nous. Même entre les mains d'un excellent médecin, j'avoue que je crains à la fois pour son état physique et son équilibre psychologique. Toute cette culpabilité refoulée…

Une fois la tomographie axiale terminée, le médecin en fait l'analyse grâce à laquelle il repère un caillot. Il en informe immédiatement les proches.

– Nous allons l'hospitaliser quelques jours afin de la stabiliser. Heureusement qu'elle a été rapidement diagnostiquée. Elle n'aura probablement aucune séquelle. Mais il faudra cependant lui éviter les chocs émotionnels; elle pourrait demeurer fragile pendant les mois à venir.

Jean-Paul se rend à son chevet, attentif à ce qu'elle se sente confortable. Raymonde se met à pleurer, sans rien dire.

– Ne pleure pas ! Tout va bien. Tu dois vivre, tu sais... Cet enfant aura bien besoin d'une grand-mère... Antoine t'envoie un signe... Il te dit que la vie triomphe toujours; elle est la plus forte. Je t'en prie, ne sois pas triste. Tu vas faire de la pleine à Claudie. Tu vois comme elle est brave. Elle aura besoin de courage et de support. Nous devons l'aider à présent...

Jean-Paul revient dans le corridor; il est dévasté de voir sa femme si affectée, incapable même d'exprimer la moindre pensée.

– Elle n'a pas dit un mot... Elle pleure et je n'arrive pas à la consoler. Venez lui dire quelque chose. Peut-être qu'elle vous écoutera... Moi, je suis si malhabile dans ce genre de situation, ajoute-t-il en la prenant par le bras pour l'entraîner au chevet de Raymonde.

– Comment vous sentez-vous maintenant ? lui demande Claudie en posant sa main sur son front, pour l'apaiser. Nous sommes là... Ne vous inquiétez pas... dans quelques jours vous serez sur pied. Vous êtes une bonne mère, j'aurai grand besoin de vos conseils, de votre expérience... Courage ! La vie est toujours là... Il ne faut pas abandonner la partie maintenant. Jean-Paul aussi a besoin de vous !

Peu à peu, les larmes sèchent et Raymonde ferme les yeux. Lorsqu'elle est profondément endormie, les infirmières demandent aux deux visiteurs de se retirer. En cas de besoin, ils feront un appel pour leur demander de revenir.

L'œuvre inachevée

La maison des Tessier semble bien grande soudain... Jean-Paul en frissonne. Alors, Claudie prend l'initiative de réchauffer le repas que Raymonde avait préparé. Elle fait le service nerveusement, tourmentée et indécise devant la maladie qui frappe. Jean-Paul tente de faire le point, le visage rongé par l'inquiétude.

– Je pense que je vais réfléchir encore quelques jours avant de mettre en marche la procédure chez le notaire et je vais m'informer pour déterminer quels seraient les scénarios de sa succession... dans sept ans. Votre enfant aura alors six ans... Est-ce raisonnable ? Moi, j'en aurai 72...

Claudie n'ose pas commenter ce qui lui semble une décision précipitée, encore trop délicate dans les circonstances. Elle entend respecter en tous points ce que les parents d'Antoine choisiront de faire. Il s'agit de leur patrimoine, après tout !

Mais Jean-Paul attend un signe, sa vision du futur en quelque sorte, pour l'aider à y voir plus clair, pris entre sa détresse de bâtisseur d'empire et la perspective de ce que sera leur vie, demain...

– Vous et votre épouse avez le droit, je le crois sincèrement, de profiter de votre capital afin de vivre une agréable retraite. J'ai bien vu à quel point vous êtes tout l'un pour l'autre. Et nombre de couples reportent à plus tard leurs projets communs mais n'ont jamais le temps ni la santé pour les réaliser ultérieurement. Ne reportez pas tout à plus tard... L'entreprise est le fruit de votre création commune, mais elle n'est pas votre vie... La vie existe de mille et une façons, c'est ce qu'Antoine m'a appris. Même s'il revient, ce à quoi je crois personnellement, je pense qu'il voudra inventer sa propre destinée, comme vous l'avez fait vous aussi dans votre jeunesse. Et il en sera ainsi pour cet enfant qui grandit en moi... Chacun a le droit de décider de sa voie. C'est ma conviction. Cela vaut aussi pour vous deux, Jean-Paul.

– Vous avez raison et vos arguments sont à la fois logiques et respectueux. Je vais vendre l'entreprise et placer au nom d'Antoine sa part du patrimoine familial. Et nous laisserons au temps le temps qu'il faut pour que naisse cet enfant et que revive notre famille, si Dieu le veut !

Soulagée, Claudie le remercie de ne pas tuer son espoir. Espérer que le printemps vienne; espérer que la grossesse se passe bien; espérer que Raymonde se rétablisse; espérer qu'Antoine reprenne sa place à ses côtés... Espérer ! Jour après jour...

* * *

Le tableau du bord de mer a été accroché au mur du salon de sorte que Claudie le regarde constamment, quoi qu'elle fasse. Elle a aussi créé une mosaïque de toutes les photos prises à Punta Cana après les avoir récupérées dans l'appareil photos d'Antoine. Elle consacre cette soirée de la Saint-Valentin à l'inventaire des fichiers de l'ordinateur personnel que Jean-Paul lui a remis. Elle retrouve les courriels qu'ils se sont échangés, les dates des rencontres qui sont encore inscrites à son agenda. Elle y découvre aussi la conception de ce feuillet qui les a réunis, dans sa première version, celle qu'Antoine avait faite en Floride et celle imprimée le dernier jour de novembre, juste à la veille de sa visite à l'imprimerie Clairval. Un autre fichier s'intitule les AMIENS. Un peu intriguée, Claudie l'ouvre. Elle y trouve la photo des amis de collège qu'Antoine avait glissée dans son portefeuille. Et en vignette, les prénoms des amis : Antoine, Michel, Irénée, Étienne et Nathan, avec le S de solidarité. Les AMIENS, c'était donc une confrérie créée par ces cinq jeunes le 20 juin 1985, à la veille de quitter le collège pour poursuivre leurs études respectives. On les voit en train de tendre leur bras droit en avant et, paume sur paume, ils semblent faire un vœu... non, plutôt un serment !

Un autre document se trouve aussi dans le fichier; impossible de l'ouvrir sans un mot de passe. Pourquoi ? Quel secret cache donc ce document ? Elle revient à la photo et décide de tenter d'entrer en contact avec les quatre meilleurs amis d'Antoine... Plus qu'une légitime curiosité, son intention cache une autre quête : comment chacun a-t-il connu, compris et apprécié Antoine ? se demande-t-elle. Qui est-il pour eux qui l'ont connu à l'adolescence et l'ont suivi jusqu'à sa disparition ? Comme si elle pouvait regrouper tous ces regards pour reconstituer la personnalité d'Antoine... Est-ce utopique ? « Le premier sera Irénée, puisque j'ai déjà sa carte; d'ailleurs, il attend sans doute un coup de fil de ma part ».

Cette soirée du 14 février paraît longue à Claudie, sachant que tous les amoureux sont attablés autour d'un bon repas, renouvelant ensemble l'importance de s'aimer chaque jour comme si c'était le dernier... Cette phrase la transperce, cruellement vraie dans son cas. Pathétique. Sur sa commode repose l'écrin bleu, témoin passif mais si réel de ce qu'elle a partagé avec Antoine. Dans une sorte de rituel, Claudie se saisit du boîtier et se met face au tableau créé par Antoine. Elle l'ouvre et, avec une émotion infinie, en retire la bague et la glisse à son doigt. « Oui Antoine, je t'aime... et je t'aimerai toujours ! »

Elle passe de longues minutes ainsi, à lui confier ses pensées, à lui proposer ses projets, à le maintenir en contact avec sa réalité de fiancée esseulée et ses espoirs de future maman. Quelques bougies éclairent la pièce créant une intimité rappelant à Claudie le charme de leurs derniers rendez-vous amoureux.

Puis la magie s'estompe et Claudie reprend pied dans la réalité de sa vie simple. Elle retire sa bague et, voulant la replacer sur son support elle constate que le plancher de l'écrin s'est entrouvert. Elle retire délicatement le rectangle de velours collé sur un carton rigide et découvre une feuille de papier pliée finement. Elle la retire, intriguée. « Est-ce un message d'Antoine ? Mais non. Sans doute le certificat d'authenticité dont il m'avait parlé...», se souvient-elle, déçue de cette seconde possibilité. Elle hésite un instant et déplie la feuille. C'est un message d'Antoine. Au centre, une clé y est fixée par un morceau de ruban gommé. « Qu'est-ce que cela veut dire ? » Et elle parcourt cette lettre, cet ultime message de son amoureux.

Chapitre 4

Claudie, mon amour,

J'ignore dans quelles circonstances tu liras ce message. Nos destinées sont tellement fragiles que je crains, nuit après nuit, que la vie qui m'a permis de te trouver ne vienne aussitôt t'enlever à moi. Ainsi, pour me rassurer d'abord et ensuite pour te garantir une vie à l'abri de toutes contraintes, juste avant notre départ en vacances j'ai déposé, dans un coffret de sûreté à ton nom, une somme équivalente à une prime d'assurance-vie. S'il m'arrivait quoi que ce soit, demain ou au fil des années, que nous vivions toujours ensemble ou séparés, cette somme t'appartiendrait de plein droit. Tu peux en faire l'usage que tu souhaites en toute discrétion, puisque personne n'est informé de ma démarche. La clé t'en est confiée afin que tu puisses en prendre possession au moment de ton choix.

Ma chérie, tu sais que pour moi, les sentiments, l'amour que j'éprouve pour toi, ne se comptabilisent pas : mais je désire te protéger, te permettre de réaliser tes propres rêves, avec ou sans moi à tes côtés.

De même que la bague que je t'ai offerte t'appartient, et qu'ainsi tu peux la vendre, si besoin est, sache que mon plus cher désir est de t'accompagner par ce moyen dans ta quête de bonheur et te permettre d'espérer, oui, de toujours espérer en la vie. Je t'aime de tout mon cœur, par-delà les frontières humaines !

Antoine

Claudie lit et relit, les mains tremblantes, les yeux en larmes, cette précieuse missive laissée par Antoine à son intention. Quand ? Elle ne voit pas de date, mais le geste a été posé le 23 décembre, sans doute… Avait-il pressenti qu'un malheur pouvait arriver ? Anticipait-il un mauvais coup du sort ? Savait-il qu'il allait disparaître ? Pourquoi cette formule s'il songeait à revenir vivant de ce voyage ? Une petite fissure s'ouvre dans l'esprit de Claudie : avait-il planifié sa disparition ? Mon Dieu ! C'est inimaginable...

Toute la nuit, elle tourne et retourne les hypothèses dans sa tête. Lorsque le sommeil vient, elle revoit la plage sous le soleil et les gens alanguis se dorant au soleil. Elle le voit se lever, lui donner un baiser sur le front puis se diriger vers la mer turquoise. Il avance, lentement, puis disparaît. Elle l'appelle, le supplie de revenir, mais déjà, il n'est plus là...

La pause du dîner tarde à venir et Claudie regarde l'horloge toutes les cinq minutes, anxieuse de se rendre à la banque. Elle saute dans sa voiture et roule jusqu'au stationnement. Elle se présente au comptoir et demande à la préposée s'il est possible de consulter le contenu d'un coffret. Elle présente la clé, signe le bordereau sur présentation d'une pièce d'identité. Elle se voit remettre un long boîtier de métal et, dans l'isoloir, elle l'ouvre. Une note est posée sur cinq enveloppes brunes cachetées. « Claudie, ma chérie, voici l'assurance amour qui t'est destinée. Ces cinq enveloppes contiennent chacune 100 000 $ afin de répondre à tes besoins présents et futurs. Amoureusement ! Ton Antoine ».

Elle ouvre la première enveloppe : des liasses de 100 $, disposées en rangs serrés de 100 billets chacune. Claudie n'en croit pas ses yeux. « Il a économisé pendant des années pour mettre cette somme de côté... et il m'a tout donné. Pourquoi ? » Et puis, ce certificat du joaillier... La transaction a été faite le 22 décembre 1999. La valeur de cette bague est certifiée à 50 000 $. Est-ce l'absence de circulation d'air dans cet espace étroit ou l'émotion qui l'envahit, mais Claudie ressent soudain un vertige. Elle met sa tête entre ses mains et se force à respirer calmement. « Je ne sais plus quoi penser... Antoine ? Où est donc la vérité ? Pourquoi me faire cette dotation secrète ? Me protéger, tu l'aurais fait à mes côtés, chaque jour ! Mon Dieu, comme j'aimerais comprendre tes intentions. La seule certitude que j'ai à présent, c'est que notre amour était partagé. Mais le mystère de ta disparition devient de plus en plus lourd à porter... »

Claudie se reprend. Elle referme le coffret sans rien prendre de ce qu'il contient. Elle le remet dans le casier et demande jusqu'à quand le coffret est en location.

– Le contrat indique que la location est payée pour sept ans, madame. Voulez-vous le reçu ? Nous étions justement prêts à vous le poster.

Claudie vérifie les inscriptions : nom, adresse, téléphone au travail et à la maison. Tout est conforme. Elle ne sait plus si elle doit se sentir rassurée pour son avenir ou juste se mettre à pleurer en imaginant qu'Antoine avait peut-être réfléchi à sa disparition avant même leur départ en voyage. Où se cache donc la vérité ? Elle ne saurait le dire.

Le très prévoyant Antoine, celui qui vivait dans un petit loft en location plutôt que de s'offrir le luxueux condo qui lui aurait convenu, avait donc planifié... sa vie et même celle des personnes qui dépendraient un jour de lui : sa fiancée Claudie et... pourquoi pas, leur enfant non encore conçu. Alors que les jours, les mois et les années viendront déposer leur poussière, leurs doutes, leur amertume sur cette disparition, elle seule pourra mesurer à quel point il l'avait aimée. Et cet amour ne la quittera plus jamais, grâce à ce petit être qui prend place en elle, cet enfant unique qui rejoindra les deux patronymes, celui des Delisle et celui des Tessier.

Chapitre 5

Les derniers jours de février apportent quelque espoir aux citadins qui, emprisonnés sous la neige souillée, attendent que le soleil fasse place nette. Claudie n'aime pas la ville, surtout en cette fin d'hiver où rien n'est blanc et rien n'est encore vert : « On dirait une ville monochrome, une carte postale de Montréal en sépia ! » songe-t-elle en garant sa voiture devant le 3530 de la rue Mont-Royal. La propriété d'Irénée de Blois est cossue, avec ses tourelles et ses balcons de fer forgé. Une plaquette ornementale à son nom est fixée à la hauteur des yeux, près de la porte. Claudie appuie sur la sonnette et attend, un peu anxieuse à l'idée de pénétrer dans l'intimité d'une célébrité.

– Enfin, vous voilà ! J'attendais ce plaisir depuis presque deux mois…, s'exclame l'homme qui la reçoit avec chaleur.

Intimidée, Claudie se retrouve entre ses bras qui l'emprisonnent un long moment. Lorsqu'il relâche son étreinte, elle respire mieux, se débarrasse de son manteau et le suit jusqu'à la pièce où il travaille quotidiennement. Avec ses cheveux aux épaules, son pull de laine usé et ses pantalons de velours côtelé défraîchis, on dirait un ancien hippie, devenu un peu bedonnant et pantouflard. Pourtant, il a le même âge qu'Antoine, sans cette fierté pour son apparence qui caractérisait son amoureux.

– Excusez ma tenue. Lorsque je suis en dehors de la vie mondaine, des tournées de conférence et surtout loin des caméras, je me permets un certain laisser-aller. C'est ma façon de me retrouver; la simplicité a de nombreuses vertus, dont celle de réduire l'ego, vous savez.

– Je ne m'attendais pas à être reçue autrement. J'apprécie votre accueil. Nous pourrons apprendre à nous connaître.

Pour ma part, je cherche à découvrir le passé d'Antoine, tous les aspects que je n'ai pas eu le temps de…

– Entrez… Justement, ce que vous dites rejoint le sens de mon dernier livre, « Le destin se rit de nous ». Je parle de ces fausses barrières que l'on élève entre soi-même et la réalité du moment, car on veut vivre dans l'instant. Hier, demain, rien n'est concret. Le plus souvent, on occulte tout sans que cette réaction soit consciente. Chacun filtre ce qu'il raconte aux autres. Des murailles nous empêchent de sonder la réalité dans son ensemble. Nous sommes des parcelles de nous-mêmes. Au lieu de révéler, nos fragments faussent la vérité. Mais je ne veux pas vous ennuyer avec mes théories. Sincèrement, je suis heureux de cette rencontre. Je répondrai à toutes vos… tes questions, Claudie, dit-il en s'inclinant devant sa visiteuse, dans une sorte de salut théâtral.

– Mon plus cher désir, vous vous en doutez bien, c'est de savoir qui sont les AMIENS. Cette confrérie me fascine et Antoine n'a pas eu le temps de m'en parler… sans doute les circonstances ne s'y prêtaient-elles pas.

– Évidemment, Antoine est tombé sous votre charme et cela a fait dévier plusieurs de ses préoccupations d'homme et d'artiste. Si vous saviez comme je l'envie pour cette expérience. Une passion aussi fulgurante et parfaitement irrationnelle… Mais je reviens à votre… à ta question. Il y a plus de 15 ans maintenant, nous fréquentions le même collège et, parmi l'élite de cette noble institution, cinq artistes ont émergé. Incompris et souvent ridiculisés parce que nos talents nous marginalisaient, nous avons pris la décision de mener deux vies en parallèle : celle que les autres, nos proches, la société en général, voulaient nous voir jouer et celle que nous avions choisie, celle de la créativité, de l'accomplissement de nos talents respectifs. Notre groupe s'est solidarisé autour de cette absence d'oxygène que nous ressentions à la fin de nos études. Alors, quelques jours avant la graduation, nous avons créé les AMIENS, en réunissant les mots amis et miens, formant un acronyme avec nos prénoms. Un S y a été ajouté, pour symboliser la solidarité qui nous unissait, à la vie, à la mort. Nous avons prêté serment d'être fidèles à notre vocation artistique dans l'entraide et, si l'un de nous devait y renoncer définitivement, nous avons alors juré de quitter ce monde asphyxiant.

– Mais, c'est une sorte de pacte de suicide… C'est très grave ! N'était-ce pas seulement l'exaltation de la jeunesse, de la part d'étudiants trop idéalistes ? Une promesse influencée par l'adversité, la combativité, plutôt que tournée vers la créativité… Un désir de s'affirmer et non de mourir, me semble-t-il.

– Lorsque nous avons signé ce pacte, le 20 juin 1985, nous abordions plus ou moins la vingtaine. Chacun de nous, comme Antoine d'ailleurs, a suivi sa double voie : lui a fait les Beaux-Arts puis ses parents l'ont contraint à faire HEC. Entre les deux, il a fait une tentative de suicide, le saviez-vous ?

– Sa mère Raymonde m'a brièvement parlé de cette année difficile où il a été en thérapie. Elle l'a sauvé d'une dépression… il aurait avalé des somnifères, un soir de dispute avec ses parents. Est-ce que son orientation artistique était le sujet de cette dispute ? Était-ce pour respecter son pacte qu'il avait tenté d'en finir avec les pressions familiales, dites-moi ?

– Oui, son choix de vie était basé sur l'accomplissement artistique; ses parents lui refusaient cette possibilité. Il a donc opté pour le renoncement à la vie. Par la suite, isolé de notre groupe pendant un an, sous thérapie, en cure fermée imposée par ses parents, Antoine a fait le choix de poursuivre ses études jusqu'au MBA. Mais il a rejoint le groupe parallèlement à ses études, nourrissant ainsi en secret son idéal de créateur. Évidemment, ses parents n'en savaient rien. Dites-moi, a-t-il eu le temps de vous faire partager sa passion pour la peinture ?

– Très peu, et croyez que je le regrette. J'ai vu chez ses parents un tableau avec leurs mains, très émouvante représentation de la famille et, j'ai obtenu le tableau de la plage en bord de mer, tableau encore inachevé, demeurant d'ailleurs non signé, au moment où j'ai fait sa rencontre.

– J'aimerais vous donner un aperçu du talent très particulier que possédait Antoine. Selon moi, il est le plus grand peintre de ces dernières années, même si personne n'a jamais vu sa production, à l'exception des AMIENS. Quel paradoxe !

Irénée quitte son bureau et demande à Claudie de le suivre. Un corridor sombre orné de centaines de tableaux et de gravures, puis un escalier large avec une main courante de velours rouge fixée au mur par des anneaux de laiton, constituent le décor de l'antre du philosophe. Claudie a l'impression qu'elle vient de changer de siècle, en quelques secondes. Une lourde porte de bois grince un peu, donnant accès au premier étage et un autre corridor, portant encore une tapisserie murale d'époque, s'ouvre sur une grande salle circulaire.

– C'est ici que les AMIENS se réunissent une fois par mois ou plus, selon la disponibilité de chacun. Cette pièce comporte toutes les archives de nos années d'existence : livres anciens et récents, musiques et partitions, chant classique, histoire de l'art, répertoire théâtral tragique, classique et moderne, *comedia dell'arte*... Toutes les formes d'art s'épousent ici. Il faut vous dire qu'Antoine excellait en peinture, Michel était pianiste-concertiste, Étienne est comédien et Nathan, un ténor maintenant reconnu internationalement. Peu importe la question qui se posait, lors d'une discussion animée, nous pouvions trouver la réponse, et ce, avant même que l'ordinateur ne devienne un outil aussi universel qu'impersonnel : c'est à mon avis un peu rétrograde...

– Je vous interromps... Vous avez dit que Michel était musicien... Pourquoi en parler au passé ?

– Il s'est suicidé il y a trois ans, après avoir été confronté à un choix déchirant. Son épouse exigeait de lui qu'il mette fin à ses tournées pour leur permettre de vivre en famille. Elle désirait avoir un enfant et elle ne voulait pas trouver sa maison vide pendant des mois. La solitude... elle la redoutait ! Michel ne pouvait renoncer à cette vie euphorisante pour laquelle il avait tant investi. Au sommet de son art, il s'est endormi entre les bras de sa femme, sans qu'elle devine son geste, pour ne plus jamais se réveiller. La version officielle de son décès est celle d'un infarctus.

– Comment les AMIENS ont-ils réagi à cette disparition d'un des leurs ?

– Nous avons réuni la confrérie pour une veillée en son honneur. Nous avons brûlé son serment et, chacun notre tour, nous avons partagé nos plus beaux souvenirs de ce grand pianiste, ce musicien incomparable, qui n'aura transmis son talent à aucun descendant. Comme une bougie qui s'éteint, il est maintenant dans l'ombre de cette salle, vivant exclusivement dans nos mémoires.

– Et lorsqu'Antoine a disparu, qu'avez-vous fait ?

Irénée hésite un moment avant de répondre. Il se dirige vers la chaise dédiée à son ami et la tire comme pour permettre à Claudie de s'y asseoir.

– Je ne veux pas une mise en scène, ajoute Claudie, les larmes aux yeux, je veux la vérité.

– Nous avons fait une deuxième soirée de veillée. Nous sommes en droit de penser que la disparition d'Antoine équivaut à un suicide, volontaire ou accidentel. Nous lui avons rendu un hommage posthume, déplorant là encore qu'il n'y ait pas d'héritier pour ce talent exceptionnel. Une seconde bougie ne brillera plus. Croyez bien que je le déplore.

Claudie devrait-elle lui avouer qu'elle est enceinte ? Que changerait son état au fait que ses amis le croient mort, et qu'ils accréditent a priori la thèse du suicide.

– Vous a-t-il confirmé son intention de mettre fin à ses jours, lors de la dernière rencontre ? lance Claudie, incapable de prononcer le mot suicide sans fondre en larmes.

– Il nous a confirmé que la vie venait de lui faire le plus beau cadeau qui soit, évoquant votre rencontre en décembre et, que la destinée lui posait un piège pernicieux en faisant correspondre ce bonheur avec sa nomination à la tête de

Chapitre 5

Tessier-America. Son pacte impliquait un renoncement double, nous a-t-il confié alors qu'il balançait entre la légitimité de la succession familiale et l'euphorie de l'amour. Nous en avons discuté avec lui pendant de longues minutes, puis il nous a dit adieu. Lorsqu'il nous a quittés ce dernier jeudi avant votre départ, nous présumions qu'il ne reviendrait pas de ce voyage.

Claudie est bouleversée. Elle refuse de croire que la décision d'Antoine était prise, celle de disparaître, avant même leur départ en amoureux. Antoine ne peut pas lui avoir menti ! Pourquoi lui aurait-il dissimulé ses sentiments profonds ? Leur amour n'a pas été qu'une illusion ! Il voulait réellement partager sa vie avec elle. C'est sa conviction et elle demeure forte quoique les propos d'Irénée créent un nouveau choc, venant agrandir la petite faille du doute. Cet accident était-il soigneusement orchestré ? La bague de fiançailles et la clé du coffret, l'allusion au retour difficile à la vie de gestionnaire qui les attendait : des indices ou des coïncidences ? Fermement, la jeune femme écarte cette vague de pensées négatives. Elle songe même à affronter la thèse de son hôte avec une certaine arrogance dans la voix.

– Cet adieu voulait peut-être simplement dire qu'Antoine souhaitait quitter la confrérie. Le choix de s'attacher à moi signifiait peut-être aussi qu'il optait pour une nouvelle vie ? Il savait que jamais je ne lui demanderais de renoncer à son talent puisque j'ai eu l'occasion, à quelques reprises, de l'encourager à se faire connaître en tant que peintre. L'idée qu'il ait pu opter pour un retrait vous choque-t-elle ? Il voulait peut-être tout simplement s'affranchir. Est-ce la maturité qui se cache derrière cet adieu ? Où est la vérité ?

Irénée passe nerveusement la main dans ses cheveux, rompant ainsi avec l'attitude calme du début, parfaitement maîtrisée et assez dominatrice. En perdant du terrain, en se sentant attaqué dans sa théorie des fausses vérités, il perd cette sorte d'emprise sur la conversation, emprise qu'il affichait depuis l'arrivée de Claudie. Ses arguments lui reviennent en plein visage !

– Ce scénario ne nous a pas semblé envisageable puisqu'Antoine s'abreuvait littéralement au groupe et que ce support lui était indispensable. En dehors des AMIENS, il n'existait pas réellement... jusqu'à ce qu'il vous rencontre. Un changement de perspective aurait-il pu lui apporter cette idée de détachement, cette indépendance par rapport à la confrérie... si soudainement ? J'en doute, mais votre argument mérite réflexion...

Claudie constate qu'elle vient d'ébranler la certitude un peu arrogante de son interlocuteur. Et elle n'a pas épuisé ses motifs de rejeter le point de vue, trop radical à ses yeux, de cet homme. Elle reprend la parole en le fixant de son regard bleu si troublant.

– J'ai été témoin de sa très grande satisfaction professionnelle lorsqu'il est revenu de la Floride avec, dans ses cartons, un travail digne d'un architecte, d'un graphiste professionnel; ce travail lui permettait, pour la première fois de sa vie je crois, de concilier ses talents artistiques et la gestion d'un projet de construction, en continuité avec l'entreprise familiale. J'y vois la preuve que cette conciliation était non seulement possible, mais aussi qu'elle était une grande source de satisfaction pour Antoine. Pendant des années, vous aviez creusé un fossé entre ses deux mondes, tant du côté des AMIENS que du côté des Tessier. Alors, le jour où il constate que ces deux univers peuvent cohabiter en lui, puisqu'il peut inventer, proposer, développer, conceptualiser et réaliser un projet comme sa maison *home-in-a-box* et voir le succès saluer ses efforts, Antoine peut s'affranchir de ses deux mal-être d'un seul coup. Il devient le maître de sa destinée, pour la première fois de sa vie. J'ai été témoin de ce processus. Il vous a dit adieu parce qu'il pouvait déterminer lui-même sa capacité de créer, se libérer de votre emprise, avec mon appui évidemment.

Irénée n'a pas bronché. Avait-il déjà mesuré l'effet pervers du clan AMIENS sur les choix personnels de ses membres ? Lui, l'instigateur de cette confrérie, avait-il agi pour conserver un monopole, une exclusivité, une mainmise sur les talents de ses pairs ? L'effet d'entraînement du groupe avait-il amené chaque individu à tracer une frontière entre l'oppression confortable et le danger de devenir libre de ses choix… En vase clos, une désinformation systématique avait-elle élevé un filtre entre l'absolu de la démarche créatrice, le but ultime, et le reste des activités humaines ? Comment le travail, l'amour, la vie de famille, et d'autres formes d'accomplissement avaient-ils pu devenir des effets pervers au fil des années ?

Décidément, Claudie soulevait là une seconde incohérence en regard de la notion de vérité appréhendée et de la réalité sans filtre. Pendant presque quinze ans, les AMIENS avaient détourné la notion du développement équilibré de leurs membres en focalisant uniquement sur l'importance de la démarche de créativité, allant jusqu'à leur demander le sacrifice ultime. N'était-ce pas une forme de propagande, une dictature sur les êtres et leur conscience ?

– Les AMIENS ont choisi eux-mêmes et pour eux-mêmes ce que devait être leur confrérie. Ils en étaient les maîtres et non les victimes, comme vous semblez le prétendre. Le suicide de Michel nous avait d'ailleurs amenés à discuter de cet absolu. Une bougie ne peut pas être à la fois allumée et éteinte… Notre solidarité était un lien tissé de débats, parfois exaltés j'en conviens, mais chacun a toujours pu donner son point de vue ouvertement, me semble-t-il. Là où votre argument me touche, c'est que nous avions le sentiment que l'univers extérieur était hostile à notre démarche de création… C'est le fait d'une pensée adolescente qui aurait pu évoluer… avec plus d'équilibre, j'en conviens aussi. D'après vous, Antoine se serait soudain senti adulte dans ses choix et il aurait réalisé que d'autres accomplissements le rendaient aussi fier de lui et de sa capacité de créer ? C'est possible. L'adversité s'était muée en complicité et il avait devant lui un horizon soudainement dégagé qui lui permettait d'être lui-même dans une multitude de champs : amour, affaires, famille et art, tout se conciliait enfin. Il pouvait abandonner le groupe, quitter le clan et voler de ses propres ailes… Était-ce le sens de cet adieu ? Vous m'amenez à envisager cette possibilité je dois le dire...

Irénée sent le besoin d'alléger la pression que cette conversation fait reposer sur ses épaules. Pourquoi ressentait-il soudain la présence de Claudie comme une menace ? Était-elle venue ici pour le juger, pour le blâmer ? Depuis la création des AMIENS, il avait toujours pressenti les femmes comme un frein à l'évolution de leur confrérie. Il aimait limiter l'apport féminin à l'inspiration, à la conquête, à l'exaltation de la rencontre homme-femme plutôt qu'à l'écoute de leurs points de vue. Mais Claudie avait réussi à séduire Antoine, à l'encourager dans sa créativité, à lui permettre de rêver d'une vie différente, conciliante, épanouissante. C'était une brèche dans la philosophie des AMIENS : voulait-elle aujourd'hui en faire une guerre à finir ? Irénée la regarde maintenant avec une certaine réserve, une crainte à peine voilée. Pour faire diversion, il lui offre à boire et il tente de se soustraire à ce regard bleu qui le scrute comme le ferait un scanner.

– Je prendrais volontiers un Perrier, si vous en avez sous la main, dit-elle pour amorcer une trêve. Ce lieu est une sorte de chapelle... au sens idéologique du terme. Les AMIENS avaient épousé une doctrine assez radicale, bien que leur but ait été de favoriser la créativité, donc de libérer les pulsions créatrices. J'imagine que vous avez dû y vivre des moments d'euphorie collective hors du commun... La rencontre de tous les arts, l'élitisme intellectuel, la stimulation de tous les sens et la création de toutes les beautés possibles...

– Je suis touché de voir que ces aspects ne vous ont pas échappé. Vous avez une grande sensibilité à la chaleur des espaces, à leur ambiance, à leur âme... Ce lieu a été le théâtre de toutes nos interrogations existentielles, de notre quête d'absolu et de notre élévation spirituelle. Oui, plus qu'une chapelle, ce lieu est notre cathédrale, notre lieu de sacrifice et de résurrection. Nos bacchanales n'acceptaient aucune limite, aucune contrainte, aucune entrave. Nous pouvions tout dire et tout faire ici, et nulle drogue n'était requise. La chimie de nos âmes suffisait à faire éclore une lumière telle que vos yeux si bleus auraient dû abdiquer... La vie y a coulé comme une sève féconde pendant ces quinze années d'une intimité telle que chacun aurait pu se prétendre l'amant des autres. L'exclusivité d'un tout, à la fois divisée en cinq, multipliée par cinq et additionnée de nos expériences communes ou individuelles, n'a connu qu'une soustraction au fil des ans, avant la disparition d'Antoine. Sachez qu'il nous manque cruellement; corps et âme confondus, nous le pleurons et le rappelons à notre mémoire. Quoique nébuleuse, sa disparition est réelle. Nous croyons qu'il s'agit d'un choix de sa part et nous l'acceptons comme tel.

Sans le vouloir, Irénée venait de glisser à nouveau sur le terrain miné du possible suicide d'Antoine. Claudie prend une longue gorgée d'eau minérale et relance la discussion, implacablement sûre d'elle-même.

– Je crois qu'Antoine a été victime d'un accident et qu'il n'a pas choisi de disparaître en cet après-midi parfait du 31 décembre 1999. Ce choix aurait été le plus insensé des scénarios. Son père Jean-Paul l'avait convié à la réunion du conseil d'administration de *Tessier-America* pour y annoncer qu'il désirait prendre sa retraite. Son premier choix, son intention réelle était de passer les rênes à son fils qui, à 35 ans, en avait les pleines capacités. Mais Antoine avait une autre vision de son avenir. Évidemment, pour ne pas priver père et mère d'une récompense bien méritée, il aurait accepté cette nomination, mais une fois les commandes en mains, il aurait partagé les fonctions de direction avec ses administrateurs et il se serait délesté des fonctions-clés qui ne lui convenaient pas. Il avait fait avec moi le choix de vivre en famille et de jouir de la vie, tout en conservant la possibilité de créer, de peindre, de refuser en somme la prison de son titre et de ses avoirs. C'est ma conviction, basée sur les discussions que nous avons eues avant sa disparition accidentelle. L'option de déléguer était son scénario privilégié, car il ne faisait que des gagnants.

– Alors, pourquoi dire adieu aux AMIENS ? Il aurait pu continuer à évoluer avec nous, et concilier le tout assez facilement…

– Intérieurement, en optant pour une vie unifiée, si je peux dire, il trahissait votre philosophie. Il bafouait votre vision unilatérale de la création artistique. Il remettait en question votre existence… vos principes fondateurs. Pour éviter d'ébranler les colonnes du temple, il a préféré vous dire adieu… Bougie éteinte, il choisissait de vivre comme tous les autres humains qui sont libres de leur destinée.

– J'apprécie que cette conversation se fasse à huis clos, car votre détermination à démolir les AMIENS prend le visage de l'acharnement. Je conçois que vous refusiez de croire qu'Antoine se soit volontairement enlevé la vie, mais prenez garde de ne pas renier trop tôt l'existence des AMIENS et de trahir ainsi sa mémoire et son immense talent. Le choix d'Antoine d'appartenir à cette confrérie et d'en suivre les règles lui était très cher, je vous l'assure. Quoi qu'il en soit, le voile de sa disparition peut cacher un suicide ou un accident, sans que cela change nos destinées; la vôtre et la mienne demeureront dans la continuité. Je le déplore pour vous, car vous étiez sur le point de vivre une vie de rêve aux côtés d'un prince charmant et la destinée vous renvoie à votre célibat…

Ces dernières paroles atteignent Claudie en plein cœur. La mauvaise conscience d'Irénée lui fournit des armes qu'elle n'apprécie guère. Elle se sent blessée. Pourquoi se permet-il de lui prêter des intentions matérialistes alors que sa rencontre avec Antoine a été et demeure une histoire d'amour et de complémentarité. De plus, il fait fausse route en présumant que sa destinée n'en sera pas profondément marquée.

– J'ai des raisons de croire qu'Antoine n'a pas simplement été une relation éphémère pour moi. Il est entré dans ma vie le 1er décembre 1999 et il demeure profondément dans mes pensées, même si pour le moment nous ne sommes pas d'accord, vous et moi, sur les causes de son absence. L'une de ces raisons, qui me permet d'espérer avec autant d'énergie et de foi son retour, c'est que je suis enceinte de lui. Je porte son enfant !

Irénée semble ébranlé dans ses convictions. Ses attaques étaient malhabiles et erronées. Il regrette ses dernières paroles.

– Je suis... très maladroit aujourd'hui. Excusez Claudie mon arrogance. Je n'avais pas à vous prêter des intentions quant à votre situation financière, celle projetée par une union avec Antoine Tessier... Et encore moins le droit de prétendre que vous êtes punie, que sans lui, votre destinée et votre potentiel seront amoindris... Mes paroles ont dépassé ma pensée. Je devrais vous féliciter pour cette nouvelle; me réjouir de savoir qu'Antoine survivra, son talent aussi, vous donnant raison, en partie, dans votre appréciation de cette disparition.

– Vous savez Irénée, mon intention en venant ici n'était pas de débattre de vos arguments, ni de remettre en question l'existence même des AMIENS, mais plutôt de chercher à mieux connaître cet Antoine que j'aime et que je continuerai d'aimer pour le reste de ma vie. J'accepte à la fois vos excuses, que je sens sincères, et vos félicitations. La destinée me place dans une situation d'émerveillement tel... que je ne peux lui en vouloir de me laisser dans l'inconfort temporaire de sa disparition. Je l'ai aimé au premier regard : toute ma vie en sera transformée, quoique les observateurs puissent en penser. Je voudrais tellement agir en continuité avec l'amour qu'il m'inspire. Je suis aussi une créatrice, une femme qui croit au droit et au devoir de chacun d'inventer sa vie, de l'embellir, de la réussir d'une façon unique et profondément personnelle.

Ce drapeau blanc annonciateur de paix semble réconforter Irénée. Il voudrait reprendre la conversation sur une note plus conviviale. Alors, il se verse une lampée de cognac, dont la carafe est au centre de la table ancienne et vient s'asseoir à la place qui est habituellement la sienne. Il boit d'un trait, laissant le liquide ambré lui brûler la gorge et réchauffer ses pensées. Deux secondes de délices comme il les aime...

L'œuvre inachevée

– Qui était Antoine ? se demande-t-il comme perdu dans ses souvenirs. C'était un étudiant timide d'abord, studieux et assez solitaire. Lorsqu'il a émergé de son adolescence, il était devenu fier de ses succès, décrochant des notes et des appréciations pour ses qualités d'élève modèle. L'acceptation de son talent pour la peinture a été au cœur de ce redressement. Tant que le regard des autres lui renvoyait l'image d'un rêveur, d'un homme sensible à la beauté, d'une émotivité à fleur de peau, il était perpétuellement blessé, marginalisé, exclu. Les étudiants qui ne s'imposent pas, c'est bien connu, s'en laissent imposer facilement. Or, la maîtrise de son émotivité l'a amené à quelques colères, à quelques combats de coqs et, lorsqu'une occasion lui a été donnée d'exposer quelques-unes de ses toiles, il a fait surface dans ce monde de confrontation. Les tableaux qu'il avait exposés alors avaient fait le travail pour lui : pureté des lignes, subtilité des thèmes, émotions suscitées chez l'observateur, ses toiles étaient des miroirs universellement appréciés… sauf de la part de ses parents, ce qui le blessait profondément.

– À cette époque, les parents d'Antoine souhaitaient le voir entrer sans discussion, comme une relève évidente, dans l'entreprise familiale. Jean-Paul et Raymonde ne voulaient que la continuité, la stabilité. Loin d'être condamnable, cette réaction me semble assez normale, fréquente même selon moi, suppose Claudie.

– Oui et non. L'insistance des parents a sans doute alors creusé la première tranchée. En lui rappelant sans cesse que les Tessier étaient une dynastie et qu'à titre d'héritier, il devait se consacrer à poursuivre les aspirations de la lignée, les attentes de ses parents étaient formelles, rigides, inclusives. Est alors apparue une réaction vive, une sorte de braquage de part et d'autre. Plus les parents insistaient et plus Antoine devenait intolérant : le besoin de créer, d'être libre, de choisir sa destinée s'est alors cristallisé. Il a étudié comme un fou pour se hisser au rang du meilleur élève en pensant que ses parents reconnaîtraient son droit de choisir. Mais c'est le contraire qui s'est produit. Il était très entier, du blanc, du noir et aucune zone grise chez lui. Fier, il a exigé de ses parents le respect de son choix de devenir artiste peintre et de vivre de son art. C'est à la suite de cette discussion orageuse qu'il a fait une tentative de suicide.

– Après la thérapie, il s'est soumis, du moins en apparence... n'est-ce pas ?

– Il a choisi de jouer le jeu et d'étudier en administration. Pendant ce temps, il fréquentait les AMIENS et poursuivait sa formation d'artiste. Tant que ses deux mondes ne se touchaient pas, il était confortable avec sa stratégie. C'est un homme déterminé à devenir un jour un grand artiste qui évoluait sous nos yeux. Il a tout fait pour retarder le moment de la passation des pouvoirs en quelque sorte, jouant le rôle du fils parfait. Puis s'est posée la question de son orientation sexuelle. Depuis le collège, ses parents craignaient que leur fils, peu enclin à fréquenter les filles, ne soit homosexuel. Notre confrérie représentait aux yeux de Raymonde en particulier, une menace. Elle croyait que les activités de création incluaient, encourageaient même les orgies homosexuelles. Elle nous a alors livré une guerre sans merci, demandant de la surveillance policière pour nos locaux, faisant suivre son fils par un détective privé, tentant de représenter notre groupe comme une secte démoniaque. Il y a trois ans, lorsque Michel s'est suicidé, elle a convaincu son épouse de nous poursuivre... Selon elles, nous avions poussé notre membre à se suicider, à respecter un pacte de suicide signé en 1985. Mais l'état de stress et l'équilibre mental précaire de Michel, ses querelles constantes avec son épouse, ont fait avorter le procès. « Les AMIENS n'ont vraisemblablement pas eu une influence significative sur la décision de la victime de mettre fin à ses jours », a conclu le juge. Alors, la version publique d'une mort par défaillance cardiaque est demeurée plausible.

– Je peux comprendre ce qui a motivé ces femmes à s'insurger contre votre organisation... Placée dans ce contexte, j'aurais été implacable envers vous tous... Vous n'avez pas idée de ma réaction, en pareilles circonstances... Dieu vous en préserve ! Mais par la suite, comment a-t-il renversé cette fausse réputation d'homosexualité ?

– Nous avions alors pensé à lui offrir des alibis. Nous le mettions en contact, mois après mois, avec des filles de la rue, des pies, des femmes sans éducation qu'Antoine présentait à sa famille en prétendant qu'il en était amoureux... Raymonde et Jean-Paul organisaient un souper et ils faisaient la connaissance de l'élue. Les conquêtes rejetées, l'une après l'autre, avaient eu raison de l'insistance de Raymonde. « Ne nous présente plus les femmes que tu fréquentes... Elles ne sont pas dignes de notre rang social ! » avait fini par déclarer sa mère, en signe de trêve. Alors, Antoine avait pu aborder la recherche de la personne qui lui conviendrait vraiment avec sérénité. Il voulait choisir; il voulait aimer vraiment ! Il attendait une personne exceptionnelle... C'est en toi qu'il l'a trouvée !

– Voilà pourquoi Raymonde m'avait confié son étonnement, le soir des présentations, de voir au bras d'Antoine une femme jolie, bien élevée, presque digne de devenir sa fille... Mes concurrentes ne faisaient visiblement pas le poids. Une question m'intrigue. Mis à part Michel, qui s'est marié, les trois autres AMIENS sont-ils tous célibataires ?

– Je n'ai eu personnellement que des aventures de peu d'importance, ce qui s'explique par ma façon un peu marginale de vivre. Je suis hétéro... Étienne est homosexuel et Nathan est son amant depuis l'époque du collège. C'est un couple fidèle comme j'en ai rarement vu, toutes orientations confondues. Voilà qui devrait satisfaire votre curiosité. Vous savez maintenant comment Antoine a évolué au fil des ans. Mais ce que vous ignorez encore, c'est l'ampleur de son talent. Vous plairait-il de découvrir quel artiste était Antoine ?

Le regard de Claudie se met à briller et, émue de cette proposition, elle accepte avec empressement.

– Est-ce ici qu'Antoine travaillait ? Où est donc son atelier ? Je ne le lui ai jamais demandé...

Chapitre 5

– J'ai acheté cette maison en 1990, suite à un héritage important qui a également contribué à ma notoriété d'écrivain. Sans un sou, l'homme n'est jamais vraiment libre d'exprimer et de défendre ses idées... En faisant le choix de cette vaste demeure, je désirais être en mesure d'offrir un toit aux AMIENS, ma seule vraie famille, et de permettre à chacun de se sentir comme chez lui, entre ces vieilles pierres. Antoine avait transformé le grenier en atelier de peinture. C'est là qu'il venait peindre à toute heure du jour ou de la nuit. Il s'agit d'un temple que personne n'a jamais visité en dehors des membres de la confrérie. En fait, nous ne sommes plus que trois à pouvoir mesurer l'importance de cette collection. Mais aujourd'hui, je voudrais vous montrer qui était réellement le grand peintre Antoine Tessier.

– Je meurs d'envie de voir ce qu'il a produit, de découvrir son style, après avoir contemplé deux de ses œuvres, à titre privilégié. Allons-y...

La conversation entre Irénée et Claudie prend une tournure plus amicale après plusieurs longues minutes d'un débat intense. Le deuxième étage est consacré aux appartements privés du maître de la maison et aux chambres d'amis qu'il met à la disposition des artistes de son entourage. Un étroit passage, assez sombre malgré l'éclairage mural, débouche sur un escalier plutôt étroit. La porte d'accès est fermée à clé, mais la clé pend sur le crochet à chapeau, qui occupe le centre de la porte. Irénée fait grincer la serrure et il cligne des yeux en entrant dans la pièce. Sitôt entré, il s'écarte du passage et laisse Claudie découvrir l'atelier du prolifique artiste.

Sous le dôme circulaire de la tourelle, les puits de lumière renvoient un éclairage si dense, si éblouissant, que Claudie se croirait sous le soleil de juillet. Peu à peu, ses yeux s'habituent à cette luminosité exceptionnelle. De larges fenêtres panoramiques forment un demi-cercle, s'ouvrant sur le paysage du mont Royal tout enneigé. Au centre, une table, un chevalet, des palettes multicolores et des pots. Une odeur d'acrylique et d'huile parfume la pièce. Son regard est attiré par ce drap grisâtre maculé de gouttelettes de peinture, qui recouvre l'œuvre en cours.

– C'est ici que sont nés les chefs-d'œuvre d'Antoine. Comme sa production est relativement abondante, nous avons utilisé les trois galeries qui séparent les tourelles afin d'y entreposer sa collection. Avant de vous montrer de quoi il est question, j'aimerais que vous regardiez la toile qu'il a peinte en décembre.

Irénée s'approche du chevalet et fait glisser le tissu vers le sol. Claudie reste clouée sur place, incapable de prononcer un seul mot. Elle découvre toute la brillance de ses yeux, les contours fins de son visage, ses cheveux de jais, son expression amoureuse, ses épaules dénudées dans sa tunique bleue. Elle est assise sur son lit, adossée à ses coussins, une jambe allongée tandis que l'autre est repliée sous son menton, retenue pas ses deux bras croisés. Ce portrait est empreint de nuances, de sensibilité, d'admiration, d'amour. Elle s'en approche pour observer les détails. Il a peint à son doigt la bague de fiançailles qu'il se proposait de lui offrir. Il a placé dans ce regard toute la chaleureuse attente de l'amant à qui l'on dit : Viens, je t'attends !

– Magnifique… très intime… Je suis émue et un peu gênée de savoir que vous avez tous vu cette toile. C'est… une merveille ! dit-elle en essuyant une larme.

– Ces derniers mois, il a peint une dizaine de versions de la scène de la plage, dont l'une est maintenant en votre possession, je crois. Il a investi ce décor, cette étude devrais-je dire, d'une telle énergie, que je crois qu'il y a mis toute son âme. Puis, vous êtes apparue… au cœur même de ce tableau !

Irénée prend la main de Claudie et l'entraîne vers la galerie de droite. Les supports sont partout, même au plafond, des présentoirs occupent le plancher et chaque mur est recouvert de tableaux.

– Nous avons classé sommairement, par date de réalisation, toutes ces œuvres : avant 1980, puis par décennie. Vous avez ici les plus récentes.

Claudie découvre le travail immense, la précision, la recherche d'excellence qui poussait Antoine à définir ses tableaux en traduisant en couleur une émotion dominante. La scène de la plage était parfois douce, parfois agitée par les vents, parfois grouillante de vie ou encore endormie dans son écrin, au soleil couchant. Chacune portait une beauté indéfinissable, une sorte de langage d'âme à âme qui ajoutait à sa profondeur. L'artiste savait parler à travers ses couleurs, ses formes, un langage émotionnel… universel.

– Pour Antoine, ce tableau représentait sa destinée, la vie qu'il souhaitait toucher du doigt en cette nouvelle période de sa destinée. C'est une toile qui marque une transition dans sa pensée, et cela donne raison à quelques-uns de vos arguments… Mais le destin s'est bien ri de lui… En réalité, sa pensée créatrice ne lui montrait pas la vie, mais la mort… Elle l'avertissait du danger. Pourquoi n'a-t-il pas compris ce message ? Parce que son amour pour vous a servi de filtre. Il a interprété l'attrait de la mer avec un regard sympathique, fusionnel, alors que cette mer voulait l'engloutir. Ce tableau prémonitoire me trouble énormément. Le danger a été déjoué par cette fascination que vous lui avez inspirée. Il n'a pas lu le bon message et il s'est perdu dans son rêve, en croyant le trouver.

– L'appel du destin n'est peut-être pas aussi déterministe que vous le pensez… La culpabilité place aussi un filtre sur les événements. Votre regret de sa perte vous fait regarder ce tableau comme s'il était porteur d'un signal d'alarme ignoré… Mais lorsqu'il a fait mon portrait, ce signe qu'il allait disparaître, ou l'idée que je pouvais représenter une menace pour lui, n'existait pas encore. Il ne me craignait pas; il me voyait amoureuse, ce que je suis, et non diaboliquement menaçante pour lui. Si j'avais refusé son offre de voyage, il serait encore là… selon vous ?

– Il aurait pu mettre fin à ses jours de plusieurs manières. Le lieu est un simple décor, une mise en scène. Le cœur de la question, c'est de savoir ce qui s'est passé dans sa tête, à ce carrefour important de sa vie. Comment le savoir ?

– Et dites-moi, combien de tableaux y a-t-il ici ? Le savez-vous ?

– Il y en a près de 3000. Ses premiers tableaux, pendant ses années de collège, sont des natures mortes, des paysages et quelques personnages qui le fascinaient. Nous avons une centaine de tableaux de cette première période. Il avait alors déjà un talent évident, malgré son jeune âge. Puis, d'année en année, son art s'est affirmé. Il peignait environ 120 tableaux par année, de sorte que la collection des années 1990 compte 1200 tableaux. Puis la dernière décennie s'est amorcée avec un nouvel élan. Il a peint en moyenne 150 tableaux par année…

Claudie marche dans l'étroit corridor dégagé, entre les supports de bois et le mur, regardant également le plafond pour y voir l'étalage des thèmes, la variété des impressions, la palette invraisemblable de sujets qui attiraient le peintre. Pas de croûtes… seulement des œuvres parfaitement maîtrisées, à l'huile, à l'acrylique, utilisant parfois la spatule pour des effets de profondeur étonnants. Comme Alice au pays des merveilles, elle tente de capter toute la magie de cet instant. « Toute la vie d'Antoine est ici, se dit-elle. Personne ne pourra mieux me parler de lui que ses œuvres ».

– Et qui est propriétaire de cette collection, selon vous ?

– Antoine et sa succession… Les AMIENS n'ont aucun droit sur les créations de leurs membres. C'est un article de notre convention. Comme vous portez l'enfant d'Antoine, lorsque vous présenterez une preuve d'ADN qui confirme le tout, vous pourrez prendre possession de plein droit de la collection, car je doute que ses parents y voient un quelconque intérêt. Je la conserve ici, bien évidemment, d'ici là, si vous n'y voyez pas d'objections. Elle est royalement assurée d'ailleurs.

– Vous savez Irénée, j'hésite à vous l'avouer, mais… ce serait mon plus cher désir, que de mettre en valeur cette collection, de faire connaître au monde entier ce peintre de grand talent. Ce sera aussi le patrimoine de notre enfant… lorsqu'il sera en âge de comprendre quel artiste est son père.

Chapitre 5

La signature d'Antoine Tessier va devenir un investissement digne des plus grands collectionneurs du monde, tandis que la collection de base sera protégée et exposée, à l'abri de la spéculation. Qu'en pensez-vous ?

– Une célébrité posthume… en quelque sorte.

– Non, un prélude à son retour ! précise Claudie.

Le débat aurait pu reprendre, mais les deux admirateurs d'Antoine préfèrent commenter d'un même élan, le talent qui s'expose à leurs yeux privilégiés.

– Je vous remercie, Irénée, de cette franche discussion. Je comprends qu'Antoine ait une telle confiance en vous. Nous nous reverrons… dans quelques mois. Évidemment, je vous demande d'être discret sur ma future maternité. Je ne désire pas voir arriver une meute de journalistes à ma porte… Et comme vous l'évoquiez, j'ai repris en apparence une vie de célibataire sans histoire… À mon tour d'avoir une double vie.

– Votre visite m'a ouvert les yeux sur plusieurs aspects de notre confrérie que nous ne percevions pas de l'intérieur. Nous aurons l'occasion d'en discuter prochainement en présence d'Étienne et de Nathan. Portez-vous bien et continuez d'être simplement vous-même : je suis heureux de vous compter au nombre de mes amis.

Lorsque Claudie regagne le stationnement, elle a le sentiment que cette rencontre était inévitable pour la suite de sa vie. « Irénée n'est-il pas le gardien du passé d'Antoine, alors que moi, je suis celle sur qui il compte pour assurer le présent et pour bâtir son avenir, notre avenir ? » ajoute-t-elle en posant la main sur son ventre qui a commencé à s'arrondir. Pendant les jours qui suivent, elle essaie d'imaginer comment, avec 500 000 $ et une collection de 3000 toiles, elle pourrait planifier les prochaines années. Est-il plus sage de continuer son travail d'infographiste et de mener une vie de célibataire rangée, tout en assumant sa grossesse seule, ou est-ce qu'il existe d'autres scénarios possibles ? Se pourrait-il que ces nouveaux éléments lui permettent de faire un clin d'œil à cette destinée sombre que tous devinent, déplorent même ?

Les jours passent et le printemps pointe son nez, timidement d'abord, puis avec un effet bienfaisant sur les décors et les humeurs. Certaines personnes, dans l'entourage de Claudie, se désolent de la voir aller au travail, chaque jour, comme si elle était victime des événements. « Cette pauvre Claudie qui avait enfin trouvé l'amour, qui accepte bravement le drame de la disparition de son prince charmant et qui supporte maintenant le poids d'une grossesse en solitaire, aura-t-elle le destin misérabiliste qu'on lui trace ? Va-t-elle ruminer toute sa vie ce mauvais coup du sort qui l'a privée d'une vie riche et sans souci auprès d'Antoine ? » Tous ces commentaires la laissent pensive : si elle n'était pas convaincue du retour d'Antoine, cette réaction pessimiste aurait en effet semblé toute tracée, comme si Claudie devait payer implicitement le prix de ce bonheur illicite dérobé à la destinée. Mais elle n'a rien volé à quiconque, elle n'a donc pas l'intention de s'apitoyer sur son sort. Lorsqu'elle regarde le tableau du bord de mer, cadeau d'Antoine, elle sait qu'ils méritaient tous deux ce bonheur. « Ma destinée n'est pas figée à cette seule représentation. J'ai le pouvoir de la contrôler, de l'inventer, de la choisir heureuse, jusqu'à ce que nous soyons réunis à nouveau. Alors ce sera un merveilleux retour… au paradis ! », se promet-elle.

Chapitre 6

La salle d'attente grouille de patients. Les uns et les autres s'agitent en attendant l'appel de leur nom. Cette clinique de médecine familiale regroupe des dizaines de spécialistes qui se côtoient dans un souci de bien gérer la précarité que crée la maladie. Claudie attend avec impatience ce rendez-vous avec la docteure Judy Lebel qui assure le suivi de sa grossesse. L'heure est venue de passer une échographie révélatrice : fille ou garçon ? Elle connaîtra dans quelques minutes le sexe de son enfant. Elle a placé sa main sur son ventre arrondi pour calmer son impatience. Le magazine qu'elle a en main ne l'intéresse pas vraiment, malgré des présentations accrocheuses et un graphisme particulièrement étudié. Les minutes s'éternisent… « Presque une heure de retard... tout de même ! » pense Claudie qui a pris son après-midi de congé pour cette étape importante.

Elle aimerait, comme ce jeune couple sur l'autre rangée, glisser sa main dans celle d'Antoine et partager avec lui ses humeurs, ses attentes, ses inquiétudes aussi. Mais l'absence fait partie de son quotidien et elle l'accepte, mettant à contribution sa famille, ses amies et son réseau personnel lorsqu'un besoin se fait sentir. Sa mère Carmen et sa sœur Sophie la maternent : Claudie retrouve dans le cocon familial une sorte de havre de paix. René n'en revient pas de voir sa fille s'épanouir de semaine en semaine et il ne tarit pas de qualificatifs pour lui montrer son admiration et sa fierté. Ses talents d'ébéniste ont été mis à profit pour offrir au futur bébé et à sa maman un mobilier exclusif et parfaitement réalisé, selon les vœux de Claudie. La visite dominicale représente un moment d'intimité pour chacun, et de ressourcement pour la future maman.

L'amitié d'Amélie s'est élargie à sa famille au fil des mois. Claudie y a été accueillie fréquemment, y partage souvent un repas, une soirée ou une sortie avec José, son mari et aussi sa mère Thérèse. Comme les deux frères d'Amélie chantent ou maîtrisent un instrument de musique, elle trouve dans ce clan une ambiance énergisante, une sérénité rassurante, une communication ouverte et régénératrice. On y parle culture et voyage, on y apprécie les valeurs familiales; Claudie s'y sent accueillie, appréciée, écoutée.

D'un autre côté, le retour à la santé de Raymonde a aussi permis de créer une sorte de rituel. Tous les vendredis soirs, Claudie fait une petite visite, sans façon, pour éviter à la mère d'Antoine de se sentir obligée de préparer un repas élaboré. Jean-Paul attend cette rencontre avec une sorte de gaieté manifeste. Il faut dire que son quotidien s'est beaucoup rétréci depuis son départ de l'entreprise. Évidemment, la transition s'est faite rapidement, car deux mois après l'annonce de sa retraite, *Tessier-America* a été acquise par une compagnie norvégienne, à grands profits. La nouvelle équipe de gestion est mixte et l'expertise québécoise s'est donc enrichie, tout en gardant son nom et sa place au sein du marché.

Claudie constate, en attendant sa rencontre médicale, que les échanges avec les Tessier sont maintenant orientés sur la venue de cet enfant qui comblera l'immense vide laissé par la disparition d'Antoine. Le mois dernier, une fiducie familiale, où tous les avoirs personnels du disparu ont été versés, a été créée, réunissant Jean-Paul, Raymonde, Claudie et son futur enfant à titre d'ayants droit. Cette décision s'est prise au plus grand soulagement de Claudie, puisque cela permet de garder tout un patrimoine actif, dans l'attente du retour d'Antoine. Jean-Paul a donc renoncé à son intention d'accélérer le prononcé d'un jugement déclarant son fils mort. Et il sera toujours temps de procéder à une liquidation de la succession au profit de cet héritier, si dans sept ans, Antoine n'est pas de retour parmi les siens. Une rente mensuelle a été attribuée à Claudie, pour subvenir au besoin de son enfant, tirée à même des revenus d'intérêts générés par les placements de la fiducie. Malgré cela, elle est fière de poursuivre ses activités professionnelles, en dépit de la situation plutôt confortable qu'est la sienne en ce moment. Perdue dans ses pensées, Claudie n'a pas entendu l'appel de son nom... La réceptionniste s'approche doucement et lui demande de se rendre au bureau 4. « Enfin, bébé, tu vas nous révéler qui tu es...»

La relation avec la jeune obstétricienne est agréable; l'examen se passe dans une sorte de complicité féminine. Lorsque le ventre de Claudie révèle le mystère de la vie qui bat en elle, ses larmes coulent en abondance. Le bruit du petit cœur qui bat si vite d'abord, puis les images en mouvement...

– C'est un petit pénis, là... Voyez ici encore le sexe apparaît... Nous le voyons aussi dans cette position. Pas de doute, c'est un garçon !

– Quel bonheur ! Je suis si heureuse. Il va s'appeler Marc-Antoine... Delisle-Tessier. Je n'en crois pas mes yeux. Il est si petit. Il bouge un peu, je le sens et je le vois en même temps. Quelle sensation merveilleuse !

Le cœur de Claudie bat à tout rompre; elle a chaud et froid en même temps. La bulle d'amour qui grandit en elle depuis le début de l'année 2000 vient de livrer son premier secret. Elle adresse plusieurs questions à son médecin puis, toute heureuse, repart avec une enveloppe contenant les premières photos de son fils, prises 20 semaines avant sa naissance.

Depuis sa rencontre avec Irénée, Claudie a décidé d'écrire son journal quotidien afin de pouvoir offrir à Antoine la possibilité de partager tous les petits et grands événements qui surviennent pendant leur séparation. Sa première intention, en rentrant à la maison, c'est d'annoncer à Antoine la nouvelle du jour :

« Tu auras un fils, mon amour... Je viens de découvrir en moi ce petit être qui est en formation et j'ai pleuré de joie en le regardant bouger. Par petits coups maladroits, il apprivoise son aquarium. Quel bonheur ! Marc-Antoine a un tout petit cœur qui bat et qui m'aide à espérer ton retour. »

Elle admire les photos de l'échographie et toutes les occasions sont bonnes pour les montrer et s'en émerveiller. En mère responsable, elle essaie de fournir à son enfant les meilleures conditions de développement qui soient. Et ce début d'été la remplit de sensations qu'elle savoure autrement. Plus que jamais, elle croit que son bel amoureux va revenir; qu'il va un jour frapper à sa porte et la prendre dans ses bras. Personne n'a le courage d'affronter cette foi irrépressible qu'elle cultive, de la contrarier dans son espérance, de poser la question fatidique : et s'il ne revenait jamais ? Comme son ventre qui se gonfle, l'espoir de Claudie semble se concentrer, se cristalliser sur un retour imminent. Chaque appel téléphonique la fait sursauter; chaque fois qu'un visiteur sonne à sa porte, elle ne peut qu'anticiper qu'il soit là, à nouveau, comme avant.

Sans le dire à quiconque, elle a acquitté la totalité de l'hypothèque liée à son condo et y a établi son univers, se disant que lorsqu'Antoine reviendra, il la trouvera exactement où elle était, dans le même décor, aussi heureuse de le revoir que si son absence n'avait duré qu'un instant. Son espace bureau sera prochainement converti en chambre d'enfant, grâce à l'habileté de René qui livrera à la mi-juin, le nouveau mobilier créé de ses propres mains. Claudie ne compte plus les mois, ni les jours qui se sont écoulés depuis la disparition… Elle vit dans l'attente, essentiellement, de ces retrouvailles imminentes qui ébranlent toute logique, ignorant la réalité de sa condition de future mère célibataire.

* * *

Les vacances estivales à Joliette sont remplies de petites joies. Claudie a choisi d'amorcer son congé de maternité par deux semaines de repos en famille. Carmen a pris aussi de vraies vacances, laissant à son employée le soin de répondre à la clientèle. René et Sophie sont également heureux de renouer avec cette période de liberté totale, les rendant disponibles à l'imprévu, à l'aventure… Lorsque toute la famille se retrouve sur la terrasse, le soir du 1er août, chacun propose un programme afin de faire de cette quinzaine un moment inoubliable dans l'histoire familiale.

– Vous rappelez-vous notre tour de la Gaspésie en camping ? dit Sophie en riant.

– Et notre semaine de pêche dans le parc des Laurentides, avec des mouches noires si affamées qu'on ne pouvait pas mettre le nez dehors ? ajoute Claudie.

– Si nous n'avions pas vécu cela ensemble, vous ne pourriez pas en rigoler si joyeusement aujourd'hui, rumine René, en essayant de rappeler à ses filles que le monde n'est jamais aussi parfait qu'on peut se l'imaginer. Seuls les voyages qu'on n'a pas encore faits sont parfaits...

– Wow ! Quelle belle phrase ! Un vrai slogan publicitaire. Et toi maman, quel est le voyage que tu rêves de faire et que tu n'as pas encore pu réaliser ? questionne Claudie.

– Je suis un peu gênée de vous avouer que je rêve depuis toujours d'aller visiter New York et que je n'ai jamais eu l'occasion d'y aller. On pense que tout le monde a vu la statue de la Liberté et Manhattan, mais moi, je me sens ridicule d'avouer que cela manque à ma culture.

– Personne dans la famille n'y est allé... Si vous voulez faire de la route, ajoute René, nous partons demain et nous inventons ce voyage au jour le jour.

Pendant cinq longues secondes, chacun s'ajuste à cette proposition spontanée. Que voilà une belle aventure pour quatre adultes en mal de dépaysement !

– On ne verra pas le temps passer. On pourra faire toutes sortes de découvertes. Voilà une occasion de rattraper la vie et de réaliser le rêve de maman, conclut Sophie en traduisant l'assentiment des trois autres.

– À vos bagages ! Départ demain 8 h lance René, tout heureux de prendre le large, d'agrandir un peu son horizon, savourant à l'avance le plaisir de partager quatorze jours en compagnie des trois femmes de sa vie.

* * *

L'automne s'installe progressivement, la transformation des paysages et de ses couleurs flamboyantes s'y opérant imperceptiblement, avec magie. À son retour de New York, Claudie s'est lancé un défi : avant de mettre son fils au monde, faire l'inventaire des tableaux de la « Collection Antoine

Tessier », tâche pour laquelle elle a obtenu le consentement d'Irénée. Son intention est de sélectionner les œuvres maîtresses pour en faire un premier catalogue destiné à faire connaître le peintre et à soutenir l'idée d'une exposition. Elle y consacre ses après-midi, occupant systématiquement l'atelier avec son ordinateur portable et son appareil photo. Elle passe de l'émerveillement à l'attendrissement, de la surprise à l'extase, du sourire béat à l'irrépressible envie de pleurer sur toutes les représentations de la vie qu'Antoine a su capter. Les AMIENS avaient raison sur un point : Antoine peignait avec une intensité émotionnelle qui se compare et même parfois dépasse l'art des grands maîtres. Son talent s'exprime sans contrainte, comme alimenté et propulsé par un souffle provenant de l'âme ultra sensible de son créateur.

La collection privée, celle que Claudie veut protéger de toute spéculation, comprend 430 œuvres magistrales, qu'elle regroupe dans une des trois galeries, toutes numérotées, étiquetées, mesurées et photographiées afin de les introduire dans un fichier informatique où chaque détail a son importance. Puis les 2500 autres tableaux sont indexés par titre et par époque, afin de trouver chez les collectionneurs, galeries ou musées, une nouvelle vie. Ce travail à la fois physique et clérical occupe toutes les heures d'ensoleillement et gruge les dernières énergies de la future maman.

Alors qu'elle s'apprête à saisir les données des tableaux de la période initiale, celle d'Antoine encore aux études, de la collection produite avant 1980, Claudie ressent ses premières contractions. Pliée en deux par la douleur, elle referme l'ordinateur et doit s'asseoir pour reprendre son souffle. « Peut-être que ce sont des fausses contractions et qu'un peu de repos va ralentir la progression du travail », se dit-elle en s'efforçant de respirer comme on le lui avait recommandé. Elle se rend au distributeur et boit quelques gorgées d'eau fraîche. De toute évidence, toutes les 10 minutes, la vague intra-utérine créée par la contraction revient lui couper le souffle. Elle compose le numéro d'Irénée, puis celui de son portable… Elle le croyait à son bureau, au rez-de-chaussée, pourtant… Pas de réponse. Est-il sorti ? A-t-il fermé la porte d'entrée à clé ? Elle n'avait pas prévu ce scénario : la voilà au centre-ville de Montréal, seule; Amélie est à Brossard, ses parents à Joliette, Irénée introuvable… Elle compose le 911 et demande une assistance médicale d'urgence. Une autre contraction la saisit. Elle reprend peu à peu son souffle, appelle la clinique familiale pour aviser son médecin et lui donner son numéro de portable, car elle ignore où elle sera transportée. À nouveau la vague qui la coupe en deux monte, ample et puissante, comme si sa mer intérieure la poussait à sortir de son lit, puis se retire doucement. Il est 16 h 30 et l'heure de pointe bat son plein… peu probable que les services ambulanciers la redirigent vers Boucherville. Sans doute va-t-elle accoucher à Montréal. Déjà, la douleur revient, comprime, fige en un bloc de béton ce ventre pourtant plein de vie, puis lentement, il redevient souple et docile. Claudie refait le numéro de cellulaire d'Irénée… Rien. Elle compose celui de son téléphone domestique : quatre sonneries et un répondeur. « Irénée, au secours, je vais accoucher dans l'atelier d'Antoine. Je vous en prie, aidez-moi… » Une autre douleur la frappe; un arrêt complet de plusieurs minutes avant qu'elle retrouve sa mobilité. « Je dois descendre… me rendre jusqu'à la porte d'entrée… Antoine ! »

En voulant se relever pour se diriger vers la porte de l'atelier, Claudie sent sa tête tourner. Elle perd conscience. Sur la table, son cellulaire sonne…

Au loin, une sirène d'ambulance retentit, se rapprochant de la rue Mont-Royal. À l'adresse indiquée, les portes sont closes, les deux premiers étages sont plongés dans l'obscurité et seule la tourelle du troisième est éclairée. Une jeune femme y est prisonnière et sur le point d'accoucher…

Les ambulanciers font appel aux forces policières, car les minutes comptent. Il est 17 h 20 quand on se décide à forcer la serrure. Policiers et ambulanciers cherchent le passage, puis les escaliers, s'éclairant à la lampe de poche, fouillant les corridors interminables jusqu'à se trouver au pied de l'étroit escalier d'où apparaît un filet de lumière au sol.

« Claudie… êtes-vous là-haut ? » crie l'ambulancier. Il tente d'ouvrir la porte, mais elle est à demi bloquée. Le battant heurte quelque chose… Il pousse doucement et se glisse dans l'ouverture. Claudie gît au sol, baignant dans le liquide amniotique qui s'est répandu autour d'elle. Le cas est grave. Peut-on la transporter dans cet état ? Vaut-il mieux procéder à l'accouchement sur place ? Les ambulanciers tentent de la réanimer, tout en procédant à un rapide examen des signes vitaux. Elle ouvre les yeux. « Claudie, faites-nous confiance, nous allons vous aider…»

À demi-consciente, Claudie a l'impression que des inconnus veulent lui voler son bébé… Elle se débat, veut les empêcher de prendre la vie qui est son seul lien avec Antoine, elle crie et pleure… Des mains la soulèvent, la déposent sur la table. Elle sent la fraîcheur du drap et l'odeur aseptisée des cliniques. « Poussez maintenant…», disent des voix en écho autour d'elle. Mais elle ne veut pas leur donner son bébé. Elle veut le garder en elle malgré la douleur qui la déchire. « Laissez-moi mon bébé, il est à moi…», hurle-t-elle avant de sombrer à nouveau dans un faux sommeil. Le calme semble revenu dans l'atelier tandis que l'équipe réussit à la délivrer de ce bébé dont la vie ne tient qu'à un fil.

Lorsque, ses courses faites, Irénée rentre enfin chez lui après avoir été pris dans un bouchon invraisemblable, il est 18 h. Il s'étonne de tous ces gyrophares et du mouvement des véhicules aux abords de sa propriété. Voitures de police et camionnettes des grandes chaînes de télé sont postées aux intersections, aux aguets. Le branle-bas l'intrigue puis l'inquiète… « Que se passe-t-il donc ? » Un policier le voit approcher et l'interpelle, voyant qu'il s'apprête à rentrer chez lui.

– Vous habitez ici ? lui demande-t-il. Nous avons besoin de vérifier votre identité…

– Je m'appelle Irénée de Blois et cette maison m'appartient. Que se passe-t-il ?

Les micros se tendent : les journalistes ont reconnu le personnage et pressentent une autre histoire croustillante à se mettre sous la dent.

– Une jeune femme a appelé les services d'urgence. Elle est prisonnière dans une des tourelles… La connaissez-vous ?

– Oui, oui, c'est Claudie, la fiancée d'Antoine Tessier… Est-ce qu'il lui est arrivé quelque chose ? Est-ce qu'elle va bien ?

– Nous l'avons trouvée évanouie et… les ambulanciers ont dû procéder à une réanimation et à un accouchement sur place, puisque nous n'étions pas en mesure de la transporter… Elle vient de donner naissance à…

Irénée n'a pas le temps d'entendre la suite. Il entre en coup de vent, court dans sa maison, monte les escaliers deux marches à la fois puis s'arrête… Ce son, ce bruit qu'il vient d'entendre, c'est… le premier cri d'un nouveau-né… le fils d'Antoine ! Il porte sa main à son cœur, qui bat à tout rompre. La vie hurle, là-haut, son droit d'exister, tandis que lui s'effondre, à quatre marches de la porte.

« Pourras-tu me pardonner, Antoine, de t'avoir rappelé ton pacte de suicide, en décembre, lorsque tu nous as quittés… Pourras-tu me pardonner, Claudie, d'avoir oublié de prendre mon cellulaire, lorsque j'ai quitté la maison vers 15 h ? C'est moi qui ne mérite plus de vivre… Mon Dieu, permettez-moi de payer le juste prix de mes erreurs…»

Le policier posté devant la porte contient avec peine la meute des journalistes qui le pressent de questions. « Que faisait-elle ici ? Est-ce bien la fiancée du riche entrepreneur qui a disparu pendant ses vacances, le dernier jour de décembre ? Quels liens y avait-il entre l'écrivain de Blois et Claudie Delisle ? De qui est l'enfant qu'elle porte ? Est-ce le fils d'Antoine Tessier ou d'Irénée de Blois ? Va-t-elle survivre ? Est-elle consciente ? Peut-on nous donner l'heure juste ? Le public attend des infos pour les bulletins de fin de soirée…»

En quittant l'atelier pour aller chercher une civière, l'un des ambulanciers bute contre un objet qui se trouve en travers de l'escalier. Il se ressaisit et tente de dégager le passage, dans l'obscurité complète. Il constate qu'il s'agit d'un corps, un homme est là, inconscient. Il ouvre sa lampe de poche. « Vite, de l'aide, un cas d'arrêt cardiaque… pouls très faible. »

Quelqu'un trouve finalement l'interrupteur, ce qui facilite les manœuvres de réanimation cardiaque. Le cœur d'Irénée se remet à battre; son visage reprend quelques couleurs et il bouge péniblement les doigts de la main droite, comme le lui demande l'ambulancier.

– Nous allons le stabiliser sur le plancher, puis nous les transporterons tous les trois à l'hôpital. Appelle une seconde unité, nous ne serons pas trop de quatre pour la suite…

Lorsque l'ambulancier se retrouve dehors, les micros et les caméras s'agglutinent autour de lui. « L'homme a fait un arrêt cardiaque : nous le transportons à Saint-Luc… La femme a donné naissance à un petit garçon : les deux sont en état d'être transportés à Sainte-Justine. Pour le reste, vous devrez attendre la déclaration des policiers ou des membres des familles. S'il vous plaît, dégagez…», conclut-il en se dirigeant vers son véhicule.

Les cameramen sont aux premières loges de l'actualité. Sur la première civière, inconscient, Irénée de Blois, personnalité littéraire, est conduit aux soins intensifs, suite à un arrêt cardiaque. Lui succède, en un véritable défilé, Claudie Delisle, sous sédatif après avoir mis au monde un bébé au troisième étage de cette maison cossue de la rue Mont-Royal. Le bébé naissant est emmitouflé dans une couverture et porté par l'un des ambulanciers. Marc-Antoine se porte bien et il fait l'objet de magnifiques gros plans de la part des cameramen.

Certains reporters suivent le premier véhicule, d'autres le second, alors qu'un journaliste choisit, lui, de rester sur place. Profitant du fait que tous les policiers et ambulanciers sont occupés, il se faufile dans la maison avec sa caméra et capte une furtive visite des lieux. Le bureau de l'écrivain l'intéresse particulièrement puis il grimpe au troisième : derrière la porte, une table recouverte d'un drap d'hôpital maculé de sang… Le sol est aussi mouillé et gluant de sang coagulé. Mais ce qu'il découvre ensuite lui vaudra bien plus encore : sur le chevalet, le tableau de Claudie est resté en place, parfait gros plan de la femme abandonnée. En arrière-scène, des centaines de tableaux signés Antoine Tessier. La caméra les dévoile habilement, magnifiquement. Le riche entrepreneur disparu à Punta Cana est-il vraiment mort ? Avait-il une double vie ? Était-ce une fausse disparition pour camoufler son travail d'artiste ? Pourquoi sa fiancée était-elle enfermée dans cette pièce ? Complice ou victime ? Quels liens entretenait-elle avec l'illustre de Blois ? Ces nombreuses questions ouvrent les portes à une foule de rumeurs potentielles qui se mettent à circuler : la naissance dramatique de Marc-Antoine ouvre le bulletin de 22 h, puis les journaux du 3 octobre en sont pleins…

Sans aucun avertissement, tant chez les Delisle que chez les Tessier, l'horreur en direct surgit à nouveau dans leur quotidien… Inquiets, ne sachant pas ce qui s'est réellement passé, ils prennent l'autoroute 40 en direction de l'hôpital Sainte-Justine. Au chevet d'une Claudie qui dort, sous sédatif, après un accouchement réalisé dans des conditions très précaires, ils se désolent, cherchant à comprendre ce qui s'est passé au cours des dernières heures. Puis, ils se rendent à la pouponnière où bébé Delisle-Tessier s'étire, sursaute, fait une grimace qui se transforme en sourire, ouvre un œil, bâille longuement puis se rendort, confortablement installé dans sa couverture bleue.

Les nouveaux grands-parents fondent en larmes, émus et émerveillés à la fois, de voir ce petit miracle de vie bouger sous leurs yeux. Ils ne savent quoi dire… Cet enfant, l'enfant d'Antoine et de Claudie, le fruit d'une rencontre aussi passionnée qu'éphémère, aussi exceptionnelle que dramatique, pourra-t-il compter sur ses parents pour le guider dans sa croissance ?

Chapitre 6

La destinée a fait en sorte qu'il voie le jour là même où son père avait choisi de concevoir ses œuvres, un lieu déterminant dans sa vie d'artiste, un lieu de résistance qui avait fécondé son talent pendant plus de quinze ans... Claudie y avait trouvé un refuge pour nourrir sa confiance, pour meubler l'attente de son retour, la lente éclosion de sa maternité, de son amour inconditionnel pour Antoine. Il était né sur la table de travail, dans l'odeur d'huile et d'acrylique de cet atelier qu'Antoine aimait tant. Et l'ordinateur portable laissé sur le rebord de la fenêtre contenait des mois de travail méticuleux réalisé par Claudie, en attendant l'arrivée de son fils, tellement désiré.

Mais toutes les prévisions de Claudie, qui espérait un accouchement dans le calme, un accueil réconfortant pour son fils, ont soudainement basculé. Pourquoi revoit-elle en rêve la couverture de ce livre, publié par Irénée, au titre si déstabilisant... « Le destin se rit de nous » avec ses lettres rouges qui prennent vie soudain et s'envolent comme des oiseaux de malheur, virevoltant au-dessus de sa tête, menaçantes, moqueuses, implacables... Pourquoi ?

Chapitre 7

Le soleil d'octobre lance ses premiers rayons et Claudie perçoit cette lumière à travers ses paupières closes. Elle revient peu à peu à elle, consciente de sa poitrine qui se soulève lorsqu'elle respire, puis de son bras qui fait mal. Elle essaie de déplacer sa main jusqu'à son ventre. La couverture épaisse lui pèse et elle doit réunir toutes ses forces pour que sa main puisse enfin se glisser à l'endroit où son bébé se trouve. Elle veut le caresser, le rassurer... Mais son ventre a disparu. Du fond d'elle-même un grand cri surgit, qui retentit d'un mur à l'autre, de corridors en escaliers, du deuxième étage à tout l'immeuble : Noooon...

L'infirmière de garde se précipite dans sa chambre, inquiète. Elle tente de la calmer, de la rassurer, de lui faire entendre raison.

– Madame Delisle, calmez-vous ! On ne vous a pas volé votre bébé... Vous avez accouché d'un beau petit garçon hier soir... Il est en parfaite santé. Vous allez le voir tout à l'heure, dès qu'il sera réveillé. Il va avoir faim; il réclamera sa maman... Il ne faut pas crier. Vous êtes à l'hôpital Sainte-Justine, en sécurité. Vos parents sont là aussi... Voulez-vous les voir ?

Claudie se ressaisit... Elle entend ce que l'infirmière lui dit. Mais elle ne comprend pas pourquoi son bébé n'est plus là... Que s'est-il donc passé ? L'infirmière lui prend la main.

– Votre bébé est là... il n'est plus dans votre ventre... Il respire maintenant, il vit. C'est un beau petit bonhomme qui doit bien faire dans les 4,5 kilos... Une frimousse d'ange...

– Est-ce que je peux le voir ? On ne me l'a pas volé, vous êtes sûre ?

– Non… Je l'ai vu en passant, tout à l'heure. Il dormait bien calmement. Si vous me promettez de ne plus crier, je vais aller voir si on peut l'apporter ici, pour qu'il soit avec vous… Je comprends que vous devez avoir hâte de le tenir dans vos bras, après ce qui vous est arrivé…

L'infirmière quitte la chambre et, au passage, rassure les parents de Claudie qui ont passé la nuit à attendre son réveil. Somnolents, un peu courbaturés par l'inconfort des sièges, Carmen et René accueillent la nouvelle avec un soupir de soulagement.

– Madame Delisle va bien… Elle demande à voir son bébé. Je reviens dans quelques minutes. Nous allons essayer de voir si elle souhaite l'allaiter. Si vous voulez aller prendre un café, je vous appelle vers 7 h 30 pour que vous puissiez la voir.

– Merci ! Quel soulagement ! Nous pourrons enfin savoir ce qui s'est réellement passé hier soir… dit René, en constatant qu'il n'est que 5 h 45 du matin.

Quelques minutes plus tard, un Marc-Antoine impatient, affamé, grouillant de vie, prend place sur les bras de l'infirmière avec le commentaire habituel : « Seule sa maman pourra venir à bout de ce petit affamé… sans aucun doute ! » Mais la chaleur et le mouvement de pas réguliers de l'infirmière le rassurent pour un moment. Le nouveau-né se calme, comme s'il devinait que sa patience allait bientôt être récompensée.

Tout doucement, l'infirmière pousse la porte et annonce à Claudie qu'elle a un visiteur… La jeune mère aperçoit enfin le visage de son fils, le fils d'Antoine, avec son petit minois bouffi et ses cheveux en broussailles. Claudie n'en croit pas ses yeux. Il est né… C'est lui !

– Mon Dieu ! Comme il est petit… il ressemble à son papa… réussit-elle à dire, la voix cassée par l'émotion.

L'infirmière dépose le bébé tout emmailloté dans sa couverture sur la poitrine de sa mère. Elle le presse contre elle, hypnotisée par ce fascinant trésor vivant. Pendant qu'elle l'examine, membre par membre, lui murmurant des exclamations d'émerveillement, l'infirmière remonte un peu la tête du lit et vient replacer les oreillers afin que la maman puisse y appuyer son dos confortablement. La symbiose maternelle se produit… Claudie sent soudain ses seins se gonfler de colostrum. Tout doucement, l'infirmière dénoue la jaquette et aide Claudie à placer le petit Marc-Antoine dans l'angle où il peut chercher le sein de sa mère. Une sorte d'instinct le guide, yeux à demi ouverts, la bouche du nouveau-né fait quelques mouvements puis attrape le mamelon gonflé d'un liquide crémeux. Comme un petit chaton, il goûte, il cherche à en avoir encore, et encore… Il trouve la source et sa bouche vient se fixer au sein pour y amorcer la première tétée, instinctive, spontanée, une sorte de continuité dans sa relation nourricière avec sa mère, le début d'une longue histoire d'amour et d'attachement parfaitement harmonisée; l'histoire d'une nouvelle vie humaine.

Claudie en oublie les douleurs, l'inconfort ressenti dans son corps, l'insécurité menaçante et assez forte pour avoir ébranlé son équilibre émotif : cette pénible expérience vécue au cours des dernières heures l'a pourtant profondément traumatisée. Claudie laisse couler la sève, retient le nourrisson au creux de son bras en forme de berceau; elle sourit, ne remarquant pas les larmes coulant de ses yeux attendris sur le bébé et gardant une expression béate. « Tu vois Antoine, comme ton fils est content de vivre; comme il a faim et soif. Ce sera un vrai Tessier avec, je l'espère, une bonne part de Delisle cachée en lui. Il est notre récompense, il est la fusion, la perfection… Comme j'aimerais que tu puisses peindre cette scène, mon amour ! »

Discrète, mais toujours aux aguets, l'infirmière observe la nouvelle maman. Lorsqu'elle constate que Claudie est fatiguée et que bébé semble s'être endormi, l'estomac rempli, elle replace sa petite couverture; elle veut reprendre le bébé, le ramener à la pouponnière. Claudie refuse de voir partir son fils.

Chapitre 7

– Par pitié… Laissez-le-moi. Personne ne va me l'enlever une autre fois. Allez chercher ce qu'il faut pour le changer, mais je le garde avec moi, ajoute la jeune mère, farouchement déterminée.

– Mais il faut vous reposer. Votre médecin va venir vous examiner tout à l'heure et… vous avez des visiteurs qui attendent. On ne va pas exposer votre bébé à des microbes. Je vais vous le ramener dans une heure ou deux. Il est trop vulnérable !

– J'ai dit que je le gardais avec moi. S'il est trop fragile pour être en contact avec des visiteurs, alors les visiteurs reviendront quand il sera immunisé…

Ne voulant pas contrarier davantage la patiente, l'infirmière lui remet le bébé, remontant le côté du lit étroit afin de s'assurer qu'il ne tombera pas. Elle se rend à la pouponnière et demande à l'infirmière chef d'aller voir sa patiente. « Je crois que Madame Delisle désire faire l'expérience d'une cohabitation avec son bébé. »

Au retour, elle prépare un plateau de déjeuner et l'apporte à la jeune accouchée. En passant, elle demande à nouveau aux parents de patienter.

– Madame Delisle vient d'allaiter son bébé et elle doit maintenant manger un peu puis se reposer. Je vais essayer d'arranger une visite de cinq à dix minutes d'ici une demi-heure, avant l'arrivée de son médecin. Êtes-vous grippés ou malades ? On ne voudrait pas exposer le bébé à une possible infection, vous comprenez…

Une heure plus tard, un lit vitré, déposé dans la chambre de Claudie accueille bébé Marc-Antoine; il y dort à poings fermés. Une table à langer est disposée dans la chambre, avec tout le nécessaire pour la toilette du nouveau-né. Mère et fils ne se quitteront plus. En revanche, le droit de visite a été limité à la famille immédiate… après désinfection, au moins pour les premières 24 heures.

Quelques instants plus tard, c'est avec soulagement que Claudie voit entrer ses parents, précédés d'une nouvelle infirmière.

– Maman ! Papa ! Comme je suis contente de vous voir... J'ai cru que j'allais mourir. J'ai eu tellement peur.

– C'est fini, là, tout va bien aller maintenant... Comment te sens-tu ? As-tu des douleurs ? demande Carmen en posant sa main sur le front moite, réconfortant par un brin de tendresse, sa fille si éprouvée.

– La vérité ? Je me sens tellement démolie, brisée, faible... C'est donc si difficile de mettre au monde un enfant ? J'ai eu tellement peur, tellement mal... Je pensais mourir. J'étais toute seule...

Carmen la prend dans ses bras, la berce doucement contre elle, troublée de cet aveu, mais aussi consciente des efforts surhumains que Claudie a dû livrer dans une insécurité totale.

– Tu n'as plus rien à craindre... Nous sommes là. Nous allons rester près de toi tout le temps que tu veux. Tu vas vite te rétablir... Et Marc-Antoine se porte comme un charme. C'est lui qui te fera oublier la douleur. C'est un peu magique d'ailleurs, ce truc !

– Est-ce que Jean-Paul et Raymonde sont prévenus ?

– Oui, ils ont passé la soirée, enfin une partie de la nuit ici, avec nous. Mais vers 1 h du matin, ils sont rentrés se reposer après avoir pu voir le bébé à la pouponnière. Ils se sont beaucoup inquiétés pour toi. Ils t'ont trouvée si courageuse, et nous aussi...

– Tu as vu comme il est beau ! Marc-Antoine est le portrait tout craché de son grand-père, lance René en se gonflant d'orgueil, pour alléger l'atmosphère. Il a des mains larges, de longs doigts d'artiste, et j'en passe...

– Vous l'avez examiné ? Il est parfait ! L'infirmière a dit qu'il n'avait pas de défaut de fabrication... Il est magnifique. J'ai réussi à le faire boire. Vous n'avez pas idée de ce que j'ai ressenti. Ça me dépasse ! Pendant qu'il boit, c'est comme si je n'existais pas vraiment, que mon corps prenait le relais, le contrôle et décidait d'exécuter de lui-même un programme organique.

– C'est un véritable miracle, la première fois, puis la seconde, mais tu dois aussi te nourrir, ajoute Carmen, en lui approchant son plateau. Tu n'as rien mangé depuis des heures, ma chérie. Allez, on va prendre ce bon jus de pomme et goûter à ces céréales remplies de petits fruits séchés. À partir de maintenant, tu ne peux plus sauter un repas, car c'est lui qui en paiera la note. Et ton verre de lait doit précéder le sien d'une bonne demi-heure…

Avec des mots tendres, une douce insistance, une présence rassurante, Carmen et René permettent à Claudie de reprendre pied dans la réalité. Le déjeuner, puis les premiers pas vers le lavabo, la débarbouillette rafraichissant un visage épuisé, redonnant des sensations agréables au cou, aux épaules, aux bras. Puis, Claudie réapprend à uriner malgré la douleur que lui provoque le seul fait de s'asseoir. Elle revient enfin dans son lit, épuisée, et se glisse entre des draps tout frais. Elle se laisse reposer un instant, avec cette sensation qu'elle a soudainement cent ans. Voyant qu'ils ont largement dépassé leur droit de visite, les parents de Claudie se retirent, la laissant se détendre et reportant à plus tard la description des circonstances de cette naissance. Que de questions restent en suspens…

Sitôt assoupie, Claudie sursaute et sa voix retentit dans un cri strident : Noooon ! Toute en sueur, elle était replongée dans ce cauchemar où des inconnus tentent de lui voler son bébé. Le personnel accourt, s'empressant de la réconforter.

– Il est là, votre bébé… Personne ne viendra vous le prendre ici… Vous pouvez dormir en paix !

Elle le réclame dans ses bras, le presse contre elle et, lentement, ses yeux se ferment. Lorsqu'elle se réveille, Raymonde et Jean-Paul frappent à sa porte, à leur tour, anxieux, émus, tourmentés. Ils prennent des nouvelles, toujours incertaines face aux rumeurs véhiculées par les médias. Lorsque Claudie tente de justifier sa présence chez Irénée de Blois, Raymonde l'informe alors qu'il a été hospitalisé, lui aussi…

Claudie ignore ce que rapportent les journaux du matin. On lui épargne les nombreux potins, les fausses interprétations et on accorde à Claudie toute l'attention que son état mérite.

– Quel cauchemar ! Je terminais un travail de catalogage très important. Vous savez qu'Antoine a peint près de 3000 tableaux et ils sont conservés au grenier, chez son ami Irénée. Je me suis retrouvée seule dans cette grande maison lorsque que mes contractions ont commencé…

– Heureusement que vous avez pensé faire le 911… Sans cet appel, Dieu seul sait ce qui aurait pu se produire… dit Raymonde en trahissant une grande anxiété. S'il avait fallu que notre petit Marc-Antoine soit victime de ce drame, nous n'aurions pas pu supporter ce nouveau choc… ajoute-t-elle au bord des larmes. Ce bébé, c'est notre seul espoir.

– Irénée de Blois, quel irresponsable tout de même ! Vous abandonner ainsi toute seule, au troisième étage d'une maison dont toutes les issues étaient verrouillées. S'il vous était arrivé quelque chose, à vous et au bébé, nous l'aurions poursuivi sans merci, ajoute Jean-Paul avec agressivité. Cet homme est le diable en personne. Vous n'auriez pas dû prendre le risque d'aller chez lui, dans votre état, ma pauvre enfant. À quelques jours d'une fin de grossesse, les mères responsables restent sagement à la maison et ne s'exposent pas à de tels dangers. Vous nous avez fait une de ces peurs !

– Jusqu'ici, j'ai décidé pour moi-même de ce que je devais faire ou non, réplique Claudie, piquée par le reproche de Jean-Paul. Je n'ai pas l'intention de me soumettre à qui que ce soit. Je suis seul maître de mes choix. D'ailleurs, j'avais mon cellulaire. J'aurais souhaité un accouchement moins précipité, mais la vie en a décidé autrement. Qu'auriez-vous fait à ma place ?

– Mais Claudie, votre vie et celle de Marc-Antoine ont été sérieusement en danger ! Vous ne vous rendez pas compte de votre imprudence ? Les ambulanciers vous ont retrouvée inconsciente, baignant dans votre sang. Vous auriez pu mourir et le bébé aussi. Ils ont dû procéder à un accouchement dans des conditions… épouvantables.

– J'ai pris les meilleures décisions, dans les circonstances, et je n'apprécie pas du tout vos reproches. Je fais confiance à mon instinct et je sais qu'Antoine m'approuverait d'avoir fait ce que j'ai fait. Que les choses soient claires entre nous… Je ne compte pas me soumettre à votre tutelle, comme il a dû le faire, pendant des années. Et ceci vaut aussi pour tout ce qui concerne mon fils, ajoute-t-elle, les mains crispées de colère.

– Allons, ne vous fâchez pas pour si peu. C'est l'inquiétude qui nous ronge, voilà tout ! Ce bébé est ce que nous espérons de meilleur… il est à vous, mais pas seulement à vous. Vous oubliez la famille de son père qui l'aime déjà, précise Jean-Paul. C'est le fils d'Antoine, son héritier et notre petit-fils. Vous n'avez pas le droit de nous reprocher de nous en inquiéter, de l'aimer et de vouloir le protéger. Ce sont des réactions normales, voyons, Claudie !

– Marc-Antoine ne vous appartient pas. Vous n'avez aucun droit sur lui, surtout pas le droit de remettre en question les décisions que je prends.

L'infirmière de service se rend compte, au passage, que la patiente est en sueur et que les propos de ses visiteurs prennent un ton plutôt agressif. Elle demande donc aux Tessier de se retirer afin que la jeune mère puisse se reposer un peu.

– Nous reviendrons demain, lorsque vous aurez récupéré et repris votre calme, ajoute Raymonde en attribuant les réactions de Claudie au fait que ses nerfs ont été mis à rude épreuve, depuis quelques heures.

Lorsqu'elle s'approche pour regarder le bébé, comme voulant lui donner un baiser sur le front, Claudie se redresse d'un trait.

– Ne le touchez pas, je vous l'interdis ! Il est encore trop fragile. Vous pourriez lui transmettre des infections… Je suis là pour le protéger… C'est ma décision !

Jean-Paul prend le bras de Raymonde et réprime son mouvement de colère, l'entraînant vers le corridor sans ajouter la moindre salutation.

Lorsqu'ils passent la porte de l'hôpital, les journaux du jour exposent en première page la photo du bébé sauvé de justesse par les ambulanciers. Pour détendre l'atmosphère, Jean-Paul glisse cette réflexion à l'oreille de Raymonde.

– Décidément, cet enfant devra vivre avec les médias. Tu parles d'une publicité ! Il n'a pas encore 12 heures et déjà tout le Québec connaît Marc-Antoine Delisle-Tessier !

* * *

En ce 3 octobre gris et froid, après une matinée pénible et après avoir supporté coup sur coup plusieurs examens coronariens, Irénée tente de rejoindre Claudie au téléphone. À la réception de l'hôpital, on lui indique que Mme Delisle ne peut pas lui parler. « Les consignes pour cette patiente sont très strictes : 5 minutes de visite et aucune perturbation pour les 48 prochaines heures, à moins d'être sa famille immédiate ». Déçu, il commande des fleurs, qu'il fait livrer à son attention, avec quelques mots de réconfort. Mais ses remords, ajoutés aux exagérations des médias, lui laissent un goût amer dans la bouche. Il cherche le moyen de réparer, de faire amende honorable, de replacer les faits. Il appelle alors un de ses amis journalistes, une personne avec qui il a développé une relation de confiance, et il lui donne rendez-vous. « La vérité me libérera de ce poids insupportable…» se dit-il.

– Mon ami Antoine Tessier n'est plus là, mais son talent de peintre doit être révélé au grand jour. Avec l'aide de sa fiancée Claudie Delisle, les tableaux de Tessier, disparu le 31 décembre 1999 en République dominicaine, ont tous été indexés et seront bientôt exposés. C'est à cette tâche colossale que la future maman s'était attaquée au cours des derniers mois de sa grossesse. Or, le 2 octobre en après-midi, j'ai commis une imprudence que je ne me pardonnerai jamais. Oubliant qu'elle était à l'atelier du troisième étage pour l'après-midi, je suis sorti faire mes courses et... j'ai oublié mon cellulaire sur mon bureau. Par ma faute, Claudie s'est donc retrouvée seule, captive même, dans ma propriété... Je ne me pardonne pas cette négligence et je veux... réparer cette étourderie qui aurait pu être fatale. Je désire donc m'adresser personnellement à cette femme de courage en ces termes : « Claudie, puisses-tu me pardonner un jour d'avoir mis ta vie et celle de ton fils en grand danger ! » Heureusement, le destin veillait sur eux !

C'est donc en gros plan que le visage du célèbre écrivain, de son lit d'hôpital, demande à Claudie de lui pardonner. Sa confession faite, il parvient enfin à trouver un peu de repos et sort de l'hôpital quelques heures plus tard.

Pour Claudie, les choses ne sont pas si simples. L'examen médical qui suit l'accouchement se passe dans une certaine tension. La docteure Judy Lebel estime que sa jeune patiente a été très chanceuse de sauver son bébé, car si l'expulsion avait tardé de quelques minutes, son fils aurait pu subir de graves séquelles.

– De plus, nous craignons que votre chute au sol ne laisse des traces dans votre cerveau. Vous avez subi une légère commotion : voyez cet hématome, là, sur le côté de votre tête. Nous devrons passer une tomodensitométrie dès demain, afin de vérifier l'état de cette lésion. Je dois aussi vous parler de votre humeur... Le personnel nous a rapporté des cris, une attitude assez agressive même... Tout cela peut dépendre de cette situation très traumatisante que vous avez vécue. Nous avons jugé bon de vous faire voir un psychologue, afin de vous permettre de parler du choc que vous avez subi. Vous avez traversé une épreuve vraiment traumatisante...

– Dès que je ferme les yeux, docteur, je revois des gens qui m'encerclent et qui veulent me voler mon bébé... Ce cauchemar me trouble... J'ai tellement peur de perdre ce bébé. Il est mon seul lien avec Antoine. Je voudrais tant le protéger.

– Mais vous voyez bien que votre bébé n'est pas réellement menacé. Alors, il faut le laisser aux infirmières, pour qu'elles le changent, lui donnent son bain... Vous êtes encore un peu faible pour vous en occuper toute seule. Dans quelques jours, tout ira mieux... donnez-vous le temps de vous remettre et acceptez notre aide. Déjà, l'allaitement va vous demander beaucoup d'efforts... Il faut être aidée, comme toutes les jeunes mamans... Il faut faire confiance aux autres.

Claudie acquiesce pour faire plaisir à son médecin, mais une petite voix lui dit qu'elle seule peut vraiment assurer la sécurité de son fils; elle en est responsable plus que quiconque. Alors, lorsque le nourrisson commence à gémir et que l'heure de le changer, puis celle de lui donner le sein arrivent, Claudie fait un effort extrême pour éviter que les pleurs du bébé n'alertent les infirmières. Elle se lève en grimaçant de douleur, se rend à la table à langer, lui parle pour qu'il sente sa présence rassurante, le retire de son lit et entreprend de changer, seule, la couche souillée. Mais soudain, elle est prise de vertige et s'effondre, laissant le bébé s'époumoner en battant des bras et des jambes, nu sur l'étroite table matelassée.

Les pleurs attirent l'attention jusque dans le corridor et une infirmière pousse la porte rapidement. Elle alerte le service pour obtenir de l'aide. Le bébé a froid, certes, mais c'est un moindre mal, car la mère, elle, demeure étendue au sol, inerte. Le personnel la transporte dans son lit. Le médecin constate alors qu'elle fait une hémorragie. Elle est rapidement alitée, placée sous perfusion, et consigne lui est donnée de ne plus quitter son lit sans aide. Alors qu'elle voulait protéger son nouveau-né de toute intervention extérieure, le personnel, lui, juge qu'elle a mis en danger la sécurité de son bébé.

La cohabitation est définitivement écartée et Marc-Antoine reprend sa place dans la pouponnière de l'hôpital. L'état de santé précaire de la mère pourra-t-il permettre de poursuivre l'allaitement ? L'avis du médecin est formel : Madame Delisle demeurera trop fragile, tant physiquement que psychologiquement, pour supporter cette lourde responsabilité. Elle a perdu beaucoup de sang et un nouveau trauma s'est ajouté à la tête lors de la seconde chute. Le nourrisson voit alors sa faim calmée par une formule de lait maternisé qu'il boit entre les bras d'une étrangère, tandis que Claudie reçoit une médication mettant fin à la production de lait maternel.

Lorsque Sophie, Carmen et René viennent lui rendre visite, vers 19 h, elle dort encore. Elle est livide dans ses draps blancs. Des dizaines de gerbes de fleurs ont été placées sur la commode et le rebord de la fenêtre, dont celle portant la signature d'Irénée. Inquiets, les parents de Claudie s'informent auprès du personnel des raisons de ce sommeil prolongé. On leur relate la chute survenue vers 13 h 30, après la visite de son médecin. Vraisemblablement, la patiente voulait changer la couche de son bébé avant de le nourrir, mais l'effort demandé a été trop intense : elle a perdu connaissance, a fait une importante hémorragie et la décision du milieu hospitalier s'est imposée… Sa vie ne tient qu'à un fil.

Amélie, son conjoint José et sa mère Thérèse arrivent à leur tour. Ils se désolent de voir Claudie dans cet état, 24 heures après la naissance de ce bébé tant attendu. Quelle autre épreuve attend cette jeune femme qui affronte avec courage une destinée semée d'embûches ? Ils joignent leurs mains comme pour créer une barrière autour de la nouvelle maman, une frontière où ils la souhaitent en paix, afin qu'elle puisse reprendre ses forces et combattre cet adversaire invisible qui s'est immiscé dans sa tête. Ils font monter vers le ciel une prière : « Mon Dieu, aidez notre petite Claudie, redonnez-lui la force de vivre et de prendre soin de son fils. Faites qu'elle se rétablisse et nous revienne intacte; nous l'aimons tant ! »

* * *

Les fêtes de Noël 2000 s'annoncent agréables : Claudie vient d'obtenir son congé de l'hôpital. Elle s'est remise lentement d'une commotion qui a nécessité des soins physiques et psychiatriques. Pendant la durée de sa convalescence, un juge avait décrété que Marc-Antoine serait confié à ses grands-parents paternels, Jean-Paul et Raymonde Tessier. Deux mois et demi après sa naissance, le bébé n'a donc vu sa mère que quelques minutes, et ses autres grands-parents guère plus. Le rétablissement a été une dure épreuve... Visiblement, les chocs émotionnels accumulés depuis la disparition d'Antoine avaient amplifié le sentiment d'abandon, autant que cet accouchement dans l'insécurité la plus totale. Les thérapies devaient réparer ces blessures et ce deuil. Heureusement, les dernières évaluations ont permis aux spécialistes de conclure que Claudie acceptait dorénavant l'idée que son bébé n'était pas menacé et que d'autres personnes aimantes pouvaient en prendre soin. « Notre patiente est complètement rétablie; elle a les capacités de prendre soin d'elle-même et de son enfant. La convalescence a été longue, mais positive » a conclu l'analyste.

Claudie comprend bien qu'elle doit maintenant regagner la confiance de ses beaux-parents. Leur aide a été précieuse, mais vont-ils accepter de se détacher du poupon, maintenant que la maman est rétablie ? De retour chez elle, elle redécouvre cet appartement et prend place devant le magnifique tableau d'Antoine, cette œuvre toujours inachevée. Puis, elle scrute attentivement la mosaïque des photos de leurs vacances. « Comme le temps passe... il me semble que tout cela m'est arrivé dans une autre vie... Un an ! Mon amour, où es-tu donc ? » se demande-t-elle. Elle attend avec une certaine tension l'arrivée de son fils. En matinée, elle est allée faire ses provisions pour s'éviter des sorties lorsqu'elle sera seule avec Marc-Antoine. La chambre du bébé est remplie de soleil et une musique douce flotte dans l'air. Elle a repris l'écriture de son journal, après 80 jours de silence.

Avec un pincement au cœur, Jean-Paul et Raymonde placent les vêtements, les biberons et petits jouets familiers du bébé dans une valise et vont rendre à Claudie ce trésor qui est le sien. Évidemment, ils se sentent un peu tristes de voir partir ce rayon de soleil, ce bébé qui gazouille et leur sourit, leur rappelant ce temps béni où leur propre fils les avait tellement comblés de bonheur. Mais ils savaient que cette décision était transitoire.

– Nous allons proposer à Claudie de le garder les après-midi, lorsqu'elle voudra faire son magasinage ou voir des amis… Et peut-être va-t-elle faire le choix de retourner au travail… Nous n'allons pas abandonner ce petit cœur, n'est-ce pas ? dit Raymonde en bordant le poupon dans son siège d'auto.

Jean-Paul se met au volant et il parcourt les quelques rues qui les séparent du condo de Claudie. Moins de cinq minutes et les voilà à la porte. Claudie les voit arriver et elle s'empresse de leur ouvrir. Tous n'ont d'yeux que pour Marc-Antoine.

– Mon Dieu, comme il a grandi ! Entrez… ne restez pas là. Enlevez vos manteaux et venez vous asseoir, ajoute-t-elle avec une joie débordante. Je suis tellement heureuse ! J'ai eu si peur de le perdre… Merci d'en avoir pris soin. Je serais ingrate de ne pas vous en être reconnaissante.

Pendant que chacun se met à l'aise, le petit Marc-Antoine observe avec intérêt ce décor qui l'entoure et ce nouveau visage qui s'approche de lui. Claudie enlève le capuchon et défait les cordons du bonnet, dégageant la tête, puis enlève la combinaison bleue devenue trop chaude dans le petit appartement. Déjà, quelques mèches de cheveux humides lui collent au front.

– Viens voir ta maman, mon chéri, dit Claudie en le prenant dans ses bras.

Mais ses premiers gestes sont mal assurés et la tête du bébé oscille un peu, ce qui n'échappe pas à Raymonde. Instinctivement, elle s'approche et tente d'aider Claudie en lui montrant comment le prendre en toute sécurité. Jean-Paul les observe; craignant une nouvelle crise.

– Doucement… Il n'est pas encore très solide, mais…, vous verrez, il a de très bons poumons, dit Jean-Paul pour briser la tension.

Claudie le place debout contre elle, en l'appuyant sur son épaule, le soutenant avec son autre main pour que sa tête soit plus stable. Raymonde approuve cette façon de faire, demeurant vigilante malgré tout, comme si elle craignait que sa belle-fille échappe le bébé. Mais tout se passe bien. Claudie marche un peu, virevolte de joie puis, sentant le regard pesant de ses beaux-parents, elle s'assoit et dépose bébé près d'elle sur le fauteuil. Le retenant d'une main, elle prend un grand plaisir à en faire l'examen, de long en large...

– Il a beaucoup grandi... Il a l'air en pleine santé. Je veux vous remercier pour ce que vous avez fait... Antoine est chanceux d'avoir de si bons parents ! ajoute Claudie, très émue.

– Nous sommes rassurés. Votre convalescence est maintenant du passé, Claudie. Vous pourrez reprendre une vie normale avec Marc-Antoine. Nous sommes désolés si cette... parenthèse bien involontaire... a pu vous blesser, dit Raymonde, la voix brisée d'émotions. Nous serons toujours là pour vous seconder. Vous êtes notre fille... nous avons pour vous autant d'amour qu'envers notre propre fils; ce petit-fils est maintenant notre seule raison de vivre.

Claudie ne peut retenir ses larmes. Elle voudrait leur dire que cette succession de drames la laisse profondément meurtrie. Elle est fragilisée par cette impression d'incompétence qui s'est insérée en elle. Elle doute de sa propre vision des choses, se demandant sans arrêt, depuis l'accouchement, si elle prend les bonnes décisions, si ses fausses craintes sont réelles ou imaginaires... Sera-t-elle capable d'être à la hauteur de sa responsabilité de mère ?

– J'aurai grand besoin de vous... au cours des prochains jours particulièrement. Il me faut apprendre à être une maman. Je me rends compte que vous savez y faire ! J'ai toujours pensé que la maternité avait quelque chose de magique : d'instinct, les mamans savent quoi faire, comment le faire et elles ont la patience de s'adapter. Mais pour moi, cela n'a pas été aussi simple ! J'étais si faible, si dépourvue… Alors, je compte sur vous pour m'aider.

En gazouillant, le petit Marc-Antoine laisse ses deux mamans lui prodiguer les soins, allant de la couche qu'il faut changer, à la poudre fraîche à appliquer au fessier, aux horaires des biberons et à la routine du bain, qu'il adore tout particulièrement. Raymonde et Jean-Paul expliquent ce rituel et donnent les petits trucs habituels.

– Cet enfant adore jouer dans l'eau… commente Jean-Paul sans arrière-pensée. C'est un grand plaisir de le voir éclabousser tout ce qui se trouve à sa portée, moi inclus. Un futur nageur !

Raymonde fronce les sourcils, espérant que Jean-Paul va se taire. Il a parlé sans se douter que cette évocation allait peiner Claudie. Elle reste suspendue dans le vide. Elle se revoit un an auparavant, au bras d'Antoine, se rendant à l'aéroport pour ce voyage sans retour. Elle voudrait crier, mais elle doit plutôt respirer, se calmer, accepter que les événements passés ne puissent être réécrits. Quelques minutes passent sans un mot. Elle touche à nouveau terre et redevient l'apprentie maman qui doit se rendre à la cuisine pour préparer le biberon de quatorze heures. Puis, après avoir bu et fait son rot, bébé inaugure son nouveau lit, prend possession de sa petite chambre restée dans l'ombre pendant trop longtemps.

Tout l'après-midi, les grands-parents accompagnent Claudie dans ses nouvelles fonctions, écrivant les horaires, les quantités, les interprétations. Raymonde l'aide à préparer un souper qui leur tiendra lieu de réveillon et qu'ils partagent dans la gaieté, laissant Claudie prendre elle-même soin de son bébé. La soirée coule dans une ambiance pacifique, attestant du retour à la joie dans cet appartement où leur fils a trouvé le bonheur. Vers vingt-deux heures, sentant que Claudie souhaiterait aller dormir, ils déposent un baiser sur le front de Marc-Antoine et regagnent leur grande maison, plus vide encore que jamais en cette veille de Noël. Pas de réveillon, cette année… Ils ont proposé à Claudie de venir souper avec eux, le soir du 25 décembre, avec son bébé... Sous le sapin, des boîtes multicolores pour Claudie et Marc-Antoine attendent paisiblement le passage du mythique père Noël.

Avant d'aller dormir, Claudie s'assure que le système de monitorage fonctionne bien, afin d'entendre bébé pleurer pendant la nuit. Elle le regarde dormir, attendrie... Il est si beau, si calme. Elle caresse son front, lui parle tout bas, lui demande pardon pour cette naissance ratée, cette malencontreuse erreur de jugement, cet orgueil qui l'a amenée à mal agir... Elle veut lui dire que son seul désir, c'était de l'aimer, de le protéger, de le laisser grandir à l'abri des soucis, afin que son papa soit fier de ce qu'elle aura accompli lorsqu'il reviendra. Mais les propos de son psychiatre lui reviennent en tête: « Antoine, votre fiancé, est mort alors que votre fils, lui, est bien réel. Vous devez apprendre à vivre ce qui est concret, à vous investir dans cette relation mère-fils, mais sans vous isoler du reste du monde. Il est normal que les autres aiment aussi votre fils et c'est cette diversité autour de lui qui l'aidera à mieux se construire. C'est votre nouvelle responsabilité, sans que cela devienne pour autant votre seule raison de vivre. Il faudra vous en souvenir.»

Sachant que les membres de sa famille passent la soirée tous ensemble à Joliette, Claudie referme à demi la porte de la chambre d'enfant et décroche son téléphone.

– Joyeux Noël Maman ! Si tu savais comme je suis heureuse en ce moment. Marc-Antoine dort comme un ange dans le beau lit que papa lui a fabriqué... Je voulais vous dire merci pour votre patience et vos encouragements... Je vous attends demain pour le brunch... Je vous aime tant !

Les Delisle respirent mieux, eux aussi, après des semaines d'inquiétude. Leur grande crainte, c'était que Claudie ne s'enlise dans une sorte de paranoïa, puisqu'elle voyait en chacun une menace pour son bébé. Les chocs successifs de l'accouchement, puis du premier jour avaient amplifié cette peur qui revenait la hanter jour et nuit. Heureusement, le suivi psychiatrique a été efficace. Ils espèrent maintenant que la jeune mère pourra reprendre confiance en elle. Ils seront là pour la soutenir, malgré la distance. En congé pour plusieurs jours, Sophie s'est proposée d'aller passer une belle semaine avec sa sœur, afin de mieux connaître son neveu. Puis, à son retour de voyage, la grande amie de Claudie, Amélie, viendra partager un week-end. Quel plaisir pour des amies de pouvoir ainsi se retrouver !

L'adaptation se passe bien et, malgré quelques fatigues, Claudie n'a pas la nécessité d'un recours aux Tessier pendant la période des Fêtes. Chaque jour, Raymonde appelle, afin de s'enquérir de l'état des lieux. La maman a bien dormi ? Et bébé, commence-t-il à réclamer plus de lait ? A-t-elle besoin d'un coup de main ? Elle rappelle à Claudie que ses grands-parents seraient heureux de le garder quelques heures, laissant à la maman le temps de respirer un peu, d'aller au cinéma, de pratiquer un sport ou un loisir... Mais la réponse est invariablement la même : « Je me débrouille très bien toute seule; ne vous inquiétez pas ! »

Le soir du 31 décembre, Claudie prend le temps de revivre en pensée toute cette histoire d'amour venue bouleverser sa vie. Elle fait glisser sa bague de fiançailles à son doigt et, les yeux fermés, revoit le film de leur passion se projeter dans sa tête. Son cœur se déchire lorsqu'elle le revoit, marchant vers la mer, d'où il ne reviendra pas. S'est-elle résignée à admettre sa mort ? Non, rien ne l'a infléchie sur ce point. Elle croit toujours qu'Antoine est vivant et qu'il reviendra prendre son fils dans ses bras. Malgré la thérapie, la petite pensée magique qui lui donne le courage d'affronter les difficultés, les blessures, les inconforts, les cassures ne faiblit pas. « Antoine, reviens-moi ! Je t'aime tant... Ce tableau du bonheur que tu as peint pour moi, tu ne peux pas le laisser comme cela, inachevé. »

La période des Fêtes comportant son lot de visites et de contacts avec l'extérieur, Claudie n'a pas réalisé qu'elle s'enlisait peu à peu dans une sorte de solitude alarmante, malsaine. La belle-famille se désole de cette attitude et l'inquiétude grandit à mesure que les semaines passent. Les courtes visites ne font qu'entrouvrir la porte à la belle-fa-mille. Janvier 2001 est particulièrement rude et les chutes de neige se succèdent sans que les déneigeurs parviennent à déblayer rues et stationnements. Marc-Antoine couve une petite grippe, mais Claudie ne s'alarme pas. Cette nuit du 26 janvier, vers deux heures du matin, le bébé est fiévreux et sa respiration quelque peu saccadée. Claudie tourne en rond, ne sachant que faire. Elle soulève le récepteur du téléphone pour appeler ses beaux-parents, mais elle hésite…« Je vais appeler Info-Santé et ils vont me dire quoi faire… » Elle est tendue… elle a peur de ne pas prendre la bonne décision, au bon moment…, mais elle ne veut pas montrer sa fragi-lité. Elle attend la préposée qui lui demande de prendre la température du bébé… Cette dernière reste en ligne. Marc-Antoine a 41°C de fièvre. La préposée constate que c'est beaucoup pour un bébé de 3 mois. Elle suggère à Claudie de se rendre à l'urgence la plus près de chez elle. Alors, elle raccroche et s'habille à la hâte. L'idée d'appeler Jean-Paul lui revient en tête, mais elle l'écarte à nouveau. « Je vais réussir à me rendre à l'hôpital sans problème; c'est tout près ! », se dit-elle pour se rassurer.

Pendant qu'elle habille Marc-Antoine et le couche dans son siège de transport, elle fait démarrer son auto à l'aide de son démarreur à distance pour lui donner une chaleur plus confortable.. Elle a le souffle court en prenant son cellulaire, son sac à main, ses clés, les cartes de santé du bébé. « Ça me prendrait cinq bras », constate-t-elle en se retrouvant dehors sous la bourrasque. La sortie du stationnement se fait sans problème et elle prend la route très prudemment. Malgré une visibilité réduite, elle progresse vers la rue principale et se sent en mesure de tenir le coup. Au moment de ralentir en vue du feu de circulation, elle amorce le freinage douce-ment, mais l'auto continue d'avancer, glissant en amorçant un ballet en zigzags. Un taxi arrive en sens inverse et, de justesse, elle l'évite en donnant un coup de volant assez brusque. Le véhicule se met à valser et, sous les yeux horri-fiés du conducteur, il fait un tonneau pour arrêter sa course dans le banc de neige d'une propriété privée.

Le témoin appelle rapidement les secours et il gare sa voiture pour venir en aide à l'occupante qu'il croit seule dans le véhicule. Il s'approche, frappe dans la vitre et dit à la conductrice d'essayer d'ouvrir la fenêtre ou la portière. Claudie est confuse et elle ne sait plus vraiment où se trouve la commande de la fenêtre, puisqu'elle est retenue, tête en bas, par sa ceinture de sécurité. Puis l'homme entend les gémissements d'un bébé… Il regarde sur le siège du passager et voit un jeune bébé, à demi suspendu dans le vide. Il tente d'ouvrir la portière, mais elle est aussi verrouillée. Que doit-il faire ? Attendre les policiers ou fracasser la fenêtre ? Il se rend à nouveau du côté de la conductrice, mais elle est en larmes, en état de choc… Il tente de lui parler pour qu'elle demeure consciente puis il voit un filet de sang formant une ligne profonde de son arcade à la chevelure. Au loin, une sirène retentit… Enfin, du secours !

Les victimes sont rapidement dégagées et conduites à l'hôpital tandis que le chauffeur de taxi remplit la déclaration policière à titre de seul témoin. Secoué, il se rend vérifier le diagnostic médical : multiples blessures à la tête, possibilité d'un traumatisme crânien, sévère choc nerveux pour la conductrice… Le bébé n'a rien, seulement une forte fièvre due à un rhume… « Quelle nuit ! » se dit-il en déambulant dans le corridor. Alors qu'il s'apprête à franchir la porte d'accès de l'urgence, il voit entrer un couple assez âgé en toute hâte. La femme ne peut retenir ses larmes : « Je te l'avais dit qu'il lui arriverait un autre malheur… Cette fille n'a aucun sens des responsabilités. Aller sortir seule avec un bébé, à cette heure de la nuit… On ne va tout de même pas attendre qu'elle mette à nouveau la vie de notre petit-fils en danger avant d'agir… Elle fait preuve d'une dangereuse étourderie. Cette fois, elle a mis non seulement sa propre vie en danger, mais aussi celle de notre petit-fils. Si on ne fait rien, on aura un autre drame sur la conscience. Je pense que nous devons intervenir, pour leur bien ! »

Le chauffeur voudrait les aborder… dire que la conductrice a tenté de freiner sans succès, à cause de la glace invisible sous la neige… mais elle a perdu le contrôle malgré des efforts de redressement. N'importe quel conducteur aurait fait de même sans savoir ce qu'il adviendrait. La conductrice avait fait tout ce qu'il fallait...

Mais les nouveaux arrivants ne le voient pas. Il revient à la réception et demande à ce qu'on remette sa carte à la dame qui vient d'être admise, disant avoir été témoin de l'accident.

– Bien, monsieur... Dubois, nous allons la lui remettre lorsqu'elle aura repris connaissance, dit-elle en notant sur un mémo le message de cet homme.

Claudie se retrouve en salle d'opération, car son traumatisme est sérieux. Lorsqu'elle reprend connaissance, il est quinze heures et elle ne se souvient pas des raisons pour lesquelles elle a pris sa voiture, à deux heures trente du matin, avec son bébé à ses côtés. Heureusement, les policiers vérifient à la centrale d'appel et ils retrouvent la trace de sa demande d'information, motivée par la forte fièvre de son bébé de 3 mois. La préposée confirme lui avoir recommandé de se rendre à l'urgence la plus proche, puisque son bébé avait 41°c de fièvre et qu'il respirait difficilement.

Mais dans l'esprit de Raymonde et de Jean-Paul, les circonstances de cet accident déclenchent une véritable tempête. Ils contactent donc leur avocat afin de savoir comment ils peuvent agir. Ils ont le sentiment que Claudie est trop fragile psychologiquement pour prendre soin d'un bébé et qu'elle n'est aucunement consciente des dangers qu'elle lui fait courir. Ils portent donc plainte et souhaitent lui retirer la garde légale de son fils pour instabilité mentale grave. Devant le juge qui entend leur cause, ils déclarent formellement : « Claudie Delisle est non seulement irresponsable, mais elle met en danger sa propre vie en même temps que celle de son fils. En vertu des dispositions de la Loi P-38, nous demandons que l'État la protège contre elle-même, car son état psychologique l'empêche de mesurer ce qui est dangereux et déraisonnable; nous proposons que Claudie Delisle soit placée en institution pour y subir des traitements psychiatriques et nous demandons à être déclarés tuteurs officiels de cet enfant, notre petit-fils jusqu'au plein rétablissement physique et mental de sa mère ».

Malgré le témoignage de ses parents, du chauffeur de taxi et les déclarations produites par les policiers suite à l'accident de voiture du 26 janvier 2001, Claudie est admise dans une institution psychiatrique sans même avoir eu l'opportunité de s'expliquer. Elle est transférée dans un centre de détention où la cure fermée se poursuivra tant et aussi longtemps qu'elle ne pourra prouver sa stabilité émotionnelle. Sans aide, peu informée des droits qu'elle pourrait exercer, pendant vingt-quatre longs mois, elle ne sera pas autorisée à revoir son fils. Ses proches obtiennent des droits de visites sous surveillance et captées sur vidéo. La moindre critique ou le plus léger appel à l'injustice lui vaut de nouvelles étapes de réhabilitation. L'étau se resserre sur elle. Les jours et les nuits se confondent, entre la révolte et la haine. Lorsque ses colères retentissent jusqu'au fond du couloir, elle sait que la médication lui vaudra de longs et douloureux cauchemars. « Est-ce donc ça, mourir d'aimer ? Antoine, je t'en supplie, viens à mon aide ! »

Le temps se fige comme les mains de Claudie accrochées aux barreaux de métal de sa minuscule fenêtre. Son regard se perd au loin, alors qu'elle ressent le froid et la solitude sur ses épaules. Comment sortir de cet abîme sans fond où elle tombe, patauge, s'enlise ? Pourquoi la vie s'acharne-t-elle contre elle ? Le bonheur était-il une illusion à laquelle elle aurait dû renoncer ? Qui lui tendra la main ?

Chapitre 8

L orsqu'elle aperçoit Carmen et René dans la salle d'attente, Claudie se précipite vers eux. La cure fermée se termine dans une effusion de larmes et de joie.

– Je me sens revivre. Enfin, la lumière au bout du tunnel. J'ai vécu les mois les plus longs, les plus vides de toute ma vie.

– Viens ma chérie, rentrons à la maison. Ton thérapeute nous a donné copie de ton rapport d'évaluation. Tu es guérie… tu redeviens notre petite Claudie, celle qui bravement a toujours fait face à ses responsabilités, selon nous. Nous t'aimons tant, tu sais…

L'hiver marque sa présence avec détermination en ce 14 février 2003 : il fait -20° Celsius et le soleil trop lointain ne peut que garder les paysages éclairés sans parvenir à les réchauffer véritablement. Claudie s'emmitoufle dans son anorak pour franchir les quelques mètres la séparant de l'auto.

– Hier, nous sommes allés faire un brin de ménage dans ton condo et nous avons rempli ton frigo. Tout sera bien propre pour ton retour. Et tu as même une surprise…

Claudie anticipe ce plongeon dans une vie normale depuis des semaines. Elle mesure à quel point ses parents ont souffert de cette longue absence. Carmen dissimule mal quelques rides supplémentaires et René ne se tient plus aussi droit qu'avant. Les nouvelles tombent, une à une. Ils n'ont pas revu Marc-Antoine, et s'en désolent. Quelle épreuve ! Voyant une larme poindre entre les longs cils de Claudie, ils enchaînent. Sophie s'est mariée; huit mois déjà. Comme toutes visites ou sorties lui étaient interdites, Claudie ne connaît pas encore son nouveau beau-frère. Elle souhaite pour Sophie un amour exceptionnel, à la hauteur de ses qualités.

– Parlez-moi de ma petite sœur ? Est-elle heureuse ? Vraiment heureuse ? questionne-t-elle en essuyant ses yeux humides.

Carmen pèse ses mots, car elle ne voudrait pas qu'une comparaison malhabile, une évocation indirecte, ramène Claudie à revivre sa passion trop éphémère pour Antoine.

– Notre petite esthéticienne a rencontré Alain dans une convention annuelle à Toronto. Il se trouve qu'il est le directeur d'un réseau Spa-Santé et ils ont passé quelques temps ensemble, sur place, étant hébergés au même hôtel. Un souper plus intime les a rapprochés. Sophie ne se faisait pas d'illusions lorsque le congrès s'est terminé. Elle lui a dit au revoir et merci… croyant qu'il voulait seulement passer un bon moment en sa compagnie. Mais elle ne semblait pas indifférente à son charme. Il est bel homme… soigné… cultivé et indépendant financièrement. Lorsqu'elle nous a parlé de lui à son retour, elle a simplement dit : « Je pense que cet homme a un petit quelque chose de spécial. Il est différent des autres gars que j'ai croisés jusqu'ici. Mais tout nous sépare, alors, j'ai choisi de laisser faire le hasard. Je n'ai rien tenté pour le revoir; il ne se doute même pas que mon cœur s'est réveillé à son contact. »

– Je reconnais bien là son esprit indépendant. Elle n'affiche pas toujours ses émotions, ma petite sœur. Elle attend que les choses viennent à elle… sans forcer sa chance. Elle a une grande force de caractère que je lui envie un peu.

– Mais deux jours plus tard, il lui a écrit un courriel, lui disant qu'il venait dans la région. Il l'a invitée à dîner, lui a longuement parlé de lui, et le déclic s'est produit. Ils se sont revus tantôt à Montréal, tantôt à Toronto. Et après trois mois de ce ballet, il lui a demandé officiellement sa main. Ma petite fille de 29 ans a dit oui et, en juillet dernier, ils se sont mariés civilement. Les roses ont toujours des épines, hélas ! Notre immense joie de la savoir heureuse a été un peu ternie. Elle nous a annoncé son départ. Alain avait fait l'achat d'un manoir dans un quartier cossu de Toronto et c'est ainsi que notre bébé s'est envolé pour de bon.

René parlait peu, tout attentif à la conduite qu'il voulait régulière malgré la neige durcie accumulée au sol. Mais ses pensées vagabondent, assez sombres à vrai dire.

– Tu sais, nous célébrons ton retour avec l'impression de revivre. Nous sommes des parents orphelins de leurs enfants : toi en cure fermée et Sophie à Toronto… Heureusement que nous sommes impliqués dans notre milieu. Un long purgatoire se termine. Cet automne et cet hiver ont été pénibles pour ta mère et moi.

– Je comprends… Je regrette tellement de vous avoir causé tant de soucis et de peine… Je voulais trop bien faire et j'ai gâché par entêtement deux belles années de ma vie. Espérons que Sophie saura garder son amoureux et son équilibre : pour moi, les deux ont été mis à rude épreuve. Je cherche encore ce qui cloche, chez moi… Suis-je trop romantique ? Trop entêtée ? Je n'arrive pas à comprendre pourquoi je me suis enlisée encore et encore. Mais j'arrive à me pardonner. C'est au moins un pas de fait !

L'approche de sa rue, de son quartier, du restaurant du coin où elle avait mangé un soir avec Antoine provoque une émotion intense chez Claudie. Ce passé lui appartient et elle a fait la paix avec ce qui a été et ce qui n'est plus. Déterminée à reconstruire sa vie sur de nouvelles bases et non sur des chimères, elle chasse ses pensées noires.

– Le quartier n'a pas beaucoup changé… Si… ils ont complété le centre commercial. Ce sera pratique pour faire mes courses, commente-t-elle en voyant apparaître la bannière de son supermarché.

Elle est heureuse d'insérer sa clé dans la serrure et de pousser la porte. L'appartement sent bon les fleurs fraîches… Une magnifique gerbe de roses rouges trône au centre de la table. Ses sacs déposés, elle retire ses bottes et s'approche pour lire la carte.

Chapitre 8

Bon retour à la maison maman !

Bonne Saint-Valentin à l'amour de ma vie !

Ton fils Marc-Antoine XXX

PS. : C'est mon papi qui a signé, mais les baisers en X c'est moi tout seul...

Claudie ressent une grande fierté, une bouffée d'amour l'envahir. Elle ferme les yeux, elle respire le parfum si évocateur afin de bien s'imprégner de cet instant, de le graver dans sa mémoire. Est-ce qu'elle pourra enfin être heureuse et vivre sereinement sa maternité ? A-t-elle fini de payer le prix d'une relation terminée dans le drame et la solitude ? Pourra-t-elle réapprendre à faire confiance à l'amour ? Ses parents la rejoignent et ils l'entourent affectueusement.

– Tu peux compter sur nous. Cette fois, tu vas trouver le bonheur que tu mérites... La vie t'offre une nouvelle chance.

Le contact avec la réalité lui fournit mille et une occasions de savourer sa liberté. Elle propose à ses parents une bonne tasse de chocolat chaud et la conversation s'allège. Nouveaux gestes, retour à ses propres références : les automatismes d'avant reprennent leur place autour de la table de la cuisine, sans façon. René parle de son travail, il annonce qu'il quittera le conseil des marguilliers à Pâques... Carmen laisse doucement entendre que son employée pourrait acheter son salon de coiffure. Et la maison est devenue trop grande pour eux deux. Claudie se rend compte que ses parents amorcent une nouvelle étape de vie, en direction d'une retraite progressive. Elle s'en réjouit avec eux, voyant bien que les tourments ont usé leurs forces et laissé leurs marques.

– On ne rajeunit pas, laisse échapper Carmen, dans un long soupir. Le temps nous rattrape. Si on veut voir grandir nos petits-enfants, il vaut mieux ménager nos forces.

Avant le coucher du soleil, Carmen et René prennent la route pour rentrer à Joliette. Ils se sentent soulagés que ce long cauchemar se termine pour Claudie. Ils ont tellement prié pour elle, pour son retour à cet équilibre qui la caractérisait avant le choc de cet amour dramatique. Ils se promettent de rester plus vigilants, plus présents aux besoins de leur grande fille. Pourront-ils revoir leur petit-fils ? Comme ils aimeraient aussi se rapprocher de ce petit bonhomme de 28 mois ! La destinée leur accordera-t-elle cette petite récompense, pour effacer toutes ces années de tristesse ? Ils l'espèrent de tout cœur.

* * *

Vers dix-neuf heures, Claudie tente de rejoindre Jean-Paul et Raymonde afin de les remercier pour les fleurs. Comme elle aimerait parler à son fils au téléphone. Après quelques sonneries, c'est une voix d'enfant qui répond. Le cœur de Claudie bat à tout rompre…

– Monsieur Tessier ? demande-t-elle.

– Qui ? répond la petite voix étonnée.

– Ton papi est là ? C'est Claudie…

– Allo ! Je m'appelle Marc-Antoine. J'ai un… deux… presque trois ans…

– Moi, je suis ta maman…

– Elle est à l'hôpital, ma maman…

– Je viens juste de sortir de l'hôpital. Je suis guérie… explique Claudie.

L'enfant dépose le téléphone et se met à courir en criant :

– Papi, maman est guérie… Elle est au téléphone. Est-ce qu'on peut aller la voir, dis ?

Claudie compte les secondes… Jean-Paul va-t-il être réceptif ? Et Raymonde ? Elle entend des pas traînants puis la voix de Jean-Paul l'interroge.

– Oui, c'est toi Claudie ? fait-il d'une voix grave.

– C'est bien moi… Comment allez-vous, Jean-Paul ? Je voulais vous remercier pour les fleurs. Ce message m'a vraiment fait chaud au cœur. Vous ne pouvez savoir…

– J'ai été prévenu hier que votre dossier était concluant. On m'a dit que vous alliez bien mieux. Alors, comme c'est la Saint-Valentin, j'ai pensé à cette petite attention avec mon jeune complice. D'ailleurs Marc-Antoine savait que vous alliez peut-être téléphoner... Je lui en avais parlé... d'homme à homme.

– Il parle comme un grand. C'est fou : il n'a pas encore 3 ans...

– Nous avons tenté, Raymonde et moi, de lui donner la meilleure éducation possible, pendant votre absence. Mais le temps est venu de vous le rendre, je crois.

– Comment Raymonde accepte-t-elle le fait de s'en séparer... Elle doit être terriblement attachée à cet enfant ?

– En fait, vous n'êtes pas au courant, mais Raymonde est... décédée. Elle nous a quittés le 20 octobre dernier. Elle a fait un AVC qui a été traité, mais trois semaines plus tard, une récidive a été fatale. Elle a refusé que je vous l'annonce avant votre rétablissement, car elle ne voulait pas vous inquiéter. Elle a eu le temps de faire ses adieux à ce monde et elle vous a même laissé une lettre que je vous remettrai bientôt. Elle détestait souffrir et l'idée de traîner entre la vie et la mort lui était insupportable... C'est ce qui m'a aidé à accepter son départ, avec la présence de Marc-Antoine à mes côtés.

– Je... l'ignorais. Vous me voyez désolée. Mes très sincères condoléances. Vous prenez soin de Marc-Antoine vous-même depuis ce temps ?

– C'est plutôt Marc-Antoine qui prend soin de moi, en réalité. Depuis quatre mois, j'ai moi aussi quelques problèmes de santé. Je marche péniblement et je suis en attente d'une double intervention aux hanches. Eh oui, la mécanique s'use... Alors, nous avons choisi une dame de compagnie qui vient prendre soin de nous, tous les jours.

– Peut-être que le retour d'une maman sera une bonne chose, après toutes ces épreuves; il était temps que je m'en sorte, ose commenter Claudie.

L'œuvre inachevée

– Nous sommes très heureux, Marc-Antoine et moi, de vous savoir guérie. Vous avez entendu le petit… Il veut aller vous rendre visite tout de suite. Moi, je proposerais plutôt demain. Nous pourrions passer l'après-midi ensemble. Il faut me laisser le temps de me retourner. Je ne suis plus aussi rapide qu'avant…

– C'est une très bonne idée. Je vous attends demain. Est-ce que je peux lui parler à nouveau ? Je voudrais lui dire aussi merci pour les belles fleurs. À demain, Jean-Paul.

La conversation avec Marc-Antoine est un gentil babillage. Il sait déjà plusieurs mots et Claudie rit de sa spontanéité. Il lui dit qu'il veut lui faire plein de câlins… qu'il a fait un album de photos juste pour elle… qu'il fait pipi tout seul… qu'il a des amis à la garderie. Lorsque tous les sujets sont épuisés, Claudie lui souhaite bonne nuit et lui dit qu'elle a hâte à demain pour le prendre dans ses bras… Et il raccroche, laissant Claudie béate, le téléphone collé à l'oreille même si la communication est, depuis longtemps, interrompue. Cette bouffée d'air frais lui fait un tel bien à l'âme qu'elle en oublie son long calvaire. « Et si j'avais à nouveau la chance de retrouver le bonheur ? Pas une mascarade… seulement un petit bonheur bien normal, pantouflard, agréable et douillet. Je serais enfin maîtresse de ma propre destinée. »

Sa première soirée de liberté est à peine amorcée que son téléphone sonne. C'est Irénée qui tente de la joindre depuis plusieurs jours. Après les échanges de banalités, de nouvelles sur la santé, Irénée lui demande si elle aimerait travailler pour lui.

– J'ai accepté de parrainer un groupe de jeunes peintres qui veulent exposer en collectif. J'ai pensé que vous pourriez préparer le catalogue, les affiches et nous donner un coup de main aux communications. Nous avons trois mois devant nous pour faire un succès de cette expérience. Ensuite, nous devrons prendre une décision concernant les œuvres d'Antoine. J'ai beaucoup de mal à retenir les différents médias qui réclament une exposition solo… Je leur dis toujours : l'an prochain…, mais un jour, il faudra bien lui rendre justice. Qu'en pensez-vous ?

La proposition a le mérite d'être simple et de courte durée. Claudie aimerait bien prendre le temps d'y réfléchir avant de donner une réponse définitive. Elle lui demande donc un délai de quelques jours. Évidemment, cela ajouterait des soucis à sa réorganisation, mais avoir un but peut aussi l'aider à reprendre pied dans la réalité.

– Je voulais vous inviter à venir me faire une visite… Alors, au jour et à l'heure qui vous conviennent, vous faites mon numéro et je vous accueille à bras ouverts. J'ai tellement hâte de vous revoir. Je me suis fait beaucoup de soucis pour vous et je vous dois bien plus que des excuses. Alors, laissez-moi au moins faire un pas dans la bonne direction, plaide-t-il avant de mettre fin à la conversation.

Évidemment, une forme de retour au travail lui fera du bien, surtout si elle peut trouver un environnement positif, un défi à sa mesure, avec une flexibilité d'horaire. Peut-être pourrait-elle travailler de chez elle, en grande partie ? Pourra-t-elle concilier la présence de Marc-Antoine et cet engagement…

Avant d'aller dormir, elle fait une visite dans la chambre de bébé; cette pièce créée avec tant d'espérance n'aura pas été témoin des principaux événements des premières années de la vie de Marc-Antoine. Elle abaisse le matelas qui était toujours en position nourrisson, mais y laisse les draps dans lesquels il a dormi auparavant. Elle descend le garde-fou qui ne servira sans doute plus beaucoup, maintenant qu'il peut se lever et aller à la salle de bain tout seul. La table à langer est aussi à remiser dans le placard. Elle la démonte et la range. Ces petits gestes l'apaisent, la sortent un peu d'elle-même, de ses émotions qui oscillent entre la joie et la nostalgie. « Il va bien rire, mon fils, de voir que ces petits pyjamas l'attendent sagement… et toute cette provision de couches jetables, pas plus grandes qu'un mouchoir. » Elle sourit et accepte. « Personne ne peut réécrire son histoire. »

Dans la pénombre, elle se rend à sa chambre et allume sa lampe de chevet. Elle s'assoit entre les coussins, replie l'une de ses jambes sous son menton et le retient avec ses bras pendant que l'autre jambe s'allonge jusqu'à toucher le pied du lit. Devant elle, Antoine se matérialise. Elle l'imagine, attentif à ses coups de pinceau, la fixant pour ensuite placer le trait et la couleur avec justesse, rigueur, sensibilité. Elle redevient ce modèle, muette, subtilement disponible, mais figée dans cette posture de l'amante qu'elle a été pour Antoine en décembre 1999, sans même savoir que cet instant demeurerait dans sa mémoire d'artiste. Bercée par cette ambiance réconciliant son passé et son présent, elle se laisse aller au sommeil, en fermant simplement les yeux, oubliant les longs mois de solitude dont elle émerge enfin.

* * *

– Tu es la dame de la photo ! C'est toi, ma maman ? lance Marc-Antoine dès qu'il aperçoit Claudie lui souhaitant la bienvenue. Tu es belle !

Le visage éclairé par des yeux immenses, d'un brun éclatant, un sourire qui lui creuse deux petites fossettes dans les joues, le front haut et fier, Claudie admire l'image de son Antoine, dans sa version miniaturisée. Il enlève sa tuque et passe sa petite main dans ses cheveux afin qu'ils se redressent. Entre le brun et le noir, les petites mèches effilées et drues lui donnent un air d'adolescent rebelle avant l'heure.

– Ta maison est tout près. Je peux venir à vélo ?

Jean-Paul s'empresse de calmer son enthousiasme.

– Tu es encore trop jeune pour aller comme ça d'une maison à l'autre sans être accompagné d'un adulte. Tu sais, ce serait imprudent.

– Ouais ! Moi, je suis prudent ! Dis maman, je peux te faire mon gros câlin ?

– Viens mon grand ! Moi aussi, j'ai un énorme câlin pour toi.

Sous les yeux d'un Jean-Paul ému, la mère et le fils sont enfin réunis. Les petits bras de Marc-Antoine serrent le cou de Claudie jusqu'à l'étouffer. Elle le fait tourner et le presse contre elle. Puis c'est l'éclat de rire général. Enfin une bouffée de vrai bonheur !

– Ouf ! Je me sens bien mieux par terre. Je suis content. J'ai une vraie maman.

– Et moi, j'ai un garçon magnifique qui a mille questions à poser, je le parierais…

– Oui ! Bon… Où tu étais malade ? demande-t-il un peu maladroitement.

Claudie les guide vers le salon et, Marc-Antoine s'assoit entre elle et Jean-Paul. Elle lui demande si on lui a déjà raconté l'accident de voiture… lorsqu'il avait trois mois. Alors, elle lui raconte qu'il faisait une très grosse fièvre et que la dame d'Info-Santé lui a dit que c'était urgent d'aller à l'hôpital.

– Alors, malgré la tempête, je suis partie pour que tu puisses voir un médecin, et l'auto a fait un tonneau, un gros capotage sur la route glacée… Heureusement, tu n'as pas été blessé, mais moi, j'ai eu très mal… Regarde !

Elle fait asseoir Marc-Antoine sur ses genoux et, elle prend sa petite main pour l'amener jusqu'à la base des cheveux, qu'elle soulève. Une longue cicatrice y est logée, que l'enfant ose à peine effleurer, craignant de lui faire mal.

– C'est ton cerveau ! On dirait un chemin pour les trains. En tout cas, c'était bien long… déjà que mon papa, il est disparu ! Je suis bien content que tu sois là, en vrai !

– Moi aussi, mon chéri, je suis contente de te retrouver et je veux dire merci à papi pour son aide. Lui et mamie ont bien pris soin de toi ! Te voilà grand et intelligent. Tu as appris tellement de choses pendant que j'étais à l'hôpital. Tu sais, lorsque je t'ai vu, la dernière fois, tu étais petit … comme ça, mime-t-elle en mesurant la taille d'un nouveau-né. Viens, je vais te montrer…

Elle lui prend la main et l'amène visiter sa chambre. Il est fasciné par le lit, les draps, le décor d'enfant et, lorsqu'elle lui montre son pyjama, ses tee-shirts, ses chaussettes, il ouvre des yeux incrédules.

– J'étais si petit ! C'est pas vrai ! Comme sur les photos de mamie Raymonde, au début de l'album. J'peux pas m'imaginer que c'était moi, le vrai moi. J'ai tellement mangé que je suis devenu grand !

Jean-Paul et Claudie éclatent de rire. La spontanéité de l'enfant les étonne, phrase après phrase. Son raisonnement et sa façon d'exprimer ses observations indiquent un grand sens de la répartie, une belle curiosité aussi.

– Tu vois ce lit... C'est ton autre grand-père René qui l'a fabriqué pour toi. Il est venu me voir hier et il m'a demandé de vérifier si tu pouvais encore dormir dedans. Il serait bien triste si tu ne pouvais pas y dormir au moins quelques mois, jusqu'à tes 3 ans par exemple. Veux-tu l'essayer pour qu'on mesure l'espace ? Tu as grandi tellement vite, je me demande bien si...

L'enfant se hisse sur le rebord du matelas avec un air sceptique. Il fronce un peu les sourcils en dépliant ses jambes au maximum puis, il se couche sur l'oreiller, tentant visiblement de se grandir pour toucher le bois ouvré, de ses pieds et de sa tête en même temps.

– J'y arrive presque... Mais on est si bien dedans que j'aimerais le garder un peu... jusqu'à ma fête. Il est moelleux et il sent le bébé. Et puis, c'est mon lit ! Tu peux dire à grand-père René que je l'aime bien, son beau lit fabriqué.

– Il va être content ! Et ta grand-mère aussi. Elle s'appelle Carmen. Et tu as une tante aussi, Sophie qui a un mari, Alain. Tu en as des gens à connaître, maintenant que le problème de ton lit est réglé. As-tu apporté ton pyjama... car sinon, tu devras porter celui-ci ou encore celui-là, dit-elle en montrant un bleu et un jaune de tailles réduites.

– Papi a fait une valise, mais je n'ai pas pu tout faire entrer mes affaires dedans... comme ça, je pourrais aussi dormir chez lui, quand il va s'ennuyer de moi.

– Excellente idée. D'ailleurs, ici, tu n'as encore rien pour t'amuser… On va aller acheter quelques jouets, des livres, de la musique… pour que tu puisses aussi jouer.

Les premiers échanges avec Marc-Antoine se font dans la bonne humeur. Sur la demande de son papi, il va chercher l'album photo qui permet de suivre les plus grands événements de ces deux dernières années. C'est lui qui tourne les pages et Jean-Paul commente abondamment l'apparition de la première dent, l'anniversaire, la venue du père Noël, et ainsi de suite. Lorsqu'ils arrivent au décès de sa mamie, Marc-Antoine devient tout triste.

– Est-elle avec papa ? Lui aussi, je voudrais le retrouver. Mais pas tout de suite. Seulement lorsque j'aurai perdu tous mes cheveux, comme papi…

Au fil des jours, la confiance revient, les liens du sang se renforcent. Pour éviter une trop grande solitude, Jean-Paul vient passer la plupart de ses après-midi avec eux. Cela permet d'assurer une continuité entre le passé et le présent, dans la courte vie de Marc-Antoine. Une demi-journée par semaine, l'enfant fréquente la garderie de son quartier où ses amis le réclament. Cette socialisation lui est bénéfique.

Tout un autre univers s'ouvre à lui lorsque Claudie l'emmène à Joliette pour le traditionnel repas du dimanche. Une ville inconnue, des grands-parents émus aux larmes, une complicité spontanée avec René et une affection exubérante envers Carmen : Marc-Antoine occupe toute la place. Il semble si heureux de posséder, comme les autres enfants de son âge, « tout plein de papis et de mamies qui font des cadeaux super chouettes, même quand c'est pas ma fête ! »

Claudie apprivoise l'idée de reprendre le travail. Elle profite donc d'un gardien très empressé, Jean-Paul, qui lui permet de se rendre à l'invitation d'Irénée. Vont-ils s'entendre ? Comment faire table rase de ces souvenirs dramatiques survenus précédemment ? Rien n'a changé sur la rue Mont-Royal en cette fin d'hiver. C'est un homme vieilli, mais différent qui l'accueille. Est-ce sa tenue plus soignée, ses cheveux grisonnants ?

L'œuvre inachevée

– Enfin… Je te retrouve. Tu es resplendissante ! Viens, entre… dit-il avec empressement.

– Merci… Je suis contente de te revoir, moi aussi.

– La vieille maison a subi une vraie cure de rajeunissement, remarque Claudie au premier coup d'œil.

– J'ai fait rénover tout le rez-de-chaussée l'hiver dernier. Et cet automne, ce sera au premier étage de subir le même sort. Viens, je vais te montrer…

La jeune femme se prête de bonne grâce à cette tournée de reconnaissance dont Irénée semble particulièrement fier. « On dirait qu'il me traite comme sa sœur… qu'il me considère comme un membre de sa famille » se dit Claudie. Alors, elle approuve ses choix et lui fait remarquer que même son allure a été revampée…

– Ai-je le choix ? Après une première attaque et des tests cardios aux trois mois, j'ai dû me résoudre à changer mes habitudes de vie. Je me suis astreint à un régime alimentaire, j'ai pris l'habitude de m'entraîner quotidiennement.

Se tournant vers la fenêtre pour désigner dans un geste théâtral ce décor magnifique, il poursuit :

– Je fais partie de ce paysage maintenant. Au lieu de l'admirer seulement, j'y fais une longue marche chaque jour, beau temps mauvais temps. C'est excellent pour mon corps et cela m'a permis également de faire un peu de ménage dans ma tête…

– Bravo ! Te voilà un homme neuf ! Je ne peux malheureusement pas mesurer aussi concrètement que toi les changements que ces deux dernières années m'ont imposés… Mon bilan est moins reluisant. Mais le plaisir de retrouver mon fils a été une récompense que je savoure jour après jour.

Alors qu'ils prennent place au salon, Irénée saisit l'occasion pour demander à Claudie de lui pardonner.

– Je ne peux pas vivre avec ce poids sur ma conscience… Tous ces malheurs qui te sont arrivés ne se seraient pas produits si je n'avais pas oublié mon cellulaire, cet après-midi du 2 octobre 2000. Ton bébé serait né à l'hôpital, tu aurais été entourée des meilleurs médecins, et les événements subséquents auraient ainsi pu être évités. Je suis coupable d'une grande partie de tes malheurs, de plus de deux années de ta vie qui se sont envolées, rendant si pénible ton retour à l'équilibre. Le destin t'a fait payer pour mon inconséquence, mon manque d'attention aux autres… alors que toi, tu m'as sauvé la vie… tu as fait en sorte que ma vie devienne meilleure. J'ai tellement de regrets… aussi inutiles que profonds, à te confesser.

Claudie observe cet homme, jadis arrogant et prétentieux, tout imbu de lui-même, se tordre de douleur et tenter de prouver son humanité comme jamais elle ne l'aurait cru possible. Elle est touchée par ce changement de ton, de convictions. Irénée avait réponse à tout; le voilà qui cherche à comprendre, à nuancer, à entrer dans la pensée de l'autre au lieu d'imposer son savoir, son érudition. Lui aussi, il a cherché sa vérité…

– À propos… ta fameuse théorie de la destinée… je l'ai lue et relue pendant ma cure fermée, avec une dizaine d'autres ouvrages qui m'ont permis de faire évoluer ma pensée, ma compréhension des sentiments qui s'étaient polarisés en moi. Tout compte fait, je n'ai rien à te pardonner, cher ami… J'ai été et je demeure convaincue que mes épreuves avaient un sens et que, tôt ou tard, j'aurais dû affronter mes démons intérieurs, comme on dit couramment.

Irénée s'est rapproché. Il lui prend la main avec une grande émotion, comme pour amorcer un aveu inattendu.

– Ma plus grande redevance, envers toi, c'est… que tu m'as ouvert les yeux et le cœur alors que je m'entêtais à vivre dans un monde à sens unique. Pendant tous ces jours où je te savais en isolement, en détresse psychologique, privée de tous tes droits, j'ai ressenti des remords. Indirectement, c'est moi qui t'imposais de vivre avec des personnes réellement perturbées, en recluse, sans voir les tiens, dont ce fils si précieux. Je regardais le tableau peint par Antoine et je suppliais le ciel de te sortir de là, de revenir vers moi, comme tu le fais aujourd'hui. Le miracle, c'est que tu acceptes sans amertume, sans rancune, sans désir de vengeance, sans une once de haine... de me revoir. Tu pourrais me fuir, me battre, me blâmer, m'intenter un procès, me jeter à la rue... ce serait justice.

– Voyons Irénée, je ne t'en veux pas... Nos chemins se sont croisés à un moment crucial de mon existence. Une véritable tragédie grecque ! Mais personne ne peut réécrire sa vie ! Votre confession appelle la mienne.

Ses yeux s'emplissent de larmes. Pour la première fois, Claudie se sent prête à avouer comment elle a réussi à redéfinir sa vie, au cours des mois de thérapie qui s'achèvent. Ses mots sont lourds et tombent comme des pierres dont elle se libère péniblement.

– Lorsque l'amour est entré dans ma vie, la petite Claudie bien sûre d'elle-même, affirmée, un peu trop idéaliste, est tombée dans un mélodrame qu'elle a aimé et cultivé... Antoine a juste eu le temps de me dévoiler une partie de ce qu'il était... que déjà, j'avais adopté une attitude surréaliste : j'ai idéalisé notre relation comme s'il s'agissait d'un conte de fées. Tous mes repères personnels ont sauté d'un seul coup, comme un barrage qui se rompt à la première crue printanière. Cet amour a été démesuré; il nous a tirés, Antoine et moi, en dehors de la réalité. Nos élans amoureux et nos conversations n'avaient pas de liens avec le quotidien. C'est la première erreur que j'ai commise, celle de projeter tout dans une sorte de monde idéal. Sa disparition a donc été un drame qui a cristallisé mes sentiments : je refusais de désacraliser cet épisode de ma vie, en acceptant simplement sa disparition, comme les autres l'ont fait. Je me suis emprisonnée en moi-même, moi, la vraie Claudie, pour laisser l'autre moi, l'amante parfaite, la femme inébranlable, l'héroïne abandonnée d'un grand roman dramatique et j'ai joué ce jeu jusqu'à la scène de l'accident. Cet accident m'a fait mal. Je n'étais pas à la hauteur de ma belle assurance : je l'ai compris en refaisant le chemin entre le rêve et la réalité. Celle qui est devant vous aujourd'hui, c'est la vraie Claudie, la fille de 33 ans, consciente de sa vulnérabilité, de ses faiblesses, mais bien réelle.

– Je suis sans voix ! Tu mérites toute mon admiration. Ta grandeur d'âme… J'ose croire que maintenant, tu auras droit à une vie heureuse, avec ce qu'il y a de plus merveilleux dans toute cette histoire, le fils d'Antoine, ce trésor bien réel lui aussi.

Claudie cherche dans son sac son agenda dans lequel elle a glissé une photo de Marc-Antoine. Elle la retire de son étui et la montre à Irénée.

– Comme il est beau… il a le front et les yeux de son père. Il semble bien grand déjà. Il aura bientôt 2 ans et demi… Je lui ai volé sa maman, ce pauvre petit ! ajoute Irénée en posant ses lèvres sur la photographie. Ce baiser, c'est de ma part et aussi de la part de son papa qui aurait été si fier.

– Oui, il aurait été heureux de voir grandir son fils. Il en aurait fait des tableaux émouvants, avec le talent qu'il a… qu'il avait je veux dire.

– Justement, je me sens la responsabilité de le faire connaître. Nous pouvons, toi et moi, lui rendre justice, le faire revivre grâce à ses œuvres.

La conversation s'oriente vers une possible collaboration entre Claudie et Irénée, une incursion dans le milieu de l'art, par la porte indirecte d'assistante, de responsable des communications, que lui ouvre Irénée. Elle accepte volontiers de relever le défi, se réservant la possibilité de travailler chez elle, lorsque la chose sera possible. Après s'être entendus sur les délais, la rémunération et les autres termes du contrat de services, comme des associés, ils se tendent la main.

– Et lorsque cette exposition du Groupe des Sept aura connu tout le succès que nous espérons, nous relèverons un autre défi, juste toi et moi : nous ferons revivre le grand, le très grand Antoine Tessier !

– C'est mon vœu le plus cher, avoue Claudie en rougissant, mais j'ignore tout de ce milieu… Même si j'ai visité avec intérêt des dizaines de galeries d'art et de musées lors de mon dernier voyage à New York, j'ai tout à apprendre de cet univers. Avec toi à mes côtés, en qui j'ai toute confiance, je veux bien essayer !

Lorsqu'elle s'apprête à partir, Irénée lui remet l'ordinateur portable qu'elle avait laissé là-haut, le jour de son accouchement dramatique. Elle le regarde comme s'il surgissait du passé...

– C'était celui d'Antoine... Il commence à prendre de l'âge. J'y ai consigné tout l'inventaire, sauf les tableaux de la première génération. Ça au moins, c'est concret ! ajoute-t-elle en soupirant, pour éviter de soulever des sentiments trop pénibles.

– Nous avons nettoyé l'atelier, mais la table de travail, le drap maculé de peinture et le chevalet sont restés en place. Quant à ce portrait de toi, il me tient compagnie, dans l'intimité de ma chambre, depuis plusieurs mois.

Irénée a les yeux brouillés par l'émotion. Claudie préfère ne pas s'attarder, pour l'instant, sur le sens de ces dernières paroles. Elle préfère rentrer chez elle, heureuse de retrouver les 2600 tableaux d'Antoine qu'elle avait soigneusement photographiés et informatisés, dans son autre vie, du temps où elle croyait encore à son retour.

* * *

Pendant le congé pascal, Amélie et Claudie se retrouvent enfin, après des mois et des mois d'espérance en une trêve, un temps pour partager toutes leurs confidences. Au cours de ces deux jours, elles se racontent en menus détails ces expériences qui laissent au cœur des blessures parfois très difficiles à guérir. Là où les thérapies ne peuvent entrer, l'amitié le peut, sans forcer les portes, dans la confiance mutuelle. Inconscientes des heures de repas comme du temps qui passe, elles vivent leurs retrouvailles comme si elles s'étaient quittées hier.

– Antoine a fait un portrait de toi de mémoire, avant même d'avoir pris une seule photo ? C'est presque impossible de fixer dans sa mémoire chaque détail… Est-ce que tu l'as sur ton portable ?

– Évidemment ! Regarde, il l'a créé le jeudi précédant notre départ en République dominicaine. Il a peint toute la journée et le soir, lorsque ses amis de collège, les AMIENS, se sont réunis, il m'a présentée à eux avec ce tableau. « Voici celle que j'aime; c'est avec elle que je choisis de vivre mon éternité ». Il leur a avoué du même souffle que son père prenait sa retraite le 10 janvier et que, dorénavant, il allait se consacrer à l'entreprise, souhaitant aussi concilier le travail et la famille. Cela voulait-il dire que sa décision de renoncer à la peinture était prise ? Lorsqu'il leur a dit adieu, ses copains ont tous réagi en se remémorant ce serment qu'ils avaient fait, quinze ans plus tôt, de se donner la mort si jamais l'un d'entre eux devait renoncer à son art. Tous ses amis ont alors pensé qu'il avait décidé de se suicider. Alors, quand ils ont appris sa disparition, tout était clair pour eux : Antoine avait choisi son éternité.

– Mais c'est une histoire incroyable… Antoine t'aimait comme un fou ! Regarde-moi ce chef-d'œuvre : comment l'homme qui a pu mettre tant d'amour dans ce tableau peut-il même imaginer ne plus partager sa vie avec celle qu'il aime ? Il aurait été déchiré, torturé de se tenir avec toi, de te faire l'amour, de te demander en mariage en sachant qu'il ne réaliserait pas son rêve… votre rêve commun ? Tu aurais senti ses peurs, sa détresse : une personne qui choisit le suicide sème toujours des indices… Ses amis ont mal compris son adieu, selon moi… hasarde amicalement Amélie.

– C'est ce que j'ai pensé pendant très longtemps. Mais pendant la thérapie, nuit après nuit, j'ai refait cent fois le tour de mon espérance : je voulais tellement croire en lui, croire que cet amour était plus important que tout au monde, pour lui comme pour moi d'ailleurs. L'espérance est un écran qui me servait de paravent; elle m'évitait de souffrir et me gardait prisonnière de mes illusions. Puis, même si je souffrais terriblement, j'ai regardé ce bel amour sans le filtre de l'espérance. Notre amour était vrai, partagé, concret, mais sa disparition l'était aussi. Je ne sais pas s'il s'est noyé accidentellement ou volontairement; ce que je sais, c'est que la réalité de sa disparition est la même. C'est comme ça que je me suis libérée de cette prison. Je serais morte pour défendre l'idée qu'il m'aimait et donc, qu'il reviendrait. C'était du déni à l'état pur, du refus, de la détresse transformée en blocs de béton. Je me suis emmurée jusqu'à ne plus pouvoir respirer, jusqu'à me convaincre que j'étais une sorte de Jeanne d'Arc pouvant décider de tout… Ce n'était plus moi… qui commandais… tu comprends !

– Mais le drame de ton accouchement : ce n'est pas toi qui l'as provoqué… Pourquoi est-ce arrivé comme ça ? Tu as donné naissance à ton enfant sur sa table de travail. Tu étais dans le seul lieu où son âme se trouvait, face à ce tableau de toi qu'il avait peint de mémoire… C'est Antoine qui t'a fait un signe, tu ne crois pas ? Il voulait être là, même si tout s'est compliqué sur le plan médical, par la suite.

– Son ami Irénée m'a reparlé de tout cela, il y a quelques jours. Il se sent terriblement coupable d'avoir oublié son cellulaire ce jour-là, et d'avoir mis deux vies en danger. En fait, la main du hasard a été la sienne. Mais tu sais, j'aurais pu rester à la maison, cet après-midi-là. Est-ce qu'une autre femme que moi, à dix jours de sa date d'accouchement, se serait ainsi comportée, sans réfléchir ? Mon désir de terminer l'inventaire des tableaux d'Antoine faisait partie du déni… du grand jeu de celle qui attend son retour en réalisant une grande chose pour lui, pour le faire revenir. Mais en même temps dans la réalité, pour s'empêcher de penser à autre chose qu'à lui, le rêve envolé, le bonheur éphémère, Claudie, face à la terrible et affolante idée d'accoucher seule, de traverser cette étape sans avoir sa main dans la mienne, de prendre notre fils dans mes bras en me disant chaque fois : comme il ressemble à son père... absent ? Mort ?...

Amélie est tellement émue par cet aveu, si plein de vérité et de détresse qu'elle prend son amie dans ses bras. Que dire lorsque celle que l'on admire pour sa force, nous avoue si douloureusement sa faiblesse, ses fragilités, ses peurs toujours refoulées ? Aucune réponse ne lui vient, être juste là, comprendre, soutenir et espérer que le courage de dire les choses telles qu'elles sont se transforme en un nouvel élan, un autre appel qui nous montre que la vie peut, à la fois, être si magnifique et si cruelle.

Elles s'endorment ainsi, l'une près de l'autre, en se tenant la main. Lorsque le téléphone sonne, elles sursautent. Déjà 9 h 30… C'est Marc-Antoine qui aimerait venir montrer son beau dessin et prendre un chocolat chaud.

– Évidemment ! J'ai bien hâte de te présenter mon amie Amélie… Tu ne le sais pas, mais elle t'aime déjà… depuis toujours ! C'est un peu ta fée-marraine…

Il arrive en coup de vent, suivi de son grand-père qui a peine à le suivre, avec son dessin dans une enveloppe. Il sent bon le soleil et la jeunesse. Amélie succombe à sa candeur et, après une brève introduction, elle se retrouve assise par terre à jouer avec lui.

Les laissant inventer un univers magique, Jean-Paul et Claudie en profitent pour faire le point.

– J'ai reçu mon appel du Centre hospitalier. Je serai opéré dans dix jours, à la mi-avril, annonce Jean-Paul, un peu anxieux devant cette échéance. Ils vont remplacer la première hanche puis, après un court délai pour me permettre de garder une certaine mobilité, ils feront la seconde. J'en ai pour plusieurs semaines à traîner dans les couloirs des hôpitaux et les salles d'attente.

– Je pourrai vous accompagner, si vous voulez… C'est plus facile puisque Marc-Antoine ne va pas encore à l'école… Mais je ne peux pas remplacer la présence de Raymonde… Elle doit beaucoup vous manquer, n'est-ce pas ?

– Lorsque le petit était avec moi tous les jours, j'arrivais assez bien à oublier son absence. Les enfants ont la capacité d'occuper tout l'espace qu'on leur laisse. Mais depuis quelques semaines, je trouve la maison vide, ma tête est vide, mon cœur aussi… Je crois que c'est ce qu'on appelle faire son deuil, ajoute-t-il lourdement.

– Vous devez accepter de vivre sans elle. La vie s'est terminée pour Raymonde, mais pas pour vous. Votre solitude est normale, mais elle doit vous amener à poser des gestes. Même si vous avez de la peine, même si elle vous manque, même si vous avez un problème de santé à régler, vous avez une bonne santé générale et un avenir à bâtir. Lorsque les interventions seront du passé, vous serez comme un homme neuf... Vous pourrez marcher, courir, danser... La vie va vous offrir de nouveaux défis et aussi des récompenses, je vous le souhaite en tout cas ! Il vous faut passer cette étape, un mois ou deux... et nous serons là, Marc-Antoine et moi.

– Merci Claudie, je suis chanceux de pouvoir compter sur toi... Je ne voudrais pas alourdir ton quotidien. Tu as eu suffisamment d'épreuves comme ça !

– Rien à craindre. On s'en reparlera dans six mois, de cette nouvelle vie qui vous attend... Vous êtes plus combatif que cela. Courage !

Après cet échange avec sa belle-fille, Jean-Paul se sent moins seul devant cette grande appréhension qui le tenaille. Six mois de recul après le décès de son épouse, sans oublier la disparition de son fils qui l'avait si profondément perturbé, il comprend qu'il doit compter sur ses propres forces pour poursuivre sa route, même si ce nouveau quotidien lui fait peur. S'il perdait l'usage de ses jambes ? Si sa santé venait à se détériorer ? Si son esprit se brouillait soudain ? Claudie lui ouvre d'autres portes, plus optimistes : et si le meilleur l'attendait, derrière cette pause médicale ? Il se redresse et, comme le font les jeunes lorsqu'ils se mettent d'accord, il lève la main et Claudie vient y mettre la sienne : Pari tenu !

Marc-Antoine les rejoint. Il a soif. La collation est toujours un arrêt bénéfique pour la mère et le fils. Un verre de lait et un muffin font aujourd'hui les délices de chacun. Puis le grand-père reprend la main de l'enfant dans la sienne, lui rappelant qu'ils doivent encore aller faire le marché, tous les deux.

– Madame Gertrude nous a fait toute une liste de choses. Nous ne serons pas trop de deux pour trouver tout cela… Il faut même se hâter un peu. Viens mon bonhomme, le travail n'attend pas !

Claudie les raccompagne tandis qu'Amélie reste, songeuse, au milieu des jouets éparpillés dans le salon. Marc-Antoine lui a donné un baiser sur la joue et il l'a serrée très fort dans ses bras pour la remercier d'être l'amie de sa maman. « Moi aussi, j'ai des amis… Kristel et Joey, Billy et Naomie. J'en ai plein. Ma maman, elle n'a que toi ? »

– C'est tout un génie, ce petit homme ! Il est mignon et se montre très sensible aux relations entre les gens. Tu sais qu'il m'a dit merci parce que je suis ton amie… Je ne pouvais pas m'imaginer qu'un enfant puisse être aussi présent dans la vie des adultes.

– Il a grandi avec des adultes… Il reproduit ce qu'il voit. Je souhaite qu'il garde sa candeur, qu'il vive son enfance sans se presser, qu'il s'ouvre au monde par la voie du cœur et de l'intelligence, pas seulement en surface. Mais je partage ton admiration : il est merveilleux !

– Tu sais, José et moi, pensons qu'il serait temps, pour nous, de plonger, de devenir parents. Mais j'ai en moi une sorte de peur qui remonte à la surface chaque fois que je creuse le sujet. J'ai aussi une forte attirance pour la maternité : je voudrais vivre cette expérience d'amour et plus le temps passe et plus j'ai le trac de dire oui. Je suis prise en sandwich entre mon désir d'être mère et l'insécurité que cela crée. J'ai 33 ans… Je me sens presque à la limite pour faire cette famille de deux que l'on souhaite avoir. Pourquoi est-ce si difficile ?

Claudie est touchée par cette confidence. Oui, devenir mère, c'est se soumettre à une grande vulnérabilité, que la mère vit en large partie seule malgré la stabilité du couple et l'attention du conjoint. Elle s'assoit par terre, près de son amie, s'adossant au pied du fauteuil. Pourquoi la décision de donner la vie est-elle si difficile à prendre ?

– Parce que pour la première fois, on fait face à la peur. La peur a deux visages, je pense... Le premier est affreux, hideux; il nous fait fuir en ramenant à nos yeux tout ce que l'on risque de perdre en faisant un choix, quel qu'il soit. Cette peur-là n'a qu'une intention : nous paralyser, nous bloquer le passage, s'imposer... Lorsqu'on se met à la regarder de près, qu'on s'en approche, on voit que la peur nous cache des informations, fausse la réalité en mettant les projecteurs seulement sur l'aspect difficile et négatif de notre inten-tion... Plus on regarde froidement et plus le visage de la peur change. On finit par y détecter de belles et de bonnes choses qui se cachent dans ses replis. Patiemment, la peur se laisse pénétrer. On dirait qu'elle nous devine, elle nous voit venir... Elle commence à nous lancer des défis, elle nous provoque, elle semble se dire que si elle a échoué à nous éloigner d'une intention, elle peut nous vaincre d'une autre manière, en nous poussant à nous lancer droit devant, tête baissée, sur le mur. Elle veut peut-être nous prouver qu'elle avait raison de nous prévenir d'un échec... Elle nous pousse dans le vide. La peur, oui, je la connais bien. J'ai appris à l'utiliser pour apprivoiser les décisions qui m'effraient le plus. J'ai appris à ouvrir les yeux, en me préparant mieux et plus, afin de ne jamais lui donner raison. Je me sers de la peur pour avancer dans la réalité..., mais elle a fini de me paralyser.

Amélie a écouté avec un grand intérêt cette réponse. Ce qui lui fait peur, à travers la maternité, elle le sait : souffrir, avoir mal, sentir son corps se déchirer et imaginer qu'il ne sera plus jamais le même, perdre cette allure juvénile qui a séduit son beau Péruvien, devoir accepter le risque que l'enfant soit dépendant et vulnérable, assumer sa propre vulnérabilité...

– Tu sais, Marc-Antoine vient de me donner un très grand cadeau, sans le savoir. Il m'a montré que la maternité a aussi un visage aimant, agréable, ludique. Les parents ne sont pas qu'une machine à approvisionner les besoins de leurs en-fants, comme la société de consommation nous les présente; ils sont leurs premiers compagnons de jeu, leurs premiers guides d'apprentissage. Plus même, ils font leur école ensemble, parents et enfants. Comme toi qui apprends à être mère et Marc-Antoine qui apprend à grandir, je pense que j'arriverais à faire aussi mes premiers pas dans ce monde fascinant. Ton fils m'a donné l'occasion d'ajuster ma vision. Je me sens plus sereine, même si j'admets que j'ai tout à apprendre… N'est-ce pas normal ?

Claudie sent son amie sur la voie d'une décision importante. Elle se revoit, au moment de passer son test de grossesse, tremblante de peur et brûlante d'amour, ne sachant si elle serait à la hauteur.

– On apprend beaucoup au cours de ces neuf mois… On se rend compte que la vie est une longue chaîne dont on fait partie… et on perd cette prétention ridicule d'être si importante que cela dans le monde. Le nombril du monde, c'est ce petit pois, ce petit œuf, cet embryon, ce nouveau-né, cet enfant qui nous éduque jour après jour, comme nous l'avons fait pour nos parents.

Amélie sourit… « Si seulement je pouvais avoir la chance d'être une aussi bonne mère que l'est ma propre mère…»

– Tu as tout pour toi : un modèle familial sain, un compagnon attentif et amoureux et, en plus, un environnement enrichissant, stimulant. Quand tu auras apprivoisé ta peur, tu pourras faire le véritable choix de créer la vie. Et, ajoute Claudie en souriant, dans quelques années, tu devras te résoudre à passer tout un après-midi à quatre pattes sur le plancher à jouer avec un petit cœur qui, pour te remercier, te fera un gros câlin en te laissant tout le rangement sur les bras…

Elles rient de se voir ainsi suspendues aux grandes décisions de leur vie avec un regard lucide, concret… La vie est un étrange laboratoire où la théorie ne suffit pas : il faut refaire les mêmes expériences en prenant à chaque fois le risque d'une catastrophe ou d'un succès.

* * *

L'œuvre inachevée

Les invités commencent à arriver, tenues de soirée ou profils bas d'artistes, connaisseurs ou pique-assiettes, prétentieux ou amateurs passionnés. Claudie leur adresse le premier sourire de l'événement et elle remet à chacun le guide imprimé qu'elle a conçu pour mettre en valeur les sept jeunes peintres. Irénée met la dernière main au système sonore qui lui permettra de témoigner haut et fort de l'importance de l'art dans la vie culturelle et l'expression personnelle. Quant aux jeunes qui vivent leur premier vernissage, ils ont des papillons dans l'estomac et transpirent abondamment dans leur tenue veston-cravate peu habituelle. Les invités s'agglutinent et forment une ligne, signe tant attendu des organisateurs qui craignaient une réponse trop timide. L'ambiance se réchauffe dans cet immense hangar de béton que les éclairages et la musique ont transformé.

Programme en mains, les gens avancent d'îlot en îlot, appréciant sans les comparer les sujets proposés par les peintres qui les accueillent ou les observent, selon que la communication passe par l'artiste pour glisser vers les tableaux, ou se fasse directement à travers le regard posé sur l'œuvre.

Les uns commentent à voix basse, d'autres restent interloqués et quelques-uns opinent simplement de la tête, pour montrer leur appréciation ou leur incompréhension. Un essaim de journalistes s'est formé autour du mentor qui semble s'en accommoder avec plaisir. Il prend les questions et s'amuse à les retourner dans tous les sens. Passé maître dans l'art de manier les mots, il dit une vérité et son contraire dans une même envolée et les journalistes n'y voient que du feu.

À la mi-temps de l'événement, avant de faire circuler les canapés et le mousseux, il appelle ses protégés en tapant des mains. Il ouvre le micro, fait le traditionnel « un… deux… trois… est-ce que vous m'entendez ? », puis déploie ses ailes d'orateur.

« Qui peut me dire ce que sera le « Groupe des Sept » dans vingt ans ?… Chacun aura suivi la route de son inspiration et misé sur son potentiel. Tous ont la même formation; l'opportunité de ce lancement les place à la même ligne de départ. Ce qui déterminera leur évolution ? ... Mais c'est vous... chacun de vous qui avez leur destinée en main. Vous en parlerez, de l'un et de l'autre, vous ferez une acquisition, ce soir ou dans les prochaines semaines, démontrant votre symbiose, votre appréciation profonde, votre flair d'investisseur peut-être aussi, vous suivrez et encouragerez ce nom qui, comme une étoile filante, monte et monte... et c'est grâce à vous si cette étoile ne s'éteint pas dans l'immense firmament de la création. Vous avez ce pouvoir absolu !

Moi, j'ai cru en eux et je les parraine avec un certain opportunisme, ne sachant pas tenir un pinceau. Mais je sais ce que l'art peut faire. Cette flamme qui embrase tout pour devenir le creuset d'une œuvre bouillante de passion et criante d'émotions, je l'ai côtoyée, je l'ai touchée du bout du cœur, puis cette étoile s'est fondue dans l'immensité. N'attendez pas ce choc pour saisir l'art et vous l'approprier. Car qui peut mettre un prix à la créativité, à l'imaginaire, à la grâce, à la projection de soi, à l'absolue beauté ? Toutes ces valeurs humaines sont sans prix et elles sont toutes réunies dans ce petit carré de toile qui vous parle, d'âme à âme. C'est votre miroir, les images, les icônes de votre expression aphone lorsque trop d'émotions soufflent sur votre pensée.

Longue vie au Groupe des Sept ! Merci de leur permettre d'exister ! »

Les applaudissements nourris emplissent tout l'espace. La musique reprend et la foule se disperse tandis que le traiteur propose quelques petits canapés. Le second regard des visiteurs est plus déterminé. Plusieurs personnes négocient une acquisition ou laissent leur carte professionnelle pour une commande « sur mesure » et l'habile propos du parrain artistique fait son effet. Irénée rejoint Claudie et lui transmet les appréciations des artistes et des invités sur la qualité graphique du programme, sur la présentation des biographies dont chaque peintre a bénéficié, sur l'élégance du carton d'invitation aussi, que d'aucuns conserveront dans leur collection.

– Tu es trop flatteur, mon cher ami… Je devrais me méfier de la demande qui va suivre, réplique Claudie en souriant.

– Ne crains rien. Je veux simplement souligner ton excellent travail. Tu as relevé ce premier défi avec élégance et savoir-faire. Je veux t'en remercier très sincèrement.

– Je n'ai pas vraiment d'attirance pour toutes ces mondanités, où en revanche tu excelles. Je suis simplement en train d'apprendre comment on peut mettre en valeur le talent, le faire voir, attirer sur lui l'attention des médias et des gens fortunés. Lorsqu'il s'agira de créer un événement afin de faire connaître Antoine, là je me sentirai vraiment concernée. Et je voudrais que ce soit un succès encore plus grand que ce vernissage. Crois-tu que mes attentes sont réalistes ?

– Oui, elles le sont. J'ai justement repéré la semaine dernière une grande propriété que nous pourrions louer afin de faire, de l'exposition inaugurale d'Antoine, un tremplin mondial… C'est dans le Vieux-Montréal, sur la rue Saint-Paul, où tous les collectionneurs et galeristes passent pour voir les nouveautés et spéculer sur les noms qui se vendront le plus au cours de l'année suivante. Avec un bon catalogue et un service des communications à la hauteur, nous pourrions marquer la saison avec un événement… grandiose !

– Allons ! Tu places peut-être la barre trop haute, Irénée. Si nous essayions seulement de lancer la carrière d'un artiste prolifique, sensible, un maître dans l'art d'associer les émotions et les couleurs… J'aurais moins peur d'être déçue. Quand comptes-tu entreprendre la planification de cet événement ? Il nous faut du temps…et nous en avons déjà beaucoup gaspillé, ajoute-t-elle tristement.

Irénée lui prend la main. Il la souhaitait gaie et satisfaite de son expérience; la voilà au bord des larmes. Comment lui faire oublier que cet artiste dont ils planifient l'émergence a aussi été son bel amoureux ? Il se sent à nouveau coupable de lui imposer ce retour en arrière forcé. Mais comment travailler ensemble sans cela ? Verra-t-elle un jour qu'il existe, lui ?

– Ne sois pas triste, Claudie. J'ai compris qu'une fois que l'œuvre a été créée par l'artiste, l'écrivain, le compositeur… le temps n'existe plus. Des gens la découvriront demain, dans trois mois, dans cinq ans : l'œuvre reprend vie au moment où le contact avec le regard de l'autre a lieu.

Alors qu'il passe gentiment son bras autour des épaules de Claudie, Irénée voudrait bien faire un vœu… Il n'ose pas. Un photographe de la presse populaire traîne encore sur les lieux. Il voit cette scène et la fige. « Cette jeune femme si élégante n'est-elle pas la fiancée du constructeur Tessier, l'homme disparu pendant ses vacances, celui qui a peint des milliers de tableaux que personne n'a jamais vus ? Et Irénée, le grand écrivain, n'était-il pas l'ami de Tessier ? On pourrait croire qu'il lui fait les yeux doux, l'ami de l'ami ? On tient un sujet, là…», se dit-il en faisant semblant de diriger sa caméra sur l'un des jeunes peintres alors que son viseur cadre exactement le regard d'amoureux timide d'Irénée et le visage triste de la belle héroïne abandonnée, dans un rapprochement intimiste, comme s'ils échangeaient des confidences inavouables.

Le lendemain, la presse artistique commente le vernissage parrainé par Irénée de Blois, mais un certain magazine fait ses choux gras avec cette manchette :

La fiancée de Tessier et son nouveau prétendant :

Irénée de Blois était le meilleur ami

du peintre disparu en janvier 2000.

« Je ne ferai pas de commentaire » lance Irénée en colère au journaliste qui tente d'en savoir plus. Il a placé la photo bien en vue sur sa table de travail. Dans sa robe noire, Claudie est filiforme et ses épaules nues témoignent du raffinement de ce corps qu'il aimerait bien caresser. « Tout nous sépare… sauf l'amour de l'art qu'Antoine nous a confié, comme un héritage, un lien invisible, un défi commun » se dit-il en laissant errer son regard.

Chapitre 9

Le long congé de la fête du Travail s'annonce ensoleillé. Claudie et Marc-Antoine vont d'abord rejoindre les Delisle à Joliette puis, tous les quatre se rendent à Toronto. Claudie pourra enfin faire la connaissance de ce beau-frère encore mystérieux et profiter de quelques jours pour découvrir la nouvelle vie de Sophie, depuis son mariage.

Avant de monter dans la voiture, René fait un clin d'œil à Marc-Antoine en lui indiquant de le suivre. Complice muet, l'enfant se faufile hors de la portée de vue de sa mère et le suit. Dès qu'ils sont sur la galerie, le grand-père prend la main de son petit Marc-Antoine et il l'entraîne vers son atelier.

– Je travaille sur un projet « top secret » et je voudrais avoir ton avis. Mais tu ne dois en parler à personne... Promis ? Juré ?

L'enfant est intrigué... Il promet. Les portes de l'atelier sont doubles, afin de permettre le passage de mobilier ou de matériaux volumineux. René allume l'interrupteur pour bien éclairer ce qui se trouve au centre de la pièce, sous d'immenses bâches de plastique transparent. Il fait tomber les housses lentement. Au centre de la pièce, Marc-Antoine découvre un décor à couper le souffle.

– Oh ! Les Pierreafeu... La voiture est un lit ! On est dans la télévision ? Tout est pareil... en mieux ! Je vais avoir une chambre Top secret...

Il s'approche et touche le bois que son grand-père a travaillé, pièce par pièce afin de créer pour son petit-fils un décor de fausses pierres usées et de tronçons d'arbres grossièrement assemblés. Le lit reproduit la célèbre auto roulant sur des roues de bois presque carrées, la commode reprend les motifs de grosses roches de la Carrière Miron et un grand coffre à jouets complète l'ensemble, avec les jeunes personnages d'Hanna-Barbera, Agathe et Boum-Boum.

– Crois-tu que ce lit sera assez grand pour que tu puisses y dormir jusqu'à tes 6 ans ?

– Oh oui ! C'est beau… Comment tu as fait… Tu es magicien ?

– Non, je suis juste un ébéniste qui adore son petit-fils, ajoute René avec les larmes aux yeux. Lorsque nous reviendrons, j'irai chercher le mobilier qui est trop petit, puisque tu vas avoir 3 ans bientôt, et placer celui-là à la place. Mais je ne veux pas que ta maman le voie avant… Alors, c'est un secret entre toi et moi. D'ac ?

– D'ac ! C'est super ! J'ai hâte d'être à ma fête, C'est dans plusieurs dodos… mais ça fait rien. Regarde, y'a même un Dyno qui fait une chose qui berce ! Je t'aime très gros, tu sais !

Marc-Antoine a remis sa main dans celle de son grand-père. Il tire dessus pour que celui-ci se baisse à son niveau et il lui fait un très long câlin.

– Ça s'appelle une chaise berçante, mon grand…

– J'aimerais bien être un magicien comme toi, plus tard…, ajoute-t-il.

Les deux complices referment les portes à clé et ils rejoignent les dames qui les attendent en terminant leur café.

– En route, lance René… Nous sommes attendus !

Grâce à un GPS tout neuf, René parvient, sans un seul détour jusqu'à l'adresse d'Alain Roberts et Sophie Delisle. La rue est ombragée et un vent rafraîchissant fait balancer les grands rameaux de quatre saules pleureurs qui bordent la propriété. Les voyageurs se croiraient en juillet tellement le ciel est clair et l'air est chaud. Derrière le muret de pierres, une zone de verdure parsemée de bouquets de fleurs conduit à un manoir, avec ses colonnades, ses tourelles et son imposante stature, symbole de succès et de stabilité. Marc-Antoine ouvre grand les yeux.

L'œuvre inachevée

– Ça ressemble au château de Disney... Est-ce que tante Sophie est une princesse ?

– Elle est ma petite sœur... Quand on était petites, elle et moi, on était tout le temps ensemble et grand-mère Carmen aimait nous habiller comme des jumelles. Elle m'a vraiment beaucoup manqué... Allons lui dire bonjour !

À la suite l'un de l'autre, observant la beauté des aménagements paysagers, le quatuor parvient à la porte... qui s'ouvre en coup de vent et Sophie la pétillante apparaît, suivie de son mari, empressé de connaître la grande sœur et ce neveu qui semble soudain tout timide.

– Enfin ! Comme je suis contente... Entrez ! Maman... Papa... Claudie, ma chérie, viens que je te serre enfin dans mes bras... et toi, Marc-Antoine ?

Elle ne trouve pas les mots. C'est un petit garçon qui a tout de ce grand homme dont elle avait fait la connaissance, un certain dimanche de décembre 1999, alors passionnément amoureux de Claudie. Le même regard profond et vif, qui enregistre tout d'un seul trait, le sourire amusé, généreux, avec les fossettes de la candeur aux joues, le front droit et fier. Elle se penche pour le prendre dans ses bras et le fait tourner en riant.

– Toi, tu es le soleil, tu es la pluie, tu es le jour, tu es la nuit, tu es tout ce que j'ai cherché dans ma vie, chante-t-elle en reprenant les paroles d'une berceuse émouvante.

– Tu es aussi belle que maman l'a dit. C'est vrai que t'es sa jumelle ?

– Oui, c'est vrai que je suis sa fausse jumelle ! Viens que je te présente mon mari. Alain Roberts... rencontre donc Marc-Antoine Delisle-Tessier, qui a presque 3 ans maintenant.

Très officiellement, Alain lui donne la main, puis il fait de même pour Claudie.

– Maintenant que toute la famille est réunie, si on se rendait sur la terrasse pour prendre un rafraîchissement... Nous pourrons profiter de cette magnifique journée tous ensemble.

L'hôte est un homme qui affiche une classe et une aisance naturelles : cheveux châtain clair parsemés des premiers fils blancs, soigneusement coiffés, portant un polo griffé et un bermuda de toile. Il est grand, élancé, souple dans ses mouvements et son expression est souriante. Il a le sens de l'observation, restant constamment attentif à deviner les besoins, les attentes de ses invités. Fils unique, il envie son épouse de pouvoir compter sur cet esprit de clan qu'ils évoquent très souvent dans leur conversation de couple.

– Je ne peux pas penser que je passerai ma vie sans recréer cette ambiance, se confie Sophie à sa mère, en traversant l'immense rez-de-chaussée. Je rêve du jour où des enfants pourront courir, chanter, faire vivre cette grande maison. Mais Alain n'est pas vraiment pressé de plonger dans cette ambiance… Alors, je prends mon temps… Mais, foi de Delisle, j'arriverai bien à le convaincre.

Lorsqu'elle aperçoit la cour arrière où se trouvent la piscine, le jacuzzi, les meubles de jardin aux coussins moelleux, Carmen approuve :

– Et quelle chance ils auront de pouvoir jouer ici ! Cette terrasse est magnifique !

Dans la bonne humeur, on partage la collation, on sort les valises, on passe le maillot de bain. Et débute la fête de famille. Pour la première fois depuis des mois, Sophie s'offre une immersion dans le monde de l'enfance, de la naïveté, de la joie pure. Claudie se place près d'elle, savourant ces retrouvailles.

– J'aurais tant aimé que tu assistes à notre mariage… Il me semble qu'il manquera toujours quelqu'un à cette fête. En fait, c'est aujourd'hui le plus beau jour de ma vie, parce que vous êtes tous là !

– Lorsque je suis sortie de l'hôpital, maman m'a raconté ta rencontre avec Alain. Il est vraiment charmant… Je comprends que tu n'aies pas résisté… Mais Toronto, c'est bien loin de ton Joliette ! Toi qui ne voulais pas devenir mannequin pour éviter de quitter papa-maman ! L'amour, ça change les perspectives...

– La vie nous prend par la main... Seule, je ne vivrais pas ici. Mais avec Alain, c'est une vie tellement agréable. On travaille et on dort ensemble, souvent ici même ou alors en tournée. On ne s'est pas quittés un seul jour depuis notre mariage... Tu te rends compte ?

– C'est magnifique ! Tu as l'air tellement bien et heureuse ! Tu es plus épanouie que jamais. Fais-tu encore de l'esthétique, comme avant ?

– J'ai un peu délaissé la relation avec les clientes... je suis plutôt devenue conseillère pour l'introduction des nouvelles tendances dans les spas et les centres spécialisés d'Alain. Je suis aussi, depuis peu, la nouvelle image de la compagnie Spa-Plaisir. Je fais les photos officielles et je serai dans toutes les revues à partir de la période des Fêtes de cette année. J'ai collaboré à des centaines de *shooting photos* pour mettre la campagne publicitaire au point. Je me sens à la fois mannequin et esthéticienne, ambassadrice de la marque et... l'épouse du patron.

– Wow ! C'est tout un contrat ! Tu dois faire bien des envieuses... Alain est-il un homme volage ?

– Pas du tout. Il sait qu'il est séduisant, mais son cœur est solidement fixé au mien. Notre seule divergence d'opinions, c'est sur le fait que j'aimerais avoir des enfants et lui, il est plutôt lent à se décider. Voilà !

– S'il succombe aux charmes de Marc-Antoine, il pourrait bien changer d'avis dans les prochaines semaines... Rien de tel qu'un enfant pour faire tomber les préjugés, pour défoncer les barrières, repousser les limites du cœur. On verra bien...

L'agréable odeur du BBQ vient annoncer l'heure du repas. Alain a enfilé son tablier et il prépare les grillades pour tous. Puis, la soirée s'étire, toute tiède et parfumée.

– Demain, nous partons découvrir ma nouvelle ville. Nous allons visiter les parcs, les musées, faire une croisière sur le lac Ontario puis nous prendrons notre souper entre ciel et terre.

– La Tour du CN ? Nous pourrons découvrir, toute la ville du haut de cette monumentale structure, avec un plancher de verre… s'étonne Carmen, qui retrouve son regard d'enfant lorsqu'on lui parle de tourisme et de découverte.

– Eh oui… Nous allons bien nous amuser avec notre guide Alain. C'est lui qui a tout planifié.

Lorsque les estomacs sont remplis, Sophie prend sa grande sœur par la main et lui propose de venir voir sa chambre. Claudie va en profiter pour enlever son maillot et se rafraîchir un peu. Elles montent au premier étage par l'escalier moderne fait de lattes de verre soutenues en leur centre seulement par une poutrelle de bois.

– On se croirait dans la série Riches et Célèbres… dit Claudie en riant. Marc-Antoine avait raison de me demander si tu étais une princesse… en voyant ton château ! Quelle décoratrice !

– Nous avons fait nous-mêmes les aménagements, choisi les couleurs et les accessoires d'ambiance pour que chaque pièce nous ressemble. Là, c'est la salle de bain… et par ici, ma chambre.

– Magique ! Un lit avec des colonnes de bois et des voiles qui tombent jusqu'au sol… Et un bain à jets de massage… les miroirs, l'éclairage… Tout respire l'amour, la détente. Je vais maintenant pouvoir t'imaginer dans ton vrai décor… Je n'y arrivais plus, tu sais. J'essayais, mais je retrouvais seulement ton visage. Deux ans et demi sans se voir, c'est terriblement long !

– Tu m'as beaucoup manqué. J'ai failli renoncer à mon mariage parce que j'aurais tellement voulu avoir ton avis; voir tes réactions face à Alain. Je me suis rendu compte que je n'ai jamais pris une décision sans que tu sois mon guide… même si je faisais parfois tout le contraire de ce que tu me disais.

– Pour moi aussi, la séparation a été difficile. Je n'avais jamais ressenti la solitude, avant... Maintenant, je l'ai apprivoisée. Elle ne me fait plus peur.

– Quand j'ai fait la connaissance des parents d'Alain, dit Sophie en se laissant choir sur le lit comme une adolescente tourmentée, j'ai eu peur. Il est fils unique et sa mère a beaucoup d'influence sur lui. C'est parce que belle-maman a passé sa vie à voyager dans des hôtels de luxe, des stations de balnéothérapie ou des sources thermales que son fils a fait le choix de se lancer en affaires dans ce domaine. Son père a fait sa fortune dans l'import-export de meubles, de décoration, d'objets de luxe.

Sophie fait une pause, cherchant comment traduire à sa grande sœur, sans la blesser, les doutes qui l'ont fortement perturbée lorsqu'elle a succombé aux charmes d'Alain.

– Il a grandi dans un milieu très aisé. Pourtant, il semblait d'une grande simplicité dès les premières rencontres. Il m'a expliqué s'être beaucoup inspiré de la philosophie orientale pour arriver à équilibrer sa personnalité. C'est un homme raffiné et doux. Il a aussi une très grande facilité de communication... on peut parler de tout et de rien, de sujets très sérieux ou se mettre à rigoler. Il s'ajuste à l'ambiance du moment, du lieu où il se trouve. J'ai beaucoup apprécié toutes ces qualités, mais je craignais que cela ne dure pas, comme s'il s'agissait d'un jeu... Puis, j'ai rencontré sa famille. Sa mère est plutôt directe et elle s'impose largement. Alors, je me suis mise à penser qu'elle et Raymonde, ta belle-mère, se ressemblaient peut-être. Cela m'amène à te raconter comment s'est joué le drame de ton hospitalisation en clinique psychiatrique. Lorsque nous avons appris, quelques jours après ton accident en 2001, comment ta belle-mère Raymonde avait agi avec toi, je me suis révoltée. Je l'ai tellement détestée, cette femme qui te volait ton fils et qui allait jusqu'à te faire enfermer chez les fous... De ma vie, je n'avais jamais pu imaginer une telle injustice, cautionnée par la Justice en plus.

– Moi aussi, je lui en ai voulu… très longtemps. Il m'a fallu presque une année complète de thérapie avant de décolérer. Séance après séance, je l'aurais fusillée… Un bon jour, mon psy m'a dit : « Votre attitude lui donne de plus en plus raison. Vous êtes une femme dangereuse. Votre refus de tourner le miroir vers vous en fait la démonstration. Tant que vous la placerez elle, au centre de votre haine, vous ne pourrez pas vous rendre compte de ce que vous êtes devenue, Claudie. Lorsque vous tournerez votre attention sur votre propre cheminement, vous aurez progressé. D'ici là, nous tournons en rond. Raymonde a vraiment vu ce que vous pouviez devenir : un danger. Il faudra avoir le courage et l'honnêteté de la remercier un jour…»

– Comment ça ? Elle t'a tout pris… Elle a essayé de te démolir alors que tu étais sur ton lit d'hôpital, entre la vie et la mort. J'ai toujours pensé qu'elle voulait Marc-Antoine pour compenser la perte de son fils. La folle, selon moi, ce n'était pas toi, mais elle ! En plus, elle a retenu l'avocat le plus cher en ville et son mari connaissait le juge. Tu parles d'une mascarade de justice. Nous sommes allés témoigner en ta faveur, papa, maman et moi, mais les Tessier nous ont tout simplement ri au nez. Nous avons baissé les bras… faute de moyens pour te sortir de là, mais nous en sommes encore blessés et nous avons ressenti cette impuissance des petites gens. Alors, avec Alain à mes côtés, cela ne risque plus jamais de m'arriver… Aujourd'hui, je pourrais te tendre la main, si une telle chose survenait, mais à ce moment-là, nous n'étions rien… rien que ta famille.

– Tu sais Sophie, j'étais devenue obsédée par l'idée qu'Antoine allait revenir, je refusais de regarder la réalité en face, je me débattais comme une *superwoman* qui cache sa peur sous une assurance telle que personne ne peut mieux faire qu'elle, et qui pourtant fait erreur sur erreur. Je m'enfonçais Sophie. Je me serais jetée au feu plutôt que d'avouer que j'avais mal, que j'étais mal, que je manquais d'oxygène. Lorsque j'ai vraiment tourné le miroir vers moi, je n'ai pas aimé la femme que j'étais devenue. J'ai alors vraiment accepté la thérapie et, du même coup, la vérité sur la disparition d'Antoine. J'ai mis fin à ce déni chronique et je sais maintenant que sa disparition est un fait irréversible. J'ai appris à vivre en regardant la réalité. Je me suis souvent demandée ce que vous pensiez de mon attitude. Chez nous, on ne jugeait jamais les gens… En bons chrétiens, on a appris à pardonner.

– Veux-tu dire que tu arrives à pardonner à ta belle-mère ?

– Lorsque j'ai compris que son intention n'était pas de me faire couler, mais de m'aider à faire le point, ma haine est tombée. Sans doute aurait-elle aimé m'entendre dire que je lui pardonnais… Je n'en ai pas eu l'occasion puisqu'elle est morte pendant que j'étais au Centre. Curieusement, en apprenant son décès, je n'ai pas ressenti de regrets. J'étais triste pour Jean-Paul qui l'aimait tant et j'ai senti que Marc-Antoine l'aimait beaucoup. Il lui fait encore des dessins, de temps à autre… Je pense que ce qu'elle a choisi de faire était un geste basé sur le courage d'agir, tu sais, comme lorsqu'on sait que quelqu'un peut se suicider et qu'on ne sait pas si on doit poser un geste ou attendre. Elle m'a sauvé la vie, malgré moi, en imposant d'autorité une cure… Si je suis aujourd'hui bien en vie et heureuse, c'est sans doute grâce à elle.

– J'arrive à peine à te croire, même si ton explication est tout à fait logique et sensée. J'avais un tout autre point de vue, je l'avoue, et cela m'a amenée à me méfier de ma propre belle-mère… Le jour où j'aurai un enfant, je lui dirai : pas touche… C'est moi et moi seule, la mère !

– Comme tu le disais toi-même cet après-midi, la vie nous prend par la main et elle nous entraîne… Ce que l'on croit très difficile à accepter aujourd'hui s'accomplit tout doucement et on apprivoise même les choses qui nous font le plus peur. La mère d'Antoine était une mère… La mère d'Alain est une mère et lorsque tu seras mère à ton tour, vous aurez en commun ce lien nouveau qui vous permettra de communiquer d'égale à égale. Un nouveau lien invisible vous rapprochera.

Sophie est songeuse. Sa grande sœur a toujours trouvé les mots pour lui ouvrir les portes de la compréhension.

– Je retrouve ma plus grande amie… ma sœur… et ça me fait du bien. Je suis heureuse d'avoir une sœur comme toi. De pouvoir me confier et de repousser mes limites. Tu es très précieuse pour moi, tu sais, ajoute-t-elle en la prenant dans ses bras.

Réconfortées, elles se recoiffent et retouchent leur maquillage, puis redescendent au jardin pour y retrouver les autres. La nuit tombe et Alain vient d'allumer le foyer extérieur. Pour gagner le cœur de Marc-Antoine, il a déniché des broches et des guimauves…

Les heures d'immersion familiale font du bien à tous les membres de cette famille qui a souffert de différentes blessures au cours des trois dernières années. Les moments de bonheur, devenus plus rares, se savourent en riant, en se remémorant les grands événements et en souhaitant que les années de malheur soient maintenant du passé. Lorsque vient le temps de se dire au revoir, Sophie a les larmes aux yeux.

– J'ai déjà hâte d'être à Noël… pour vous retrouver !

* * *

La maison d'Irénée ressemble à un chantier. Il refait le premier étage de sa propriété avec, en arrière-pensée, l'idée qu'un jour, sa muse Claudie et son fils adoptif, Marc-Antoine pourraient venir s'y installer. Mais il n'a pas le courage d'avouer ses sentiments à celle qui vient travailler à ses côtés chaque après-midi. Le projet de mettre en vente les tableaux d'Antoine prend forme et Claudie lui accorde toute son attention.

L'aspect légal de l'opération a été approuvé par la Fiducie qui gère le patrimoine du disparu. C'est ainsi que Jean-Paul a donné son accord sur la répartition de la collection, telle que proposée par Irénée et Claudie. Ces derniers ont créé une société conjointe afin de prendre en charge les opérations et les transactions, entraînant la mise en collection privée de 400 tableaux et ouvert pour une mise en vente les 2600 œuvres créées entre 1976 et 1999. Jean-Paul a accepté le principe de créer une galerie d'art pour y exposer une partie de la collection privée à compter du 15 mai 2004 et, cette structure servira de tremplin pour la commercialisation des œuvres qui seront d'abord présentées sur Internet, à compter de janvier. Les premiers acquéreurs y auront accès puis, dans un processus ouvert aux enchères, les œuvres pourront s'envoler au plus offrant. Évidemment, la galerie sera un tremplin exceptionnel par le biais duquel le grand public et les initiés apprendront à connaître l'artiste et son œuvre; c'est ce que souhaitent les deux associés.

Tous les efforts de Claudie et d'Irénée, en cette fin d'octobre 2003, sont d'alimenter le webmestre, afin que le site Internet de la Galerie Antoine Tessier soit mis en ligne le 1er janvier. L'habileté de Claudie est mise à profit : elle est à même de créer le visuel, la description et de fixer le prix de base de chaque tableau, afin que l'intégrateur puisse mettre en ligne ce contenu par période et créer les liens requis aux futures transactions informatisées. La biographie de l'artiste, des témoignages de personnalités réputées et quelques éléments de la revue de presse s'ajoutent au répertoire des œuvres. Sous l'œil attentif de l'écrivain et ami d'Antoine, Claudie travaille avec passion afin que cette première médiatique soit un succès.

– Fais donc une pause, ma chère, et viens voir si la décoration de la chambre d'amis te plaît… glisse Irénée à l'oreille de Claudie, tout absorbée dans la rédaction d'une fiche descriptive, l'œuvre numéro 1997.

– Laisse-moi terminer les deux dernières et ce sera tout pour aujourd'hui. J'irai ensuite voir comment tu as réussi à faire passer tes chambres du dix-neuvième au vingt-et-unième siècle en une seule opération… ajoute-t-elle en regardant sa montre. Je veux rentrer à Boucherville avant l'heure de pointe, car Marc-Antoine m'attend à la garderie.

– Ton beau-père n'est pas encore remis de ses interventions ? s'informe Irénée.

– Il va de mieux en mieux. La semaine dernière, il a reçu sa première demande en mariage. À 69 ans, les relations

hommes-femmes ne s'embarrassent pas de longues conven-
tions. Plus de temps à perdre, disent-ils ! Pour se distraire,
il s'est joint à un groupe d'aînés qui jouent au bridge, deux
soirs par semaine. L'une des meilleures joueuses l'a vite
classé dans la liste très sélecte des « retraités récupérables »
si tu vois ce que je veux dire. Après un mois de sorties de
cartes, elle est passée à la phase d'intimité puis à la demande
en mariage. Jean-Paul a obtenu un délai de réflexion… Mais
je le sens rajeunir juste à l'idée d'avoir une compagne qui,
dans sa vie active, était infirmière… Elle va lui permettre de
revivre, selon moi.

– Je les envie un peu, les aînés. Ils ont compris que la vie ne
passe pas deux fois… Lorsqu'ils veulent quelque chose, ils
vont droit au but, fait Irénée songeur. Mais bon, je te laisse
terminer.

Claudie a installé son ordinateur et son classeur dans le
bureau d'Irénée, afin d'éviter des allers-retours incessants au
troisième étage. Lorsque ce dernier a aussi du travail, tous
deux partagent l'espace tant bien que mal. Le plus souvent,
Irénée profite de la présence de Claudie dans la maison pour
aller marcher, sachant qu'elle surveillera les travailleurs qui
s'activent à déconstruire et à reconstruire les chambres, les
salles de bain et la bibliothèque où jadis les AMIENS se
réunissaient. Depuis des mois, les trois membres toujours
vivants ne se sont pas vus, puisque Étienne et Nathan sont
trop accaparés par leurs carrières. Tous se sont mis d'accord
pour déménager leur « chapelle » au troisième étage, dans
l'atelier jadis occupé par Antoine, lorsque les tableaux de la
collection seront partis.

Déjà, Irénée a entrepris de libérer de l'espace, en amorçant
la mise en caisse des tableaux de la collection privée. Une
employée, qui sera aussi chargée de l'administration des
ventes dans quelques mois, a été recrutée pour nettoyer et
emballer chaque œuvre. Jacinthe Beaucage est diplômée en
gestion des arts et de la culture et elle a travaillé pendant
quelques années dans un musée. Faute de subventions,
ses employeurs ont dû la remercier, sans préavis. Par un

heureux hasard, elle avait assisté, avec un ami, au vernissage du Groupe des Sept. Le lien s'est donc noué assez rapidement avec Irénée tandis que Claudie a vu en elle la personne toute désignée pour l'aider à assumer les tâches manuelles autant que la gestion du projet. Elles sont ainsi devenues des collaboratrices.

Méthodique et enthousiaste, Jacinthe trouve une double motivation dans ce travail puisque cet artiste est l'un des rares prodiges de la nouvelle génération de peintres québécois demeuré complètement dans l'ombre pendant un quart de siècle. C'est une occasion rare de vivre l'émergence d'un peintre dont la vie a été aussi dramatique et l'œuvre à ce point abondante. Le défi de cette mise en marché a quelque chose d'unique, d'exceptionnel et aussi de romantique. Pour Claudie et Irénée, le devoir de mémoire représente un engagement tellement important que parfois, l'employée qui les voit travailler ensemble se dit qu'à eux deux, ils vont réussir à le faire revivre, quatre ans après sa disparition, cet Antoine Tessier. Alors, elle les seconde de son mieux, désireuse d'ajouter sa voix à la leur pour affirmer le talent et la puissance de cet artiste.

Lorsque Claudie termine la saisie de ses données, il est l'heure de rentrer chez elle. Pour ne pas avoir à affronter la déception d'Irénée, elle lui laisse un mot, sur l'ordinateur, lui disant simplement : « Désolé, l'amour de ma vie m'attend… À demain ! »

Irénée tourne et retourne la phrase qui lui brûle les lèvres en redescendant l'escalier. « J'ai un aveu à te faire…» Mais Claudie n'est plus là. Déçu, il s'approche de cet espace de travail qu'elle a adopté et il voit la note. « Mais l'amour de ma vie, à moi, c'est toi ! Pourquoi ne le vois-tu pas ? »

Au volant de sa voiture, Claudie sent bien que les intentions d'Irénée ont changé au fil des années qui ont suivi la disparition d'Antoine. Elle devine à ses regards, à ses mélancolies et à ses demi-déclarations que son affection n'est plus celle d'une amie, d'une sœur, d'une assistante. Il s'est attaché à elle peu à peu, souhaitant qu'elle devienne sa compagne, voire son épouse. Il a cultivé toute une gamme d'émotions illusoires sans que jamais elle ne lui prodigue le moindre encouragement. Bien au contraire, Claudie essaie de ramener leurs relations à de la complicité, désireuse de garder entre eux le visage, la présence d'Antoine. Mais pour combien de temps encore ? Elle ne saurait le dire…

* * *

Le 31 décembre 2003, Irénée a convoqué quelques amis et des journalistes triés sur le volet pour procéder, à minuit pile, à la mise en ligne du site Internet dédié à Antoine Tessier. Le réveillon du Nouvel An représente, en quelque sorte, la résurrection du grand peintre disparu quatre ans plus tôt. Ils sont plus de cinquante invités à sabler le champagne aux côtés de Claudie, de toute sa famille et de son fils Marc-Antoine. À la fierté de pouvoir révéler au monde entier le talent exceptionnel de ce peintre s'ajoute une grande émotion : plus jamais cet artiste ne pourra exprimer son art avec toute la sensibilité qu'on lui découvre. Quelques minutes à peine après l'ouverture des communications sur le Web, des collectionneurs de partout réagissent, après avoir visionné quelques-unes des 2600 œuvres qui y sont répertoriées.

Irénée prend la parole, mais ce soir, ce n'est pas lui le principal orateur. Il tente de traduire son affection pour Antoine, mais les mots s'étranglent dans sa gorge. Depuis des semaines, il essaie d'écrire cette allocution et, à chaque fois, il fait face à sa conscience. « La disparition d'Antoine, tu l'as presque provoquée puis, sournoisement, tu convoites la jeune femme que ce dernier avait choisie pour compagne… Qui es-tu vraiment, Irénée de Blois ? Tous voient en toi l'ami sincère, mais tu n'arriveras pas à tromper Claudie : tôt ou tard, elle va te démasquer, te voir sous ton vrai jour et alors, ce sera ton calvaire. Tu devras payer pour tous ces faux sentiments que tu nourris depuis des années : jalousie, orgueil, envie… Tu es un traître, avoue-le… Mais peux-tu encore faire preuve d'honnêteté, après des années de mensonges ? »

L'œuvre inachevée

« Je voudrais laisser la parole à celle qui a le courage et la passion d'aimer, par-delà la vie même, cet artiste qui avait conquis son cœur : mes amis, écoutons cette très grande dame, Claudie Delisle. »

Irénée s'efface pour lui laisser prendre place devant l'écran géant où, depuis une dizaine de minutes, défilent les tableaux inédits du peintre absent. Dans sa robe bleu nuit, portant fièrement à son doigt le diamant de la fiancée, Claudie relève la tête et combat l'émotion qui l'envahit en prenant quelques respirations profondes.

« Je dois vous avouer que j'attends ce moment depuis fort longtemps. C'est d'abord et avant tout pour que notre fils Marc-Antoine puisse être fier de ce que son père a créé que j'ai relevé le défi de le faire connaître publiquement. Lorsqu'Antoine Tessier a disparu tragiquement, le 31 décembre 1999, je ne me doutais pas du talent qui était le sien. Trop absorbée par la passion qui nous réunissait, je n'avais alors vu, de son œuvre, que quelques pièces. Ce que j'avais découvert dans le cœur de cet homme remarquable, je l'ai retrouvé par la suite dans chacun de ses tableaux, comme une mosaïque des différentes visions de la vie qui l'avaient fait vibrer, de son adolescence jusqu'à sa mort. Chacune de ses toiles est un rappel de ses valeurs, de son idéalisme, de son talent créateur et de sa définition de la beauté sous toutes ses formes : celles-ci nous touchent, nous expriment mieux leur sens que ne le font les paroles mêmes.

Sans le soutien de ses amis, dont Irénée de Blois en particulier, Antoine Tessier aurait pu déposer ses pinceaux et choisir la vie facile que lui proposait sa famille. Mais l'art qui fermentait en lui n'acceptait pas de se taire et c'est ici qu'il venait accoucher, afin de rendre à l'art cette vie qui ne demandait qu'à battre. Or, sans spectateurs, l'art ne peut remplir une quelconque mission. Il fallait libérer ce trésor et permettre à tous d'y puiser. Voilà ce que ce premier saut dans l'espace nous permet de faire ce soir, par le biais d'un site Internet transactionnel. C'est l'âme de ce grand peintre qu'est Antoine Tessier qui s'envole ce soir... et j'espère qu'il peut enfin mesurer toute l'appréciation que son talent suscite.

Je vous donne rendez-vous rue Saint-Paul le 15 mai prochain afin de découvrir la Galerie d'Art Antoine Tessier et, d'ici là, j'ose espérer que de nombreuses œuvres auront commencé la conquête de vos cœurs. Merci à toute l'équipe, et particulièrement à Irénée, pour son support et son amitié sincère. Je porte un toast à l'avenir d'Antoine Tessier ! À son avenir ! »

Les invités sont émus et visiblement conquis. Claudie a été d'une authenticité touchante et ses proches se pressent autour d'elle. Carmen et René la félicitent pour cette énergie qu'elle a déployée depuis plus de trois mois; Sophie et Alain sont impressionnés de la retrouver aussi sûre d'elle, après une période si tourmentée; Jean-Paul et sa nouvelle amie Josette la complimentent pour cette allocution livrée avec une éloquence exceptionnelle. Le petit Marc-Antoine vient l'embrasser et lui faire un gros câlin.

– Maman, je t'aime pour deux, tu sais.

– Moi aussi, mon chéri, je t'aime pour deux. Ton papa aussi serait fier de voir comment tu grandis.

Vu l'heure tardive, Claudie monte à l'étage où Marc-Antoine a maintenant sa propre chambre. Elle le borde et lui dit qu'elle viendra le rejoindre un peu plus tard, lorsque les invités seront partis.

– Demain, nous allons déjeuner ici, avec Irénée, puis nous allons nous rendre à Joliette pour fêter la nouvelle année tous ensemble. Dors bien, mon chéri.

Avant de rejoindre les autres, Claudie retouche son maquillage et sa coiffure dans la chambre qui lui est dédiée, communicante avec celle de son fils. Pour la première fois, elle et Marc-Antoine dormiront sous le même toit qu'Irénée. « Cela t'évitera de conduire, en pleine nuit, alors que les routes seront sans doute parsemées de fous du volant ou de conducteurs ivres… Ici, vous serez en sécurité », avait-il argumenté. Alors, Claudie avait accepté cette proposition.

L'œuvre inachevée

Les invités discutent par petits groupes : pas de doute, la réception prévue par Irénée est impeccable. Alors que les journalistes recueillent quelques entrevues, que les photos de famille et celles des invités d'honneur se figent, l'esprit du peintre semble flotter sur cette microsociété. Quatre années après sa disparition, le mythe de l'artiste qu'il était prend forme et s'amplifie. Lorsqu'il voit Claudie redescendre, un des invités la suit des yeux et se rend à sa rencontre, un peu à l'écart des bruits ambiants.

– Je voudrais vous féliciter pour cette initiative. Il faut beaucoup de courage pour réaliser ce que vous avez fait... Je vous lève mon chapeau !

– Merci, dit-elle simplement. Je ne me souviens pas de votre nom... pardonnez-moi, j'ai été présentée à plusieurs nouveaux visages ce soir.

– Je m'appelle Vincent Lebel et je suis enseignant, attaché au département d'histoire de l'art à l'UQAM.

L'homme d'une quarantaine d'années tourne vers Claudie un visage affable, éclairé par des yeux verts, pétillants de curiosité. Il lui tend une main chaleureuse, qui, pendant un bref instant, retient la sienne pour mieux lui faire part de son intérêt.

– Vos propos m'ont ému, tout à l'heure. En regardant votre fils, je n'ai pu m'empêcher de penser que votre vie doit être bien vide, depuis ce drame inqualifiable. Puis-je vous demander, sans vous offenser, si vous avez songé à refaire votre vie, à vous attacher à un autre homme qu'Antoine ?

– Pour être franche, je dois vous dire que j'ai vécu assez péniblement ces dernières années, dans la solitude, dans la recherche de mon équilibre surtout, et j'ai dû me confronter à ma fragilité psychologique. Je n'étais donc pas disponible, si vous me permettez l'expression, pour m'attacher à qui que ce soit. Mon affection pour mon fils et ce défi d'honorer la mémoire de ce peintre que j'ai aimé passionnément ont occupé tout mon espace. Ma famille et quelques amis ont partagé mes hauts et mes bas... Sans plus.

– Croyez-vous que votre mission, une fois accomplie, vous permettra de concilier le passé, le présent et un futur qui pourrait prendre le visage d'un nouvel amour ?

Elle le regarde avec attention, cherchant à comprendre la source de cette question, à en saisir la pertinence, à y détecter une connotation personnelle. Elle choisit la légèreté pour y répondre, une sorte de fuite pour contourner le piège d'une réflexion approfondie.

– En aurais-je l'opportunité que cette personne trouverait sans doute difficile de cohabiter avec un fantôme ? Je ne renonce pas à l'amour… c'est l'amour qui guide chacun de mes gestes. Antoine est un absent toujours présent… Alors il me faudrait rencontrer un homme très compréhensif pour que je m'ouvre à nouveau à un amour différent… Il faudrait pouvoir réinventer le genre, et ce n'est pas simple !

– Votre attitude me plaît et j'ose m'inscrire en inventeur… J'aimerais pouvoir mieux vous connaître, en vérité. Vous avez une personnalité qui me fascine. Que diriez-vous d'une sortie à deux ? Me donnerez-vous une chance de vous apprivoiser ?

– Je n'ai aucune raison de refuser : j'y prendrais sans doute un réel plaisir.

– J'ai aussi une demande… plus professionnelle. J'aimerais vous inviter à animer un atelier en classe, auprès de mon groupe d'étudiants : une heure environ avec une brève allocution sur votre approche émotionnelle face à une œuvre d'art. Je veux quelque chose d'authentique, comme vous avez su le faire tout à l'heure… Dans une quinzaine de jours… Je vous consulterai pour connaître votre disponibilité. Qu'en pensez-vous ?

– Ce sera un peu intimidant… Mais je sais que mon témoignage est un geste d'amour. J'accepte avec humilité et en toute simplicité.

Vincent lui tend sa carte et il la regarde s'éloigner, voyant que plusieurs invités la réclament. Irénée lui verse un verre de champagne et il l'entraîne vers le fauteuil où deux journalistes désirent lui parler. Comme les questions lui semblent insipides, elle répond en quelques phrases toutes faites: « Notre intention n'est pas mercantile… Les revenus de cette opération font partie du patrimoine de son fils. Nous songeons aussi à créer une fondation…, mais nous en ferons l'annonce en temps opportun » ajoute-t-elle en s'excusant de devoir se retirer.

Elle raccompagne ses parents, puis son beau-père et, petit à petit, le calme remplace la cohue. Les invités ont apprécié l'événement et, pour Claudie, cette étape lui apporte une grande satisfaction personnelle. Seuls restent les instigateurs de cette soirée.

– Tu as été une hôtesse parfaite, Claudie… Tous m'ont vanté ta beauté, ta passion, ton enthousiasme contagieux… J'appuie et je renchéris à ce propos : tu as été divine !

– Sans toi, rien de tout cela n'aurait été possible… même l'œuvre d'Antoine aurait pu ne pas exister, sans ton intervention dans sa destinée…

– Et dans la tienne, très chère, ai-je un rôle à jouer ? ose-t-il demander en se rapprochant d'elle.

La question vient enfin de tomber, comme une pomme défraîchie, trop longtemps suspendue à sa branche…

– Irénée, ton amitié n'a pas de prix, et tu sais à quel point je la considère importante. Mais l'amour ne saurait germer entre nous, comme tu sembles l'espérer. Nous sommes les deux maillons forts de cette chaîne d'amitié qu'Antoine a tissée tout au long de sa vie. S'il n'est pas entre nous deux physiquement, il le demeure par-delà la réalité concrète. Je ne peux envisager notre relation comme une entité, une fusion amoureuse : nous partageons son héritage, tous les deux, avec son fils. Cela constitue un noyau vital, quasi familial j'en conviens, mais mon sentiment pour toi est fraternel, complémentaire, amical. Il te faudrait l'accepter, Irénée.

– Mais je t'aime Claudie ! Je donnerais ma vie pour te voir heureuse !

– Je reçois clairement cet aveu et j'en suis touchée. Selon moi, tes sentiments sont confus tout en étant, je le crois, tout à fait sincères. Ce n'est pas moi que tu aimes... c'est une illusion de l'amour que tu aimerais voir entrer dans ton univers. Tu as créé une sphère émotionnelle en toi qui appelle la présence d'une femme... tu voudrais la chérir et, me voyant, tu as cru que j'étais cette femme. Mais ce rôle que tu me proposes, il ne me convient pas. J'y serais malheureuse. Peux-tu te libérer de cette pensée qui m'identifie à ton bonheur ? Une autre femme attend sans doute dans l'ombre, que tu ouvres les yeux sur elle pour te révéler son amour. Tu ne la reconnaîtras pas tant que ton regard restera posé sur moi. Tu repousses ainsi la réalité de ton bonheur... et tu assombris ma vie en me plaçant dans une situation pleine d'ambiguïté. Moi, je suis simplement ton amie, pour la vie...

Irénée voit ses espoirs s'envoler, alors que Claudie se prépare à monter à sa chambre pour dormir. Elle le remercie à nouveau pour cet événement si riche en émotions. Elle dépose un baiser sur cette joue qui se fane peu à peu. Il s'efforce de sourire, mais la déception se lit dans ses yeux.

– Dors bien, chère Claudie... ma muse et mon espérance !

Claudie se rend d'abord au chevet de Marc-Antoine qui dort paisiblement. Elle passe sa main sur le front de l'enfant. « Papa et moi, nous t'aimons tant ! » murmure-t-elle. Puis elle gagne sa chambre, magnifiquement décorée de voiles bleus et de fleurs blanches. Ce décor d'une grande douceur lui plaît, mais elle se sent soulagée d'avoir pu expliquer à Irénée que ses rêves ne peuvent se matérialiser. Avant de fermer les yeux, elle revoit le visage attentif de Vincent s'approchant d'elle, puis elle sombre dans un sommeil sans rêves. L'année 2004 commence sous le signe de la vérité : plus elle apprend de la vie et plus Claudie découvre que cette façon d'être lui convient. Est-ce la clé d'un futur bonheur ?

* * *

L'œuvre inachevée

En quelques jours, plus de cent commandes ont été reçues et traitées par Jacinthe. Les œuvres commencent donc à circuler, quittant l'atelier pour se retrouver chez d'importants collectionneurs, dans certains musées ou destinées à la revente dans les galeries les plus prestigieuses du monde.

La signature inédite de cet Antoine Tessier est vite reconnue et encensée par les amateurs d'art et les critiques, de sorte que les preneurs ajoutent à leurs mises et se font une chaude concurrence. Claudie n'osait espérer un tel succès. Cet enthousiasme la stimule; elle plonge tête première dans la préparation de l'exposition de la collection privée. L'attitude d'Irénée a aussi évolué depuis la conversation du Nouvel An. Il s'est remis à la recherche et à l'écriture en espérant trouver la matière de son prochain livre à succès, auquel il cogite depuis des heures, assis à son bureau, les yeux errant dans le vide.

– Que penses-tu de cette thèse : Dans toute conquête de la célébrité, de l'immortalité, les grands de ce monde, ceux qui survivent au passage de l'histoire, se voient réduits à la dimension infime, parcellaire, réductrice, ne laissant que quelques rares exemples de leur créativité. Or, pour créer, il faut disposer d'une architecture complexe faite de savoirs et d'expériences. Pendant des années, les génies se sont formés pour atteindre l'excellence, toutes leurs quêtes accumulées constituent une structure unique au monde. Or l'histoire nous laisse une image d'eux très réductrice, fragmentaire, minimaliste même. Pourquoi l'Histoire agit-elle ainsi ? Qu'est-ce que la mémoire collective retiendra de cet amalgame d'activités créatives québécoises dans cent ans ? Un livre, un tableau, une pièce musicale, un opéra survivront alors que les humains qui ont vécu derrière ces œuvres seront complètement évacués dans ce qu'ils avaient réuni d'exceptionnel afin de nous livrer ces artéfacts… La petite fenêtre subsistera mais l'immense édifice qui la soutenait disparaîtra.

Chapitre 9

Claudie est suspendue à ses lèvres; stupéfaite, ses mains se sont figées au-dessus de son clavier. Elle vient de pénétrer dans ce labyrinthe complexe qu'est le cerveau d'Irénée.

– Wow ! C'est une thèse qui a de l'étoffe… Il faut la développer. Tellement de gens cherchent la célébrité en se leurrant… Tu feras œuvre utile en démontant que la créativité pure ne cherche rien de plus qu'à s'exprimer… C'est comme un souffle qu'on ne peut retenir, au risque d'étouffer. Les créateurs en sont là, ils acceptent de rester dans l'ombre et savent que la célébrité n'ajoute rien de noble à quelque geste que l'on pose en espérant la conquérir. Seule la vérité du moment a de l'importance, selon moi. Mais c'est un défi exceptionnel que de se projeter ainsi dans le temps, sous l'angle des intentions… et de ce qui en restera, éventuellement. Une thèse intéressante… tu feras un tabac avec un tel propos !

– Et il y a des centaines d'exemples à mettre en relief… Que reste-t-il de Michel-Ange ? Je tiens le sujet philosophique du siècle, ma chère…

Claudie revient à sa propre création. Elle est absorbée dans une tâche qui demande à la fois de la technique et de la créativité. Pour mettre au point une affiche en grand format destinée à annoncer l'exposition permanente de la Galerie, elle a d'abord miniaturisé plus de 500 tableaux d'Antoine. Elle doit maintenant les classer et les faire entrer dans une œuvre qui représentera le portrait d'Antoine. Une fois chaque miniature mise en place, les ombres, la lumière, les couleurs de l'affiche ne laissent rien deviner du travail de mosaïque que l'on perçoit seulement lorsqu'on est tout près… Alors, les tableaux, de la dimension d'un timbre-poste, se révèlent… Claudie s'approche de la version finale, découvrant toute la beauté du regard et l'étrange intemporalité du visage que cette technique confère à l'artiste. Antoine devient lumineux !

Lorsqu'elle aura terminé cette étape, deux immenses affiches seront reproduites sur vinyle, pour venir orner les deux angles de la Galerie, sur les façades de l'immeuble qui occupe le coin des rues Saint-Paul et Saint-Jacques. Puis, elle fera reproduire, sur support rigide, quelques exemplaires qui prendront place dans l'accueil de l'exposition. Elle se hâte de terminer le tout, car elle veut que toute la publicité entourant cette exposition paraisse dans la programmation estivale qui sera sous presse dans quelques jours. Puis elle fera imprimer des pochettes pour les médias et un tirage massif de cartes postales servira à la fois de carton d'invitation pour le vernissage et de marketing indirect, pendant toute la saison estivale. Elle touche au but...

La sonnerie du téléphone interrompt sa progression. Elle gèle la miniature qu'elle s'apprête à insérer puis répond.

– Bonjour Claudie, c'est Vincent. Est-ce que je te dérange ?

– Je mets la dernière touche à mon affiche... Je pense que ce sera magnifique et saisissant à la fois !

– Je voulais t'inviter à souper... Le 14 février, as-tu une idée de ce que cela signifie ?

– Oui... vaguement... Dans le style bougies parfumées et musique romantique ? Je t'écoute...

– Nous pourrions prendre le souper assez tôt, devançant la foule avec ses rendez-vous télécommandés, puis aller écouter l'Orchestre symphonique à la Place des Arts... J'ai deux bons sièges.

– Excellente suggestion. Je craignais qu'on reste attablés pendant quatre heures à roucouler... J'aime mieux ta proposition. À quelle heure débute ce beau programme ?

– Je pense qu'on pourrait se retrouver à 18 h au Bâton Rouge ? Est-ce que ça t'irait comme restaurant ?

– C'est parfait... J'y serai. C'est gentil de penser à moi...

– Je ne fais plus que cela, penser à toi, depuis le début de cette année. Tu m'as jeté un sort !

Claudie éclate de rire avant d'ajouter :

– Ce n'est pas moi... Je n'ai rien fait, je le jure ! Du moins, pas encore... et elle raccroche.

Pendant un moment, le visage de Claudie reste éclairé par le sourire que cette conversation a fait naître. Cette légèreté lui fait du bien, la ramène aux bienfaits des conversations sans prétention. Vincent n'a pas cette lourdeur qu'elle ressent dans sa relation avec Irénée, où chaque mot doit être pesé soigneusement. Tant mieux, car après des semaines de concentration, elle a bien besoin d'une bouffée d'air frais.

Marc-Antoine fréquente maintenant la prématernelle tous les après-midis. Sa personnalité se forme peu à peu : il aime les arts plastiques et l'activité physique, la lecture et les jeux de société. Depuis que son grand-père a une nouvelle amie, il le voit moins souvent, car Jean-Paul se permet quelques voyages. Il se prépare à aller passer deux semaines à Las Vegas avec Josette. Alors pour la première fois, Claudie doit trouver une gardienne si elle veut célébrer la Saint-Valentin avec Vincent.

Elle cherche des références, sans succès. Elle se rend compte qu'elle s'éloigne de plus en plus de la vie de quartier; elle déplore aussi tout ce va-et-vient que lui impose le fait de travailler chez Irénée. Va-t-elle encore longtemps conserver son condo de Boucherville ? Même si sa préoccupation du jour est de trouver une ressource pour une soirée, toute sa planification future lui apparaît soudain un peu précaire. Où habiteront-ils dans un an ? Devrait-elle refaire des choix avant l'échéance de ces sept années, délai prescrit à la suite de la disparition d'Antoine ? Pendant une seconde, elle essaie de lire son avenir. Puis elle revient à la question essentielle du moment... Et si elle demandait à Jacinthe ? Ce serait peut-être possible...

Elle se rend à l'atelier et s'informe de la disponibilité de l'assistante, devenue indispensable au bon fonctionnement du projet. Par chance, Jacinthe est disponible; elle pourrait garder Marc-Antoine s'il dormait ici même, chez Irénée. Alors, Claudie n'aurait qu'à lui faire manquer la classe le 14 février et l'amener avec elle pour l'après-midi et la soirée. Et après le concert, Claudie passerait la nuit sur place pour ne rentrer à Boucherville que le lendemain. Elle éviterait ainsi a les bouchons et, si la météo se mettait de la partie, elle limiterait de beaucoup ses déplacements. La formule semble lui convenir. Reste à annoncer à Irénée son rendez-vous galant du 14 février.

Au retour de sa pause-santé – une longue marche qui lui permet de se ventiler le corps et l'esprit – Irénée est d'excellente humeur. Claudie lui fait part de son intention en pesant bien ses mots. Étonnamment, il accueille la nouvelle avec souplesse.

– Ma belle Claudie serait-elle en train de succomber à une nouvelle passion ? C'est bien ! Je suis heureux de voir que ton cœur peut se remettre à battre...

– Il est un peu tôt pour cette conclusion. J'ai juste accepté de passer une soirée avec lui... Le reste est encore du domaine de la spéculation. Après avoir témoigné devant ses élèves, il y a deux semaines, peut-être qu'il se sent un peu obligé de me proposer une sortie, histoire de me remercier et de faire en sorte que je sois moins seule à la Saint-Valentin. C'est de la délicatesse, une gentille attention, ni plus ni moins.

– Tu sais, je pense que je vais, moi aussi, me résoudre à lancer ma ligne à l'eau, comme le disent les dragueurs. Tu avais sans doute raison de me pousser à regarder d'autres femmes... et tu seras la première étonnée du résultat, le moment venu.

Claudie est intriguée. Irénée aurait-il une nouvelle flamme dans sa vie ? Cela explique-t-il le fait qu'il se soit remis à écrire ? Que se passe-t-il donc cette année ? Cupidon a-t-il décidé de réveiller les cœurs endormis ? La fin de cet hiver marquera-t-elle un nouveau tournant pour Claudie et Irénée ? Les années qui les séparent de la disparition d'Antoine s'accumulent. Le temps fait son œuvre. Claudie aura bientôt 35 ans et Irénée plonge dans la quarantaine. Le passé ne pourra encore très longtemps les retenir : demain, la destinée pourrait bien les entraîner dans son sillage, à nouveau.

Chapitre 10

C'est en clignant des yeux sous un soleil éblouissant que Marc-Antoine descend de l'autocar en ce samedi, veille de Pâques. Il accompagne sa mère, son ami Vincent et un groupe d'étudiants venus passer le long congé à New York, afin de visiter les musées et les galeries d'art. Ils sont dix-huit à s'agglutiner comme un essaim autour de leur guide, un spécialiste en art contemporain. Évidemment, du haut de ses trois ans et demi, le jeune voyageur ne sait pas trop ce qu'il va voir, mais le fait d'accompagner sa mère l'enchante. Depuis des semaines, elle travaille et travaille sans relâche. Et lui, il promène son petit sac à dos entre le condo, la maison de papi et la maternelle en se demandant s'il n'aura pas, très bientôt, un nouveau papa…

– C'est comme la Tour du CN, ce gratte-ciel, dis maman ?

– Je pense que la tour du CN est plus haute, mais elle est seule dans le décor tandis qu'ici, il y en a toute une forêt de ces grandes tours. Elles sont moins hautes, mais beaucoup plus nombreuses. Laquelle préfères-tu ? Celle tout en verre, d'un beau bleu ? Celle en acier qui reluit comme un bijou sous le soleil ? C'est fou, on dirait qu'on est devenus minuscules, comme des fourmis…

Elle lui prend la main et ils suivent un peu à distance la cohorte des jeunes qui, nez en l'air, cherchent à repérer l'adresse d'un galeriste très réputé. Claudie se rappelle avoir visité cet endroit, quelques années auparavant avec sa famille. Elle s'y retrouve et observe les nouveaux noms qui exposent, ouvrant la nouvelle saison. Elle constate que la galerie a fait l'acquisition de trois tableaux d'Antoine Tessier. Elle s'amuse à questionner la responsable sur ce peintre, son origine, sa cote. À sa grande surprise, la responsable lui dit qu'elle a aussi en entrepôt une œuvre presque aussi belle, mais d'un artiste très peu connu. Curieuse, Claudie demande à voir ce tableau.

Les étudiants de Vincent sont captivés par quelques-unes des signatures qu'ils admirent sans avoir jamais eu la chance de regarder directement les œuvres. La magie d'Internet peut bien rapprocher les informations aux quatre coins du monde, elle ne pourra jamais susciter autant d'émotions que la rencontre intime entre un observateur et un tableau. Enthousiaste, le professeur commente et approuve les remarques, se félicitant de cette sortie *extra-muros*.

Lorsque la préposée revient, elle dépose sur le chevalet une toile encore dans son emballage puis défait les coins protecteurs et retire le papier kraft qui le dissimule. Claudie reste figée sur place. Le tableau reprend, trait pour trait, celui qu'elle possède dans son condo : le paysage de la plage déserte qu'Antoine a peint avant de disparaître. Elle cherche la signature… Un coup de pinceau grossier, comme réalisé par un artiste qui cherche à en imiter un autre sans y parvenir, cinq lettres en majuscules : ANTES.

— Mais qui est donc ce peintre ? Que savez-vous de lui ? questionne Claudie.

Avant même que la dame ne puisse répondre, Marc-Antoine s'étonne haut et fort.

— Maman, c'est comme la toile de papa, dit-il sans se douter que son commentaire venait de trahir l'identité de sa maman. C'est un Antoine Tessier, ça.

— Je ne sais rien de cet artiste, en réalité, avoue-t-elle, maladroitement. Il est passé ici un jour avec dix tableaux, sur le même thème que celui-ci. Il les a laissés en consignation. Lorsque nous avons reçu les nouveaux tableaux de ce Québécois, Tessier, nous avons noté les ressemblances. Alors lorsqu'un client veut payer un prix moindre, nous lui proposons l'un de ces tableaux, pour ne pas manquer une vente. Nous en avons vendu trois au cours de la dernière semaine.

L'œuvre inachevée

– Pouvez-vous me donner les coordonnées de ce peintre, enfin ce que vous avez comme information pour le rejoindre, sur le document de la consigne, car j'aimerais bien le connaître, fait Claudie, intriguée.

La dame hésite, disant qu'elle ne sait pas si la propriétaire de la galerie autoriserait cette transmission d'informations. Elle tente de la joindre, mais n'y parvient pas. Alors que Vincent lui fait un grand geste pour signaler qu'ils sont sur le point de quitter cette galerie et d'aller visiter un autre établissement, Claudie griffonne rapidement son nom et son numéro de téléphone à la préposée, lui disant qu'elle veut obtenir cette information dès que possible.

– C'est très important pour moi… Il s'agit sans doute d'un faussaire qui tente de s'approprier la notoriété du peintre Tessier… Il faudrait tirer tout cela au clair et votre aide est indispensable, ajoute-t-elle un peu fébrile.

Affolée à l'écoute des doutes émis par cette cliente, la conseillère s'empresse de remettre sous emballage le tableau signé ANTES. Elle ne le proposera pas à nouveau de sitôt, sachant qu'il peut s'agir d'une copie. Elle le rapporte dans l'entrepôt avec les six autres qui attendent preneur, troublée par cette brève conversation.

Claudie et Marc-Antoine suivent le groupe, mais leurs propos n'ont rien à voir avec la prochaine galerie… Ils ont vu un faux Tessier, proposé aux clients dans l'une des galeries d'art les plus réputées de New York ! Pendant tout le week-end, cette révélation leur reviendra en tête.

– Nous ne parlerons de cela à personne, dit Claudie à Marc-Antoine. Je pense que, comme des détectives, nous allons devoir faire une enquête, une sorte de chasse au trésor, afin de découvrir qui est ce faux peintre qui signe ANTES. Alors, motus et bouche cousue… C'est notre secret !

Le soir de leur retour, la mère et le fils se retrouvent devant le tableau original d'Antoine égayant le mur du salon.

Chapitre 10

– Pourquoi le nom n'est pas écrit ? demande Marc-Antoine. Il n'y a que de l'eau là où l'autre peinture porte le nom du monsieur.

– Je peux tout t'expliquer. Lorsque nous sommes partis en voyage, ton papa n'avait pas encore terminé le tableau. Il voulait voir pour vrai la plage de Bavaro afin de s'assurer que tout serait parfait. Mais tu vois, c'est là qu'il a disparu, sur cette plage, emporté par la mer. Alors sa signature n'a jamais été apposée. Antoine avait emporté le tableau dans son appartement et, au retour, Jean-Paul et Raymonde m'ont proposé de me le donner. Évidemment j'ai accepté, car cette peinture, c'est notre histoire d'amour, notre décor, tu comprends.

– Mais le paysage, il est pareil et le nom est écrit. Ce papa-là a eu le temps de le terminer. C'est donc une personne vivante qui termine ses peintures. Comment allons-nous faire pour le trouver, dis ? New York, c'est très loin, plus encore que Toronto où demeure tante Sophie.

– Je pense que nous allons demander l'aide de la police. J'ai un drôle de pressentiment… Alors, si la dame de la galerie ne m'appelle pas d'ici une semaine, je vais porter plainte. Les policiers vont faire le travail pour nous, car tu as bien raison, nous ne pouvons enquêter nous-mêmes à cause de la distance… Et New York, c'est si grand !

De retour au travail le mardi, Claudie raconte à Irénée et à Jacinthe l'aventure bizarre du tableau de la plage. Les jours passent et aucun appel de New York n'entre pour préciser les informations demandées. Alors, elle porte plainte pour présomption de contrefaçon contre un certain ANTES, dont l'origine ethnique et l'adresse lui sont inconnues. Une brève recherche sur Internet confirme que cet artiste n'est pas répertorié. Il compte sans doute sur la publicité faite autour du phénomène « Antoine Tessier » pour confondre les futurs acquéreurs. Un bon filon…

Les échéanciers prévus pour l'inauguration de la Galerie se précipitent. Tout doit être parfaitement coordonné : les électriciens mettent au point les éclairages, puis vient le tour des installations sonores et enfin le positionnement des trois écrans géants qui formeront un grand triangle au centre de la pièce, entourés de fauteuils et de tabourets disposés en cercle. Enfin les ouvriers poseront les panneaux muraux, les tringles invisibles, les tissus tendus entre les différentes thématiques... À l'extérieur, les bannières géantes doivent être déployées. Le dernier sprint consistera à procéder aux accrochages. Plusieurs élèves de Vincent ont proposé leur aide. À quinze jours du vernissage, c'est la tâche ultime.

Le samedi 8 mai, Claudie et Irénée attendent l'arrivée de Jean-Paul afin de procéder à une visite préliminaire de l'exposition. Le compte à rebours est serré : plus que 6 jours... Il pleut des cordes sur le Vieux-Montréal et les flâneurs se sont réfugiés sous les porches pour éviter d'attraper froid. Les touristes aiment bien ces quartiers marchands du plus vieil arrondissement de Montréal où l'achalandage par beau temps est grouillant de vie. Les vents malveillants ont fait chuter la température à 15° Celsius, alors que la belle saison tarde à réchauffer l'atmosphère. Claudie frissonne dans sa veste de cuir noir et ses cheveux collent à son front.

– Espérons qu'il fera beau la semaine prochaine... Ce serait décevant de passer le premier week-end à tourner en rond faute de visiteurs, commente-t-elle, soucieuse de tout faire pour obtenir un franc succès.

– Nous avons 200 invités pour le vernissage de vendredi soir... et ceux qui ne pourront se présenter, ou qui auraient aimé être invités, feront le pied de grue devant la porte samedi prochain pour venir voir « avant tout le monde » la découverte de l'heure. Ne t'inquiète donc pas...

Irénée actionne le commutateur de l'éclairage puis met le système de son en marche. La pièce semble se réveiller d'un long sommeil. Claudie s'est avancée jusqu'au centre de l'immense pièce et elle ouvre les trois téléviseurs HD formant un triangle. Elle met en marche les programmes qui vont défiler en boucle afin de permettre aux visiteurs de s'asseoir et de faire le choix d'une ou de plusieurs œuvres encore en vente libre. Leur prix de base les rend très alléchantes. Les œuvres déjà acquises, mais demeurant accessibles grâce au jeu de l'offre et de la demande, sont sous-titrées avec l'adresse du propriétaire initial. Jacinthe a fait un travail formidable permettant même au public de regarder, sur la carte du monde, la répartition des œuvres en temps réel. Chaque tableau peut être suivi à la trace, transaction après transaction, dressant un inventaire complet de la collection Tessier et situant sa valeur comptable. Les spéculateurs poussent déjà les enchères à la hausse sur quelques-unes des œuvres les plus marquantes. Claudie est bien consciente qu'une telle gestion demeure un fait unique dans l'histoire de l'art au Québec.

En attendant l'arrivée de Jean-Paul, elle rejoint Irénée en train d'examiner le magnifique comptoir de verre trempé, qui servira à la fois à l'accueil des visiteurs et constituera le point de contrôle de la clientèle. Un écran dissimulé dans un angle de surveillance, sous le comptoir, permet de voir l'ensemble de l'exposition à l'aide de quatre caméras. De plus, un détecteur de chaleur a été placé au bas de chaque œuvre exposée.

– Que penses-tu de notre système antivol ? Dès qu'une personne touche le cadre ou la toile, un signal est retransmis aux caméras et un gros plan est commandé automatiquement, afin de vérifier s'il s'agit d'une tentative de vol ou d'un geste sans conséquence. Pas mal ?

– C'est astucieux et rien ne paraît… Mais que fait donc Jean-Paul ? Il a plus d'une heure de retard ? s'inquiète Claudie. J'espère qu'il ne lui est rien arrivé…

– J'ai placé le stock d'imprimés dans le classeur, sous le comptoir. Ainsi, la réceptionniste n'aura pas à quitter son poste pour se réapprovisionner. Il nous manque cependant un présentoir afin que les cartes postales puissent être conservées et vues sans être à la traîne. As-tu reçu le livre des commentaires ?

– Le relieur devrait nous le faire porter lundi en fin de journée. Et il a pensé à titrer les albums comme s'il s'agissait d'un livre. Nous commençons avec le Tome I et qui sait jusqu'où nous nous rendrons...

Le cellulaire de Claudie sonne. Elle répond, anxieuse... Serait-ce Josette Maher ?

– Oui ? C'est vous Josette... Vous n'êtes pas avec Jean-Paul ? Nous espérions le rencontrer ce matin à la Galerie...

Claudie se rend compte que l'amie de Jean-Paul est en larmes... Elle trouve difficilement ses mots.

– Que se passe-t-il ?

– Jean-Paul est finalement parti... pour se rendre à votre invitation, mais sa voiture a fait une embardée... Il a eu un accident. Je viens d'être prévenue par les policiers. Il a été transporté à Saint-Luc. Son état est grave...

– Non... Ce n'est pas vrai ! Nous allons nous rendre à l'hôpital... On se voit là-bas. Marc-Antoine est avec vous, alors ?

Un silence, suivi d'un long soupir...

– Est-ce que Marc-Antoine était avec lui ? Parlez, je vais devenir folle !

– Je voulais le garder avec moi, mais il a supplié son grand-père de l'amener, crie Josette, sous le choc d'une forte émotion. Il est... il n'a pas survécu à ses blessures. Il est mort dans l'ambulance...

Claudie échappe son téléphone et tout se met à tourner autour d'elle. Irénée la saisit au moment où elle allait tomber au sol. Il la soutient, comprenant à demi-mot ce qui vient de se passer... Il l'emmène sur l'un des fauteuils du centre de la pièce et essaie de la ranimer. Elle est livide... tout son sang s'est soudainement retiré de son corps. Il n'ose pas la laisser pour se rendre chercher de l'eau fraîche... Il s'assoit auprès d'elle et la soutient, gardant sa tête contre son épaule. Lorsqu'elle frémit et se met à geindre, il la redresse, soulagé.

– Ça va ? Reste là, je vais aller te chercher à boire...

Claudie regarde autour d'elle, perdue, confuse. Dans sa tête une phrase tourne en boucle : il n'a pas survécu à ses blessures. Il est mort dans l'ambulance. La révolte, le refus d'accepter ces mots impossibles, monte en elle. C'est une tornade qui la dévaste sans merci : Nooon !

– Bois un peu… suggère Irénée. Et dis-moi ce qui s'est passé… Je n'ose pas croire…

Claudie lui annonce que Jean-Paul a eu un accident et que Marc-Antoine l'avait supplié de l'amener ici, avec lui. Il voulait tout voir…

– Mon bébé… mon trésor… la seule preuve de mon amour pour Antoine vient de m'être enlevée… Il n'a pas survécu à ses blessures, a dit Josette; il est mort en ambulance avant d'arriver à Saint Luc. Je ne peux… croire… Je ne veux pas, tu m'entends… je refuse de le voir partir comme ça !

Irénée ne sait que dire. Il adorait cet enfant : ses sentiments envers lui étaient presque ceux d'un oncle pour ne pas dire plus… Et à l'idée que Claudie replonge dans la souffrance, cela l'atteint en plein cœur. Les deux personnes qui comptent le plus pour lui sont touchées. Il porte instinctivement la main à son cœur, se rappelant cette fin de journée tragique où Claudie avait donné naissance à son enfant. Il se laisse tomber sur le fauteuil, les larmes aux yeux.

– Nous allons nous ressaisir… nous réveiller… C'est un cauchemar ! Il faut nous rendre à l'hôpital. Jean-Paul est gravement blessé… Il va nous dire ce qui s'est passé… Josette s'est peut-être trompée… Qui sait ? Les miracles, ça existe !

Irénée appelle un taxi. Le temps de refermer les éclairages et de débrancher les différents commutateurs et un klaxon se fait entendre. Il referme la porte à clé et soutient Claudie afin qu'elle ne glisse pas sur la chaussée mouillée. Quelques rues; pas un mot. La vie demeure suspendue à un si mince espoir lorsque l'irréversible se produit. Ils se présentent, demandent où sont les deux personnes impliquées dans l'accident… La préposée signale le poste téléphonique des soins intensifs. Ce sont trois longues minutes des plus pénibles, qui s'égrènent... sous la pression insupportable de l'impuissance, de l'incertitude. Un médecin s'avance vers eux, visiblement porteur d'une mauvaise nouvelle.

– Je suis le docteur Lacasse. Vous êtes ?

– Je suis la maman de l'enfant, Marc-Antoine et la belle-fille du conducteur Jean-Paul Tessier... Voici mon associé et ami, Irénée de Blois.

– Bien, si vous voulez me suivre. Je préfère aller à mon bureau...

Claudie et Irénée le regardent... maîtrisant la question qui leur brûle les lèvres. Il les fait entrer dans une pièce étroite où règne un certain désordre et il leur offre un siège. Il s'appuie à demi sur le coin de son bureau et ses mots s'enfoncent comme des couteaux dans le ventre de Claudie.

– Le petit Marc-Antoine était assis à l'avant, correctement attaché dans son siège. Le choc a cependant été si violent que le pare-brise est venu le frapper, causant une hémorragie à la tête. Les ambulanciers ont réussi à le dégager et il respirait encore lorsqu'on l'a immobilisé pour le transporter. Il saignait abondamment. On l'a perdu pendant son transport. Il est mort des suites de ces nombreuses lacérations. Je suis désolé...

Claudie n'arrive plus à respirer tellement les émotions la compressent. Le médecin lui tend un gobelet de papier avec un peu d'eau tiède, insipide.

– Votre beau-père est en salle d'opération. Nous craignons qu'il ne puisse plus jamais marcher. Sa colonne vertébrale a été sectionnée sous l'impact. Nous sommes en train d'évaluer les dommages et de réparer ce qui peut l'être... Son état est jugé très sérieux. L'auto a fait une sorte de vol plané, sur une surface mouillée. Même si la vitesse était normale, l'effet d'aquaplanage a propulsé le véhicule contre le parapet de la bretelle du viaduc et l'auto est passée par-dessus le garde-fou pour aller s'écraser sur la route en contrebas. Heureusement, les autres véhicules ont pu s'arrêter à temps, car l'accident aurait pu faire d'autres victimes. Nous allons vous tenir au courant… lorsque le patient reviendra de la salle d'opération. Les policiers sont allés dégager les lieux et reviendront ici dans une heure environ, pour faire le point sur les circonstances, signer les rapports, vérifier l'état des personnes impliquées, connaître la version du conducteur pour l'enquête. Voulez-vous les attendre ici ?

– Est-ce que je pourrais voir… mon fils ? demande Claudie, d'une voix blanche de désespoir.

– Oui, il est encore ici. Nous espérions votre visite. Puis-je vous demander, sans vouloir ajouter à votre douleur, si vous avez déjà entendu parler du don d'organes ? Même si sa jeune vie s'arrête dramatiquement, votre fils pourrait contribuer à faire vivre deux ou trois autres enfants en attente d'une greffe.

– Laissez-moi y penser quelques minutes. Je vous donnerai ma réponse après l'avoir vu.

Ils suivent le médecin dans un dédale de corridors, jusqu'à une entrée « Réservé au personnel autorisé seulement » puis, sur la droite, une salle sombre, un tiroir frigorifique qui s'ouvre. La morgue. Un drap blanc. Un enfant inanimé.

– Nous allons le conserver ainsi jusqu'à ce que vous donniez votre réponse… de façon à préserver la qualité des organes sains… ajoute le médecin, ému lui aussi. J'ai un fils qui a presque le même âge… ajoute-t-il en plaçant sa main sur le bras de Claudie, avec empathie.

Elle sent son cœur chavirer, place sa main sur sa bouche, réprimant son besoin viscéral de vomir. Mais ses yeux ne peuvent ignorer ce qu'elle voit : le visage lacéré de centaines de coupures, le corps bleu par les ecchymoses, presque méconnaissable dans sa petite veste de denim qui le faisait paraître un peu ado avant l'heure. Elle voit la mort pour la première fois, en face d'elle. Cette chose horrible qu'elle avait tant fuie la rattrape à nouveau : Marc-Antoine est parti. Il n'est plus dans ce lit, où elle ne voit que des chairs meurtries. Elle ne pourra plus jamais le prendre dans ses bras, lui confier des secrets, lui faire des déclarations d'amour.

– Adieu, mon bébé, réussit-elle à dire en touchant sa main glacée. Je t'aimerai toujours.

Irénée se sent impuissant, maladroit, complètement perdu devant cette absence de vie. Il prend le bras de Claudie et l'entraîne vers la sortie.

– Il est trop tard. Nous voilà orphelins, toi et moi.

Le médecin prend un instant pour consulter la liste des jeunes en attente de greffes urgentes. Il espère pour eux. Claudie lui fait un signe affirmatif. Il s'approche.

– Nous avons un formulaire à vous faire signer, afin de nous autoriser à procéder aux prélèvements. Votre geste va sauver trois vies… des enfants qui sont en sursis… Votre décision sera appréciée, croyez-le.

Elle signe le document d'une main tremblante, sans même le lire. « Je lui avais transmis la vie et il va la transmettre à son tour; dans une certaine mesure, il vivra encore, mais moi, je dois renoncer à lui… pour toujours… »

Une infirmière les accompagne jusqu'à la salle d'attente, près du bloc opératoire. Elle leur apporte un café. Claudie aura-t-elle la force d'appeler sa famille ? Elle va leur briser le cœur ! Ils aimaient tant cet enfant. Elle demande à Irénée de lui prêter son cellulaire et se rend près de la sortie. Au moment où elle compose le numéro des Delisle à Joliette, elle voit arriver Josette, en larmes.

– Avez-vous pu le voir ? Comment est-il ? demande-t-elle en pensant à Jean-Paul.

– Il est en salle d'opération. Le médecin nous a dit que son état était très grave. Sa colonne vertébrale a été touchée.

– Mon Dieu… Pauvre homme ! Il était si heureux de pouvoir enfin marcher et danser comme un jeune. Son plaisir aura été de courte durée. Et votre fils ?

– Josette ! C'est tellement difficile. Il n'y a plus rien à faire. Il a été tellement blessé par les vitres cassées qu'il en est

Chapitre 10

méconnaissable… Je n'arrive pas à croire que mon bébé ne me reviendra plus jamais…

– Courage Claudie. Nous allons vous aider à accepter. Il vous aimait tant ! Vous étiez son idole.

Claudie revient au cellulaire et elle entend la voix de son père. Il est enjoué et demande si elle vient dîner demain, dimanche, avec le petit…

– Papa, j'ai une terrible nouvelle… Jean-Paul a eu un accident et Marc-Antoine était avec lui dans la voiture. L'auto a capoté, fait des tonneaux. Mon bébé est… parti rejoindre son papa… Je suis à l'hôpital avec Irénée. C'est trop pour moi… Et mon beau-père est gravement touché. Les médecins pensent qu'il ne pourra plus jamais marcher… C'est un cauchemar !

René est secoué. Il essaie de trouver les mots, mais rien ne sort. Tout ce qu'il est capable de dire c'est : ma pauvre enfant ! Ma pauvre enfant ! Alors Claudie lui dit qu'elle va le rappeler un peu plus tard… Elle appelle son amie Amélie : la nouvelle est tellement imprévue qu'elle lui fait répéter les mêmes mots deux fois. Elle les répète en pleurant. « Marc-Antoine est mort ! » Que dire ? Les larmes fusent et les émotions sont difficiles à contenir. Puis, Claudie fait un appel à Toronto. Sa petite sœur Sophie est chez le coiffeur et c'est Alain qui répond. Il est abasourdi… ne sachant comment il pourra annoncer cela à sa femme… « Son neveu, elle l'adorait littéralement… Elle en parlait tout le temps… »

À bout de force, pliée en deux par la douleur au ventre qui lui coupe la respiration, Claudie retrouve Irénée. Il la prend dans ses bras… Jamais il n'avait cru possible de supporter un tel chagrin, de vivre un tel drame. Pourquoi le mauvais œil s'acharne-t-il sur cette pauvre Claudie ? N'avait-elle pas le droit au bonheur ? Son fils, c'était sa raison de se battre… Que lui restera-t-il maintenant ?

* * *

Comment survivre à une telle épreuve ? Claudie se relève lentement de cette tragédie, s'accrochant avec dignité à ses photos, à ses souvenirs heureux, à l'amitié de ses proches lui apportant un peu de baume au cœur. En ce début de septembre, elle commence à peine à redresser la tête pour regarder la vie qui continue tout autour. Malgré de longs moments de regards en arrière, sa pensée refait surface, de temps à autre, comme par cet après-midi de soleil qui fait briller les arbres du mont Royal de mille feux. La magie des couleurs s'installe graduellement, opérant des transformations d'abord invisibles puis stupéfiantes. Prisonnière de sa bulle, Claudie est absorbée dans ses pensées.

Elle revoit le petit cercueil blanc porté par six des élèves de Vincent, parmi ceux qui avaient fait le voyage à New York et partagé cette aventure avec un gamin pas comme les autres. Elle revoit Jean-Paul, cloué sur son lit d'hôpital pendant huit semaines et qui doit maintenant réapprendre à vivre sans ses jambes. Elle apprécie la présence de Josette qui s'est dévouée jour et nuit, afin de l'aider à reprendre courage.

Il se sent tellement coupable, Jean-Paul, que sa vulnérabilité fait peine à voir. Pour lui, l'avenir prend l'allure d'un calvaire quotidien. Entre son lit et le fauteuil roulant, il promène un regard vide sur le monde qui l'entoure. La grande maison familiale a été mise en vente et il espère dénicher un appartement adapté qui conviendra mieux à sa condition de santé. Heureusement, Josette s'est trouvée sur sa route…

Puis, les pensées de Claudie reviennent vers le présent. L'exposition se poursuit avec un succès inespéré. Au lendemain de la tragédie, Jacinthe a pris les choses en main, afin de remplir le vide laissé par la mort de cet enfant. Les médias ont fait couler les larmes des lecteurs pendant des semaines, entourant l'ouverture de la galerie d'art du Vieux-Port d'une ambiance de veille funéraire. Des milliers de gens sont venus pour supporter la jeune femme dans cette nouvelle épreuve. Claudie est devenue une sorte d'icône, une martyre qui, après avoir été la muse du grand peintre, en est devenue la *mater dolorosa*, tristement reproduite dans sa petite robe noire qui la caractérise, désormais.

Chapitre 10

Un producteur lui a demandé l'autorisation de scénariser son histoire pour en faire un film, à la mémoire des deux hommes de sa vie. Elle se demande à quoi servirait cette projection : les meilleurs moments de sa vie ont été si éphémères qu'elle n'arrive pas encore à bien saisir que l'avenir existe encore pour elle. Que serait ce film, sinon un rappel de ses échecs ? Vincent lui demande de réfléchir encore à la question, car son parcours dramatique est tellement imprégné d'un amour pour l'art qu'il ne peut que faire surgir de bonnes révélations, pense-t-il. « L'art se nourrit le plus souvent de ces déchirures, de ces larmes, pour recréer la beauté à l'état pur. » Il a raison, sans doute... Claudie n'a pas le courage de donner en pâture la seule chose qui lui reste, son chagrin intime, tellement elle se sent dépossédée de tout.

Irénée lui redit de garder foi en la vie. Sa famille aussi, lui rappelle que sa vie va refleurir. « Tu as 35 ans, tu es vivante, ton cœur va se remettre à battre. Tu n'es pas seule... Nous sommes avec toi. Nous prions Dieu de t'apporter son aide. » Ils ont sans doute raison. Mais espérer pour qui ? Espérer quoi ?

Elle a déserté son condo de Boucherville, incapable de revoir la chambre d'enfant, tellement magnifique, que René avait créée pour Marc-Antoine. Elle s'est réfugiée chez Irénée, dans cette pièce bleue et blanche qu'il avait décorée pour elle et la petite chambre d'enfant est devenue son bureau, sa bibliothèque, le lieu où elle vient bercer ses insomnies. La relation d'amitié avec Irénée s'est emmurée. Il a renoncé à conquérir le cœur de Claudie, trop fragmenté par les douleurs successives. Il se contente de l'aider à survivre, comme il le dit en affichant une mine désabusée.

Pour battre à nouveau, son cœur aurait besoin d'une cure. Elle a revu le psychiatre qui l'avait traitée auparavant. Quelques rencontres ont permis de faire le bilan. La réalité de son deuil est acceptée et seul le temps en permettra la cicatrisation. Vincent aussi l'a compris. Son attachement à Claudie se fait patience, écoute, échange. À quelques reprises, elle s'est prêtée à ses demandes pour communiquer sa vision de l'art. Elle a même été sollicitée comme modèle devant un groupe d'étudiants aux Beaux-Arts. La beauté plastique de ses traits, cette indéfinissable tristesse dans le regard, ce port de tête plus retenu d'une femme jadis si fière, ses épaules menues qui s'entêtent à la soutenir contre vents et marées... elle inspire la soumission, la tendresse blessée, l'abandon des rêves, la désillusion aussi.

Sa longue marche dans les sentiers du mont Royal, comme sa pensée, sont interrompues par la rencontre de cette femme qui s'avance en tenant la main à ses deux enfants. Elle s'approche, la croise et poursuit sa route en émettant dans l'air une sorte de babillement joyeux : la conversation amoureuse, anodine, quotidienne d'une mère qui profite d'un après-midi de douceur pour marcher au soleil. C'est ce qu'elle ne peut plus faire...

Pourtant, les mots d'encouragement semés par ses proches germent lentement. Un temps viendra, où la vue d'une famille normale, un papa et une maman marchant avec un bambin entre eux, dans un sentier, lui fera peut-être moins mal. Qui pourra redessiner un sourire de tendresse sur ses lèvres, éclairer ses yeux de vie ? Elle l'ignore encore, cinq mois après cet inqualifiable drame.

* * *

La rentrée scolaire d'automne a eu lieu. Son fils, inscrit en maternelle, ne sera jamais accueilli par l'institutrice... Claudie se fait une raison. Elle vit au jour le jour. La saison comporte d'autres imprévus. Ainsi, des touristes européens et des groupes d'écoliers défilent en grand nombre aux portes de la Galerie Antoine-Tessier. Les après-midis, c'est Claudie qui tient l'accueil. L'agenda du jour indique que des jeunes de première année de l'école Marguerite-Bourgeois sont attendus. Ils seront 25 accompagnés de leur professeur et de quelques parents.

Lorsque la visite s'achève, un jeune garçon, un peu timide, plus petit que les autres, tenant la main de son père, s'approche de Claudie.

– Vas-y, tu peux le lui dire… lui souffle le père, un homme maigre à l'apparence assez modeste.

Claudie concentre son attention sur l'enfant, croyant qu'il veut lui dire qu'il a aimé tel ou tel tableau, ou encore qu'il rêve de peindre un jour d'aussi beaux paysages… comme la plupart des visiteurs. Mais il enfonce ses mains dans ses poches, pour se donner du courage et il lui dit d'abord son nom…

– Je m'appelle Joey… Labonté. J'ai été très malade l'année dernière. Tous les médecins m'ont dit que j'allais mourir. Mon cœur s'était tellement détérioré que seule une greffe pouvait me sauver la vie. Alors, on a prié, papa, maman, ma grande sœur et moi, pour qu'un nouveau cœur nous soit donné. Puis, un jour, j'ai reçu un appel téléphonique. Un petit garçon venait de mourir, dans un terrible accident d'auto. Une maman que je ne connaissais pas avait accepté que le cœur de son enfant me soit donné. L'opération a eu lieu tout de suite. J'ai été un mois à l'hôpital et je suis aujourd'hui en bonne santé. Je peux faire tout ce que mes amis font. Je suis plus petit que les autres, mais bien vivant. Mon médecin m'a montré un jour, sur le journal, la photo de cette dame qui m'a sauvé la vie. Je voulais… vous dire merci… simplement merci pour votre cadeau !

Claudie ne peut retenir ses larmes. Elle se penche et prend ce petit garçon dans ses bras. Elle le presse contre elle.

– C'est moi qui te dis merci… Grâce à toi, mon bébé est toujours vivant.

Il défait les premiers boutons de sa chemise à carreaux et Claudie voit la cicatrice encore rosée qui s'y trouve. Elle porte ses doigts à ses lèvres puis vient déposer un baiser sur le cœur du jeune garçon. Une larme a glissé et elle tombe…

– J'espère que tu vas vivre très longtemps, Joey. Je t'aime…

Sur le livre des visiteurs, le père de Joey a inscrit son numéro de téléphone avec ces mots :

L'œuvre inachevée

La vie a été sans pitié pour ma femme et moi qui avons eu toutes sortes de difficultés. Nous sommes encore bénéficiaires de l'aide sociale, suite à la fermeture de l'usine où je travaillais. Mais la vie nous a donné deux enfants que nous adorons. Lorsque Joey a été diagnostiqué et qu'on nous a annoncé sa mort, nous avons failli sombrer. Grâce à vous, madame, nous avons pu sauver ce que nous avions de plus précieux au monde : la vie de notre enfant. Merci de tout cœur.

Roch Labonté, Montréal.

Lorsque Jacinthe et Irénée viennent la rejoindre, en fin de journée, ils sont très émus d'entendre le récit de cette rencontre. Sans le savoir, ce petit garçon venait de poser un geste d'une grande importance pour Claudie. Son sacrifice n'était pas vain. Elle souriait pour la première fois depuis des mois. Une autre famille, quelque part, avait pu retrouver la joie grâce à Marc-Antoine. Pour eux, la vie avait repris son cours normal. Le cœur qui bat dans la poitrine de Joey, c'est l'essence même de ce que fut ce petit bonhomme si intensément plein de vie et d'espoir. Rien ne disparaît jamais tout à fait lorsque l'espoir demeure…

Les jours passent et, au début d'octobre, Claudie note dans son journal l'anniversaire de Marc-Antoine. « Il aurait 4 ans… et il vit dans le cœur d'un petit garçon de 8 ans… Je pense que je vais finir par accepter, par m'en sortir. Je peux encore être utile… Je peux aider ce père à trouver du travail, cet élève à développer son talent; je peux aussi contribuer à diverses fondations qui aident des enfants malades, ou soutenir des artistes de partout. Ma nouvelle mission va me garder, moi aussi, vivante malgré un cœur fragilisé par les chocs. »

Quelques jours plus tard, en rentrant chez Irénée, Claudie trouve une note laissée par Jacinthe. « Appel reçu; Police de New York; Rejoindre le policier Bennet. » Les bureaux sont fermés à cette heure. Elle relit les phrases sténographiques et se résigne à attendre le lendemain. « Ils ont dû clore l'enquête… après tout ce temps », se dit-elle.

Chapitre 10

Café en main, elle attend 8 h 30 avant de composer le numéro inscrit sur la note d'appel. Mise en attente, recherche du dénommé Bennet, une voix rauque de vieux loup de mer…

– J'ai trouvé notre faussaire, ma petite dame. Il s'appelle Billy Grossman, la quarantaine, allure hispanique. Avant de l'épingler, j'ai pensé vous avertir. C'est un clochard. Il peint pour gagner sa croûte, dans un vieux hangar de Manhattan. Il n'a pas de domicile fixe. Nous ne pourrons très certainement rien en tirer, en justice, je veux dire… Mais on pourrait peut-être simplement lui expliquer que ce qu'il fait là est illégal… Ça me permettrait de mettre fin à l'enquête, car j'ai d'autres chats à fouetter, et des plus sérieux, croyez-moi…

Claudie hésite un peu devant les informations qui lui sont transmises. Elle a une idée.

– Si j'allais le rencontrer, pour lui expliquer que son travail n'est pas très honnête… Peut-être pourrais-je faire cesser cette activité de faussaire sans que cela nous mène à une poursuite inutile. Qu'en pensez-vous ?

– Écoutez ma petite madame. Je peux vous donner une semaine, tout au plus, car après cela, je ferme le dossier. La dernière chose que je pourrais faire pour vous, c'est de vous accompagner jusqu'à son quartier afin de m'assurer que vous reviendrez en un seul morceau. Ce ne sont pas des enfants de chœur qui vivent dans ce coin-là… OK !

– Donnez-moi l'adresse de votre bureau. Je serai là jeudi, dans deux jours.

Elle va enfin en avoir le cœur net. Accepter le plagiat sans réagir, c'est un peu courir après les problèmes. Claudie voudrait bien conserver l'authenticité et l'intégrité des œuvres créées par Antoine. Mais punir un pauvre homme qui arrive à peine à manger, c'est moche. Il comprendra peut-être, en recevant des explications et sous la menace de poursuites éventuelles, que ses talents pourraient s'exercer autrement, sans causer préjudice à qui que ce soit.

Elle fait donc une réservation pour un vol Montréal-New York, avec départ le 23 et retour le 24 octobre 2004. Puis elle revoit son agenda, reporte ce qui était prévu initialement et annonce à ses collaborateurs qu'elle s'absentera pour mettre fin à cette enquête.

– J'accorde 24 heures de mon temps à cette affaire pour en avoir le cœur net. C'est un peu dérangeant de savoir qu'un inconnu peint les mêmes tableaux qu'Antoine et qu'il les vend le tiers du prix, sur le marché parallèle. Je veux bien que cet ANTES ait de quoi manger et se loger, mais s'il peut reproduire des tableaux de cette qualité, il a peut-être intérêt à développer son propre style.

Son sac en bandoulière et son ordinateur portable en sécurité dans son porte-documents, Claudie arrive à New York et respire un grand bol de cet air pollué. Il fait beau, la circulation est dense, la ville fourmille de personnes qui courent après la richesse et la gloire sans jamais l'attraper. Elle fait la queue pour obtenir un taxi et lui donne, enfin, l'adresse d'un poste de police. La course prend 20 minutes et lui coûte 50 $: tout cela lui semble sans importance. Elle se sent à la fois touriste et femme d'affaires. Une fois ce litige réglé, elle ira marcher dans Times Square…

Bennet est trapu et il a congédié son rasoir depuis des années : sa longue barbe jaunie couvre son double menton et se dessine en pointes fourchues sur sa veste, masquant le col et la cravate. Il a une main large et huileuse au toucher. Claudie le suit sans rien dire. Un petit cagibi lui sert de bureau. Il lui indique une chaise qui aurait eu grand besoin d'être restaurée, son rembourrage dépassant généreusement.

– Vous êtes de parole. J'aime ça. On va régler ce dossier en une heure, sans se salir les mains.

– Que faut-il faire ? Où est son… atelier ? Loin d'ici… questionne Claudie.

– Je partage un véhicule de police avec trois autres collègues. Donnez-moi une minute; je regarde si mon carrosse est disponible maintenant. Sinon, nous devrons prendre l'autobus ensemble ou remettre à demain, ce qui n'est pas mon habitude... Vous pouvez laisser vos affaires dans le tiroir du bas qui ferme à clé. Le mieux, c'est de ne rien emporter qu'on puisse voler, si vous voyez ce que je veux dire...

L'inspecteur revient l'air penaud. Il peste contre l'absence de budget décent. Il n'a pas à expliquer plus avant sa déconfiture.

– Très bien, dit Claudie en retirant de son sac à main son passeport, son billet d'avion, ses cartes de crédit. Elle conserve quelques dollars et son appareil photo digital. On ne sait jamais... il faudra peut-être fournir des preuves... Avez-vous un vieux sac plastique à me fournir, que je mette tout cela dedans ?

Tout chiffonné, avec du lettrage à moitié effacé, le contenant visiblement recyclé à maintes reprises, est rempli. Le tiroir refermé, Bennet lui remet la clé entre les mains. Elle la glisse dans sa poche la plus profonde et le suit, après avoir fait un arrêt à la salle de bain des dames... pas très brillante idée, d'ailleurs.

Escortée par ce policier en uniforme, Claudie se sent en sécurité quoique les regards qui se posent sur elle témoignent d'une foule de questions inaudibles, ambiguës. Ils s'enfoncent dans un quartier populaire et s'arrêtent devant un bloc appartement qui semble abandonné. Derrière l'immeuble de quatre étages, s'étend un vaste hangar, vraisemblablement un garage où les locataires pouvaient garer leurs voitures à l'abri des voleurs. La porte n'a aucune serrure. Bennet se penche et passe sa main sous le cadre puis il la soulève doucement, afin de faire le moins de bruit possible. Un rayon de lumière se fraye un passage dans l'obscurité. Ils entrent. Sur la colonne de droite, une série d'interrupteurs. Bennet ouvre d'un seul coup les huit commutateurs. Tout le garage s'éclaire. Claudie reste figée sur place, incapable du moindre mouvement.

La surface entière du garage est peinte. Le mur du fond est un immense triptyque. En fond de scène, la plage de l'hôtel Bordelo s'étend comme une immense photo panoramique. Au centre, deux personnes se tiennent par la main, un homme et une femme, portant tous les deux le bracelet bleu habituel confié par l'hôtel à ses clients; puis, à droite, le portrait de la femme, vue de dos, en maillot de bain. Près de sa silhouette, un homme lui tient la main amoureusement. Ils s'avancent dans l'eau, faisant face à la mer qui leur caresse les pieds. Ils sont seuls devant leur destin. Leurs traits de dos sont imprécis, mais Claudie a compris qui sont ces personnages. Ce peintre a sans aucun doute eu en sa possession une photo d'Antoine et d'elle, prise lorsqu'ils étaient en vacances... « C'est tellement réel... cet homme a dû voir cette scène quelque part... »

Les autres murs sont tous des fragments de cette même toile : plage et eau, palmiers et sables blancs, bouées de plage et petits bateaux d'excursion, vagues caressant la longue baie sablonneuse. Alors qu'elle réussit à s'avancer, pour voir le style de ces coups de pinceau, pour chercher des détails, elle entend du bruit... Dans un coin, un lit de fortune délimité par des cartons attire leur attention. Une tête hirsute émerge des vieilles couvertures. Elle va enfin savoir qui est cet homme. « ANTES ? » Elle va pouvoir lui demander comment il a obtenu ces photos... Connaissait-il Antoine ?

Bennet lui lance un « *good morning* » retentissant. Le clochard se redresse péniblement, surpris de voir un policier et une dame envahir son territoire. Il s'excuse maladroitement en espagnol, puis en anglais.

– Je n'ai rien fait de mal... dit-il en regardant le policier.

– Oui et non... Nous avons découvert que tu t'amuses à peindre des tableaux en copiant un autre artiste. Cette dame est la femme de cet artiste. Tu agis comme un fraudeur en vendant des tableaux qui ne sont pas vraiment créés par toi. Est-ce que tu comprends ce que je veux dire ?

– Je ne copie personne. Mes tableaux sont de moi. Je suis ANTES, et je suis un peintre. J'ai le droit de peindre ! On est en Amérique ici... l'Amérique est libre... Je suis libre de peindre ce qui m'inspire. C'est ce que vous voyez là qui m'inspire. Je n'ai rien d'un faussaire !

Mais Claudie reste un peu en retrait, n'osant pas trop s'approcher. Bennet poursuit.

– Vous avez le droit de peindre, ça, c'est sûr; mais lorsque vous allez vendre vos toiles dans les galeries d'art, c'est là que la confusion s'installe. Vous peignez exactement comme un peintre qui s'appelait Antoine Tessier, un homme qui est décédé il y a 5 ans. Nous pensons que vous avez copié vos tableaux sur les œuvres de cet homme.

– Je vous jure que je ne connais pas cet homme. Je ne vais pas dans les galeries, moi. Je vais seulement porter des toiles pour arriver à manger et à payer mon matériel. Je n'ai rien fait de mal, je le jure.

À mesure que la voix s'affermit, Claudie se questionne. Il parle comme Antoine... Elle détaille sa silhouette, sous ses vêtements usés : il a la même taille qu'Antoine. Elle s'approche pour voir ses mains. Elles sont larges, les doigts effilés, les veines saillantes. Alors, elle lève lentement la tête pour observer son visage. Les yeux, le front, les ailes du nez, la couleur des cheveux... Elle porte sa main à sa bouche et retient un cri... Antoine ?

Le peintre reste de glace en regardant cette femme. L'a-t-elle déjà vu ? Il fouille dans sa mémoire, maintenant si limitée. Il n'a retenu de ces dernières années de sa vie que la misère et l'errance. Elle semble le connaître... Sa taille fine, ses longs cheveux noirs, ses yeux... Ce bleu turquoise qui ressemble à la mer. Il porte sa main à sa tête, gêné par une sorte de malaise.

– Excusez-moi... j'ai une migraine insupportable chaque fois que j'essaie de me souvenir de mon passé. J'ai pour ainsi dire perdu la mémoire. Je n'arrive pas à me rappeler de quoi que ce soit avant l'année 2000. C'est justement pour cela que j'ai choisi de signer mes tableaux de ce nom, Antes, car la traduction de l'espagnol signifie avant... tout ce qui s'est passé avant, dans ma vie, n'a laissé aucune trace. Quand je cherche à lire ce que ma mémoire a enregistré avant, j'ai terriblement mal… Mon crâne veut s'ouvrir.

– Et où étiez-vous quand votre mémoire a recommencé à fonctionner, demande Claudie. J'aimerais bien le savoir.

– J'ai ouvert les yeux dans une cabane de pêcheurs, non loin de Punta Cana, en République dominicaine. Trois gars m'avaient trouvé sous l'eau alors qu'ils étaient allés pêcher pour nourrir leur famille. « Tu parles d'un poisson… », a dit la femme d'un des gars. J'ai été inconscient une dizaine de jours. Ma blessure à la tête a mis plusieurs mois à guérir. Les pêcheurs m'ont soigné comme ils ont pu, m'ont nourri. Ils n'avaient pas d'argent pour des soins à l'hôpital. Quand j'ai été assez bien pour me lever, j'ai demandé à mes amis ce que je pouvais faire pour les remercier. Je ne savais pas pêcher… J'ai regardé les ouvriers qui bâtissaient des maisons en blocs de ciment… c'était un travail trop difficile, dans ma condition. En fait, j'étais un bon à rien… J'ai finalement commencé à peindre pour un propriétaire qui avait une boutique d'artisanat. Il a bien vu que je savais mélanger des couleurs et tenir un pinceau. Il me fournissait des modèles et je devais les reproduire dix ou vingt fois. Je peignais sept jours sur sept et il me donnait à peine de quoi manger. Parfois, je me rendais à proximité des grands hôtels avec mon vieux chevalet et je faisais des portraits pour les touristes, à 300 pesos chacun. C'est comme ça que j'ai pu mettre de côté assez d'argent pour venir aux États-Unis. J'ai volé un passeport, d'un gars qui était soûl dans un bar, un soir, et qui me ressemblait assez pour que je passe pour lui au bureau d'immigration. J'ai réussi à entrer. J'ai traîné les rues jusqu'à ce que je trouve ce hangar. Deux ans environ que je suis ici, à peindre… toujours les mêmes scènes. Je survis en faisant le portrait des gens, les fins de semaine, là où il y a des touristes. J'ai même obtenu un permis de la ville pour me placer toujours au même endroit, sur un trottoir de Times Square. Il y a des gens qui me saluent. Moi, je ne reconnais jamais personne de ma vie d'avant.

– Alors, tu pourrais bien être Antoine Tessier... Ce nom ne te dit rien ? Ton pseudonyme AN pour Antoine et TES pour Tessier. Antes et Antoine Tessier, c'est peut-être la même personne ?

– Je ne sais pas... Quand on m'a demandé de signer une toile pour vrai, la première fois, je ne savais pas quoi écrire. C'est mon pinceau qui a écrit cela, comme s'il devinait de lui-même ce que je devais écrire. J'ai lu les lettres A N T E S et je me suis dit que ça ferait un beau nom... Je l'ai adopté sans savoir pourquoi. Les gens le disent en espagnol, en anglais, en français... c'est facile à retenir, même si je suis loin d'être célèbre. C'est à peine si je mange deux fois par jour... Comme je ne sais rien faire d'autre, ça me suffit !

– Et tu parles combien de langues ? L'anglais ? L'espagnol ? Le français ? poursuit Claudie, de plus en plus attentive aux moindres réactions de son interlocuteur.

– Quand je me suis réveillé, les gens autour de moi parlaient espagnol... J'ai cru que c'était ma langue maternelle. Mais lorsque je parlais à des touristes, je comprenais aussi bien en anglais qu'en français. Les Allemands, je ne les comprenais pas, les Chinois non plus... Alors, je me suis dit que je devais m'en aller aux États-Unis pour mieux gagner ma vie. Je ne sais pas vraiment quelle est ma première langue. Mais j'ai l'intuition que la peinture, c'était peut-être là avant... Comment ai-je pu apprendre ? Je l'ignore. J'étais un peintre *Antes* de venir ici. C'est la seule explication...

– Montrez-moi cette cicatrice... demande-t-elle en français, sous le regard de plus en plus étonné de Bennet.

Il s'approche de Claudie, un peu gêné parce qu'il n'est pas lavé ni rasé. Il soulève la mèche de longs cheveux bruns qui lui tombe sur l'œil où une entaille d'un demi-pouce se faufile de l'arcade sourcilière jusqu'au sommet du crâne. Elle avance sa main, suivant délicatement la trace de la blessure mal refermée. Les cheveux sont de la même texture que ceux d'Antoine, à quelques fils blancs près qui se sont ajoutés à l'ensemble.

– Ta mère a été tellement inquiète lorsque tu as disparu…
dit-elle à voix basse. Elle s'appelait Raymonde. Ton père
Jean-Paul… a souffert de ton absence. Et moi…

Antes soulève sa main et il prend la main de Claudie, la
promenant dans ses cheveux comme pour se rappeler ce
contact, comme une caresse. Elle l'observe de si près que leurs
visages se touchent presque. Il cligne des yeux… il respire
avec peine… son cœur veut sortir de sa poitrine tellement il
est anxieux de toujours douter de tout. Sans comprendre ni
la peine ni le regret, de grosses larmes se mettent à couler,
traçant leurs sillons sur les joues noircies par la poussière
de centaines de jours d'errance. Le rapprochement entre le
passé et le présent peut-il avoir un effet sur la mémoire du
peintre clochard qu'il est devenu ?

Elle lui prend la main et s'approche du tableau. Il sait que
l'homme qu'il a peint, c'est probablement lui, celui qu'il était
avant, et cette femme, qui est-elle donc ? Leurs mains réunies, Claudie lui révèle, en quelques respirations saccadées,
qui elle est vraiment.

– Je suis la fiancée… d'Antoine Tessier… celle qu'il a
aimée… C'est moi que tu as peinte, là, à ses côtés. Peux-tu
te souvenir de mon nom ?

Il se tourne vers elle, la regarde intensément, tentant de
retrouver ces traits, ce regard, cette chevelure, cette voix, ce
parfum… Il essaie de toutes ses forces de se projeter dans
le tableau. Les secondes tombent lourdement tandis que les
anciennes images retrouvent des formes, des couleurs, des
impressions. Les fantômes enfouis sous une douleur intense
recomposent le passé morcelé en milliers de petits fragments.
Il ne dit rien… Il veut fuir. Il lâche la main de cette femme. Il
s'éloigne, balançant sa longue silhouette de droite à gauche,
se prenant la tête entre les mains, titubant contre les boîtes
de conserve vides qui traînent au sol. Bennet craint qu'il ne
s'enfuie, mais Claudie le retient d'un geste de la main.

Antes souffre et il crie entre les larmes qu'il ne sait pas… Il
se laisse tomber sur le sol comme un homme brisé. Claudie
s'approche et le console.

– Ce n'est rien… pas grave… ta mémoire s'est vidée par ce trou dans ta tête comme un vieux tube de peinture écrasé… Tu étais dans l'eau, tu nageais pendant que moi, j'étais sur la plage. Tu devais bien penser un peu à moi en nageant. Tu étais si heureux que ce sentiment t'a peut-être rendu insouciant aux dangers de l'océan…

Antes s'apaise un peu. Les mots ne viennent pas. Mais il cherche comment exprimer ce qu'il ressent soudain. Océan, couleur, tube de peinture éventré sous l'eau… Il trouve un pinceau, l'essuie rapidement d'un bout de toile puis, il choisit un tube de couleur, du noir, le remue un peu, en dépose une grosse goutte sur sa palette et il y place la pointe de crin en la remuant. Il ajoute un peu de diluant, jugeant la résine trop épaisse pour faire une ligne fine, nette. Il lève sa main. Alors, instinctivement, il trace sept lettres C L A U D I E d'une main tremblante.

Elle s'est approchée de lui et a mis sa main sur son épaule, voyant bien l'effort surhumain que le peintre venait de fournir pour réaliser cet exercice de mémorisation.

– Oui, je m'appelle Claudie. Tu te souviens donc de moi… au moins un peu. Et si tu essaies de signer ton vrai nom, qu'est-ce que ça donne ? Veux-tu essayer ?

La tension des premières lettres fait place à une sorte de libération. Antoine se redresse et les lettres se forment avec une aisance remarquable. La calligraphie devient plus harmonieuse, conforme en tous points à la signature qui apparaît au bas de plus de 3000 toiles peintes par Antoine Tessier entre 1980 et 2000.

Alors, la voix émue de Claudie résonne contre les parois de métal du vieux hangar.

– Inspecteur Bennet, j'ai la conviction que cet homme est bel et bien Antoine Tessier, disparu à Punta Cana le 31 décembre 1999. Lors de sa disparition en mer, il venait de se fiancer à Claudie Delisle, celle qu'il avait choisie pour être son épouse. Juste avant de partir pour ce voyage, le peintre avait créé une toile non signée, identique à celle-ci. L'œuvre inachevée. C'est sa vie, cette toile !

Antoine la regarde avec une émotion impossible à contenir. Ses premières larmes tracent un sillon blanc sur ses joues grises de poussière. Il fait un premier pas vers elle comme s'il revivait, comme s'il sortait enfin d'un long sommeil. Le clochard tremble un peu en prenant Claudie dans ses bras, riant et pleurant à la fois.

– Je ne peux le croire, je... n'ai plus cette douleur à la tête... Tu viens de guérir ce terrible mal qui m'empêchait de penser. Oui, ma chérie, je suis Antoine, ton Antoine. Tu viens de me ramener à la vie...

– Antoine... Tu vas désormais pouvoir la terminer enfin, cette œuvre ! Quel bonheur !

– Claudie... Tu me redonnes un présent; tu me relies à mon passé, trouve-t-il à dire entre les vagues d'émotions qui montent du cœur, spontanément.

– Je t'aime... Je n'ai jamais cessé de t'aimer... Je t'aimerai jusqu'à mon dernier souffle.

Sous les yeux de l'enquêteur, le peintre Antes vient lui-même de mettre un point final à cette enquête. Pourtant, l'état de délinquance de son « suspect » pose de nombreux problèmes.

– J'aimerais vous parler dehors, ma petite dame... Et vous, il faut débarrasser les lieux sinon je vous dénonce aux propriétaires.

Nerveusement, Antoine ramasse les quelques effets qui lui appartiennent, tout en jetant un regard inquiet à l'inspecteur Bennet qui fait le point avec Claudie.

– Il y a plusieurs charges dans un cas comme celui-là, vous savez. Vol d'identité et occupation illégale des lieux entre autres. Vous êtes certaine que c'est le bon gars ? Il pourrait s'agir d'un fraudeur qui saute sur la bouée qu'on lui offre.

– Je suis certaine que c'est lui, c'est mon Antoine. Physiquement plus vieux et malmené par les années difficiles, mais son talent… Personne au monde ne pourrait imiter cela. J'endosse à 100 % ma décision. Pouvez-vous simplement le laisser partir ? Vous conservez mes coordonnées et vous pourrez ainsi en tout temps le retracer, si toutefois vous trouviez des preuves de méfaits.

– Il est vrai que son comportement n'est pas agressif; il ne semble pas non plus intoxiqué ni malhonnête, commente en réfléchissant à haute voix l'enquêteur exténué. Et puis… je pourrais ajouter le mot « Affaire classée » sur un dossier parmi des centaines qui s'entassent dans nos services. C'est bon… Ramenons-le à la civilisation. Belle façon de conclure cette histoire !

– Le dossier de la disparition d'un touriste québécois en République dominicaine, survenue il y a cinq ans, ne fera plus la manchette, acquiesce Claudie. Il avait été traité alors dans une indifférence totale, pour ne pas nuire à la réputation de cette magnifique plage des Antilles. Je crois qu'il a droit à une deuxième chance… et moi aussi ! Pouvez-vous appeler un taxi ?

Claudie revient vers Antoine après cet échange avec le policier. L'homme est anxieux; il a peur de ce qui l'attend.

– Qu'est-ce qui va m'arriver maintenant ? demande-t-il. Ils vont me mettre en prison n'est-ce pas ?

– Non, tu peux être rassuré. Je vais aller signer une décharge et retirer ma plainte. Ensuite, tu seras libre… Tu peux rester ici mais en reprenant ton nom d'Antoine Tessier. En cherchant des témoignages de ton amnésie… Peut-être que… Mais tu peux aussi rentrer avec moi à Montréal… Tu as le temps d'y penser.

– Claudie, est-ce que tu veux toujours de moi ? Tu as peut-être rencontré un autre…

– Je serais tellement heureuse que tu reviennes ! Et j'aurais bien besoin d'expliquer aux amis dans quel endroit invraisemblable j'ai retrouvé l'un des peintres parmi les plus importants de l'heure… Sinon, personne ne me croira.

Rapidement, Claudie se saisit de son appareil photo et pendant qu'Antoine réunit ses pinceaux et ses couleurs, elle tire une centaine de clichés de ce hangar où, pendant deux ans, Antoine a survécu sans même savoir qu'il était devenu un artiste réputé.

Elle passe de l'étonnement à l'attendrissement. Certains détails sont tellement parfaits qu'elle ne peut qu'admirer cette mémoire phénoménale pour un homme qui avait subi un tel choc à la tête. Le cœur n'est donc jamais amnésique ? L'obsession pour cette plage aura été au centre de ce miracle : celui qui avait réussi à peindre Claudie sans modèle, à quelques jours de leur départ en vacances, avait à nouveau utilisé toute sa force de concentration afin de ne jamais oublier la plage où leur amour s'était enraciné. La mer devant eux les appelait au bonheur, mais elle les avait aussi séparés cruellement.

Pour Claudie et Antoine, une nouvelle vie s'ouvre. C'est une magnifique prémonition qui les aura remis en contact. Une heure plus tard, une belle jeune femme entre, au bras d'un clochard, dans ce même poste de police médiocre de New York, pour y lever une plainte formulée quelques mois auparavant contre un présumé fraudeur. Claudie semble pressée d'en finir. En quelques minutes, elle a repris ses objets personnels, remis la clé du tiroir dans la main de Bennet et, devant tous ses collègues étonnés, elle lui donne un baiser très sonore sur la joue.

– *I love you*, Bennet !

Sans qu'il ait le temps de réagir, elle pousse la porte et disparaît avec son compagnon aux allures douteuses.

Épilogue

– À l'hôtel Crowne Plaza, sur Times Square, s'il vous plaît !

Le portier de l'hôtel tend la main à cette cliente qui affiche un sourire énigmatique puis s'étonne de la voir tendre la main à un pauvre clochard. Elle confirme sa réservation au comptoir en les rassurant : elle n'est pas en danger. Une fois arrivée dans cette chambre luxueuse, Claudie décroche promptement le téléphone et demande au concierge de monter la voir, dès qu'il sera libre.

En quelques heures, les allées et venues dans la suite s'orchestrent comme un ballet : vêtements neufs, cheveux et barbes fraîchement taillés, Antoine émerge de ses cinq années d'amnésie. Il retrouve l'apparence de ses 35 ans et les sentiments de fierté qui ont meublé son passé, comme si le fil du temps ne s'était jamais rompu. Oui, la vie les avait séparés. La récompense de cette journée inattendue, n'est-ce pas de redécouvrir des sentiments toujours aussi intenses, passionnés ? La présence de Claudie à ses côtés est un baume sur son âme, un retour à l'espoir d'une vie heureuse, enfin.

L'heure du dîner est le début d'un autre chapitre de leur roman. Antoine la dévore des yeux et s'attendrit pour un regard, un sourire, une main effleurée. Leur conversation prend une tournure plus poétique, lorsque Claudie propose une marche sous les étoiles. De nombreux couples d'amoureux se baladent main dans la main, rêvant à leur avenir et, se découvrant à la fois tous pareils, ignorant encore ce que la vie leur réserve pour les mois à venir. Claudie et Antoine savent apprécier la présence de l'autre comme un cadeau inestimable… Le moindre mot, la simple chaleur du corps, le plus léger effleurement les fait frissonner de plaisir.

Épilogue

– J'ai bien cru que tu ne saurais jamais par quels tourments je suis passée, lui confie Claudie lorsqu'ils s'allongent, l'un près de l'autre, après cette journée très émouvante.

– J'aimerais bien que tu me racontes comment tu as pu survivre… Dis-moi tout. Je ne peux rien réparer, mais il me faut au moins savoir. Comme j'aimerais me retrouver sur la plage de Bavaro, avec toi, mon amour !

Pendant des heures, Claudie lui fait le récit de sa descente aux enfers. Elle lui apprend tour à tour qu'il a eu un fils, que sa mère est décédée, puis ce terrible accident qui a ruiné les espoirs d'avenir de Jean-Paul. Entre les larmes et les gestes de tendresse mutuelle, le couple redécouvre ce lien amoureux qui devient un baume, une sorte de force thérapeutique. Être compris et soutenu par celui ou celle qu'on aime n'a pas de prix. Lorsque le sommeil vient apaiser leurs émotions, ils se blottissent l'un contre l'autre et se laissent entraîner ensemble, pour quelques heures de repos.

* * *

Le lendemain midi, le même portier reconnaît la dame, alors qu'elle sort de cet hôtel au bras d'un homme élégant, souriant et visiblement très amoureux… « Est-ce le même homme ? » Les passants, eux, se retournent en s'interrogeant : « Je te jure… ce sont des vedettes… Dans quelle production les a-t-on vus déjà ? » Mais les amoureux ne cherchent aucunement la célébrité et ils pressent le pas afin de retrouver une vie qui leur appartiendra enfin.

– À l'aéroport, s'il vous plaît ! lance Claudie au conducteur de taxi.

En route, elle prend son cellulaire et compose le numéro de téléphone d'Irénée.

– Je viens de quitter Manhattan. Je me sens un peu fatiguée. Est-ce que tu pourrais venir me chercher à l'aéroport vers… 15 h ? Tu es gentil. Qu'est-ce que je ferais sans toi…

Il lui demande si elle a pu régler ce dossier. Elle demeure un peu évasive :

– Je pense que j'ai bien fait de venir lui parler… Il a compris ! Jamais plus Antes ne signera un tableau sans penser à moi… Je te raconterai…

Sans bagage, comme deux aventuriers qui font l'école buissonnière, Claudie et Antoine se dirigent vers le comptoir d'Air Canada. Par chance, une place est libre sur le vol. « Un siège au nom de Billy Grossman s'il vous plaît. » Elle attend le signal de l'embarquement avec le cœur si léger… Ce vol de quelques heures à peine peut-il leur permettre de retrouver leur vie d'avant ? Auront-ils enfin droit au bonheur ? En regardant Antoine sourire, elle revoit l'homme d'affaires qui avait déposé sur le comptoir de l'imprimerie une maquette de son projet, cinq ans plus tôt. C'est comme si la destinée leur offrait un nouveau départ…

– Ma chérie, nous ne laisserons pas la vie nous séparer l'un de l'autre… Lorsqu'on a trouvé l'âme sœur, c'est une chance telle qu'on devrait tout mettre en œuvre pour la garder…

L'avion roule sur la piste et accélère pour prendre son envol. Autour d'eux, les passagers se préparent à vivre quelques longues minutes entre deux destinations. Pour Antoine et Claudie, c'est un moment suspendu entre deux étapes de leurs vies.

– Jamais plus je ne lâcherai ta main ! lui dit Antoine à l'oreille.

Claudie lève son regard vers son amour retrouvé et elle lui sourit.

– On ne peut pas réécrire son histoire; mais je suis maintenant convaincue que l'amour peut survivre, quoi qu'il arrive. À partir d'aujourd'hui, je veux apprécier chaque jour à tes côtés comme si c'était le dernier. Je t'aime tant !

L'appareil roule sur la piste et s'engage à basse vitesse dans son corridor de débarquement. Parmi les tout premiers passagers à quitter l'avion, un couple d'amoureux semble particulièrement pressé de toucher le sol québécois. La main dans la main, ils suivent la passerelle, et se faufilant entre les touristes attendant la récupération de leurs bagages, ils s'esquivent, heureux d'éviter les longues files d'attente.

– Que va dire Irénée ? questionne Antoine. Il ne s'attend pas à me voir réapparaître après 5 ans… Le choc va le tuer !

– Si tu es d'accord, je vais passer la porte seule, puis tu comptes jusqu'à 10 et tu entres à ton tour. Je lui dirai que j'ai ramené avec moi… le faussaire de New York, car il a laissé en plan une œuvre… qu'il doit de toute urgence terminer. Ça te va ? demande Claudie, en riant d'avance de la réaction de leur meilleur ami.

– Oui, tu as raison, je reviens pour terminer quelque chose de très important. Ma vie à tes côtés ! Parfait ! Faisons une entrée qui ne passera pas inaperçue…

* * *

Irénée brave le début de l'heure de pointe et peste contre la circulation qui se fige à toutes les intersections. Le retour de Claudie va enfin mettre un terme à cette nébuleuse affaire de plagiat, se dit-il. Antoine a été unique et personne ne doit entacher sa mémoire. Les ventes d'œuvres d'art ont dépassé leurs attentes et le marché de New York, en particulier, se révèle très actif en ce moment. L'histoire du peintre disparu en mer et de sa muse a été tournée par un consortium culturel et la diffusion en français à la chaîne *Arte* sera bientôt suivie d'une traduction dans plusieurs langues. « Plus son œuvre rayonne et moins je me sens coupable de l'avoir poussé sans nuances, sans compromis, presque diaboliquement, à choisir entre l'art, la famille et les affaires » se répète Irénée, incapable d'oublier le serment des Amiens.

Son téléphone cellulaire le ramène à la réalité. Son vieil ami journaliste veut une entrevue avec Claudie concernant une transaction qui vient de s'effectuer et qui la concerne indirectement.

– De quoi s'agit-il, Bob, tu peux bien me le dire ? demande Irénée.

L'œuvre inachevée

L'interlocuteur explique qu'un organisme caritatif vient d'acheter le concept de *Home-in-a-Box* qu'avait créé Antoine Tessier.

– Les Suédois ont vendu cette filiale à « Un toit pour chacun », filiale de World Charity. Il semble que 1000 maisons seront commanditées par des entreprises québécoises au cours de la prochaine année. Ce n'est pas rien... Madame Delisle a sûrement un point de vue intéressant sur cette transaction. Quand puis-je la voir ? Je ne veux pas perdre le *scoop*...

– Tu tombes bien. Elle arrive à l'aéroport dans 30 minutes. J'y serai aussi pour l'accueillir. On pourrait aller prendre un verre ensemble, histoire d'obtenir ta déclaration inédite. Je devine qu'elle sera très heureuse de voir que ce projet a de l'avenir. C'est un autre héritage d'Antoine, en quelque sorte...

Trouver un espace de stationnement est toujours problématique et Irénée consulte sa montre nerveusement. Il lui reste dix minutes de jeu pour se rendre à la porte des arrivées internationales. Il presse le pas. « Pas même le temps de lui acheter des fleurs pour lui souhaiter la bienvenue », se dit-il en maugréant. Il entre en coup de vent, bousculant des passagers qui flânent et consulte du coin de l'œil le tableau des arrivées. Les mots « Atterrissage effectué » sont déjà affichés.

Il s'approche de la barrière de plexiglas et commence à examiner les passagers qui se présentent aux portes automatiques. Un homme âgé; une mère et son bébé; et enfin, c'est elle. Il se précipite.

– Te voilà ! Je suis heureux de t'accueillir...

Les mots lancés dans la foule précèdent une chaleureuse accolade. Claudie se dégage plus rapidement qu'il ne l'aurait souhaité. La retenir une seconde de plus, lui voler un autre moment de bonheur furtif, cela cultive des sentiments qu'elle ne semble pas vouloir nourrir envers lui.

Épilogue

– Enfin, je suis tellement soulagée d'avoir fait ce voyage. Tu ne peux t'imaginer. Le faussaire… a obtenu la permission de venir avec moi et, en échange, j'ai renoncé à porter plainte contre lui. C'est une transaction gagnant-gagnant comme on dit. Alors, j'ai hâte de te le présenter, ce fameux Antes.

Sans avoir le temps de répondre, Irénée lève la tête et voit un homme sortir de… C'est impossible ! Un sosie ? Un imposteur ? Un revenant ? Ses jambes se ramollissent sous le choc.

– Voici Antes, celui qui a, sans le savoir, plagié son alter ego, Antoine Tessier. Amnésique depuis 5 ans, il ignorait tout de son accident et seule la toile du bord de mer pouvait faire la lumière sur son passé. Il est bien vivant… Et mieux encore, il se souvient de tout…

Antoine voit blêmir son meilleur ami et s'approche de lui. L'accolade vigoureuse l'empêche de s'effondrer sous le choc.

– C'était toi, Antes ? Ce nom aurait dû nous ouvrir les yeux… Nous avons perdu plus d'une année à croire que tu étais un vil escroc. Mon ami… Quel bonheur ! Je ne sais plus quoi dire… Vivant ! Magnifiquement vivant !

Au même moment, un premier flash de caméra surgit de l'assistance. Les gens se retournent, questionnent, se demandent bien qui sont ces visiteurs. « Incroyable » se dit le journaliste Bob Gauthier, en mitraillant le trio pour ne pas manquer une seule seconde de leurs expressions. « Pour un scoop, c'en est tout un ! »

Lorsqu'Irénée se remet de ses émotions et qu'il s'apprête à inviter Antoine et Claudie à venir prendre un verre pour célébrer ce miracle, il aperçoit son vieil ami… Clic ! Avec un sourire immense, Claudie s'avance, transportée par un bonheur contagieux. Entre Antoine, l'amour de sa vie enfin retrouvé, et son meilleur ami Irénée, elle est radieuse.

– Oui, j'y ai toujours cru. L'amour est un aimant qui nous guide sur la route du bonheur. Quels que soient les détours à prendre… Il nous ramène toujours vers celui qu'on aime.

À SUIVRE...

**Le Tome II
paraîtra prochainement**

Remerciements

*Mes premiers lecteurs ont permis à
mon projet de prendre forme,*

*de gagner en confiance pour
finalement devenir une histoire concrète.*

*Merci à tous ceux qui ont partagé cette expérience
de créativité avec moi...*

Rendez-vous pour la suite !

Vous avez aimé ce livre ?

Parlez-en à vos amis

Découvrez aussi nos prochaines publications

www.editionsveritasquebec.com

Éditions Véritas Québec

Formats numériques disponibles sur
www.enlibrairie-aqei.com

Les Éditions Véritas sont membres de l'AQÉI

Alliance
québécoise
des éditeurs
AQÉI indépendants

www.editeurs-aqei.com

Tous nos livres imprimés sont distribués
en librairie par Édipresse

Achevé d'imprimer au Québec
En février 2014